HISTOIRE D'O
UNE FILLE AMOUREUSE
RETOUR À ROISSY

PAULINE RÉAGE

Histoire d'O

précédé de

Le Bonheur dans l'esclavage

par Jean Paulhan

Retour à Roissy

précédé de

Une fille amoureuse

postface d'A. Pieyre de Mandiargues

PAUVERT

ISBN : 978-2-253-14766-4 – 1re publication – LGF

LE BONHEUR DANS L'ESCLAVAGE

Une révolte à la Barbade

Une singulière révolte ensanglanta, dans le courant de l'année mil huit cent trente-huit, l'île paisible de la Barbade. Deux cents Noirs environ, tant hommes que femmes et tous récemment promus à la liberté par les Ordonnances de mars, vinrent un matin prier leur ancien maître, un certain Glenelg, de les reprendre à titre d'esclaves. Lecture fut donnée du cahier de doléances, rédigé par un pasteur anabaptiste, qu'ils portaient avec eux. Puis la discussion s'engagea. Mais Glenelg, soit timidité, scrupules, simple crainte des lois, refusa de se laisser convaincre. Sur quoi il fut d'abord gentiment bousculé, puis massacré avec sa famille par les Noirs qui reprirent le soir même leurs cases, leurs palabres et leurs travaux et rites accoutumés. L'affaire put être assez vite étouffée par les soins du Gouverneur Mac Gregor, et la Libération suivit son cours. Quant au cahier de doléances, il n'a jamais été retrouvé.

Je songe parfois à ce cahier. Il est vraisemblable qu'il contenait, à côté de justes plaintes touchant l'organisation des maisons de travail (workhouse), *la substitution de la cellule au fouet, et l'interdiction faite aux « apprentis » — ainsi nommait-on les nouveaux travailleurs libres — de tomber malades, l'esquisse au moins d'une apologie de l'esclavage. La remarque, par exemple, que les seules libertés auxquelles nous soyons sensibles sont celles qui viennent jeter autrui dans une servitude équivalente. Il n'est pas un homme qui se réjouisse de respirer librement. Mais si j'obtiens, par exemple, de jouer gaiement du banjo jusqu'à deux heures du matin, mon voisin perd la liberté de ne pas m'entendre jouer du banjo jusqu'à deux heures du matin. Si je parviens à ne rien faire, mon voisin doit travailler pour deux. Et l'on sait d'ailleurs qu'une passion inconditionnelle pour la liberté dans le monde ne manque pas d'entraîner assez vite des conflits et des guerres, non moins inconditionnelles. Ajoutez que l'esclave étant destiné, par les soins de la Dialectique, à devenir maître à son tour, l'on aurait tort sans doute de vouloir précipiter les lois de la nature. Ajoutez enfin qu'il n'est pas sans grandeur, il ne va pas non plus sans joie, de s'abandonner à la volonté d'autrui (comme il arrive aux amoureux et aux mystiques) et se voir, enfin ! débarrassé de ses plaisirs, intérêts et complexes personnels. Bref, ce petit cahier ferait aujourd'hui, mieux encore qu'il y a cent vingt ans, figure d'hérésie : de livre dangereux.*

C'est d'une autre sorte de livres dangereux qu'il s'agit ici. Précisément, des érotiques.

I. Décisif comme une lettre

D'ailleurs, pourquoi les appelle-t-on dangereux ? Voilà qui est au moins imprudent. Voilà qui semble fait, tant nous nous sentons communément de courage, pour donner envie de les lire et nous exposer au péril. Et ce n'est pas sans raison que les Sociétés de Géographie conseillent à leurs membres, dans les relations de voyages, de ne pas insister sur les dangers courus. Il ne s'agit pas de modestie, c'est pour ne tenter personne (comme on le voit encore par la facilité des guerres). Mais quels dangers ?

Il en est un du moins, que j'aperçois très bien de mon poste. C'est un danger modeste. L'Histoire d'O, *de toute évidence, est l'un de ces livres qui marquent leur lecteur — qui ne le laissent pas tout à fait, ou pas du tout, tel qu'ils l'ont trouvé : curieusement mêlés à l'influence qu'ils exercent, et se transformant avec elle. Après quelques années, ce ne sont plus les mêmes livres. De sorte que les premiers critiques semblent assez vite avoir été un peu nigauds. Mais tant pis, un critique ne doit jamais hésiter à se rendre ridicule. Alors le plus simple est d'avouer que je ne m'y connais guère. J'avance drôlement dans* O, *comme dans un conte de fées — on sait que les contes de fées sont les romans érotiques des enfants — comme dans un de ces châteaux féeriques, qui semblent tout à fait abandonnés, pourtant les fauteuils dans leurs housses et les poufs et les lits à quenouilles sont très bien époussetés et les fouets, et les cravaches le sont déjà ; ils le sont, si je peux dire, par nature. Pas un soupçon de rouille aux chaînes, pas une idée de buée aux carreaux de toutes couleurs. S'il est un mot qui me vienne d'abord à l'esprit quand je songe à* O, *c'est le mot de* décence. *C'est un mot qu'il serait trop difficile de justifier. Passons. Et ce vent qui court sans arrêt, qui traverse toutes les chambres. Il souffle aussi dans* O *on ne sait quel esprit toujours pur et violent, sans arrêt, sans mélange. C'est un esprit décisif, et que rien n'embarrasse, de soupirs en horreurs et d'extase en nausée. Et, s'il faut l'avouer encore, mes goûts le plus souvent vont ailleurs : j'aime les ouvrages, dont l'auteur a hésité ; où il marque, par quelque embarras, que son sujet l'a d'abord intimidé ; qu'il a douté s'il parviendrait jamais à s'en tirer. Mais l'*Histoire d'O, *d'un bout à l'autre, est plutôt conduite comme une action d'éclat. On songe à un discours, mieux qu'à une simple effusion ; à une lettre, mieux qu'à un journal intime. Mais la lettre est adressée à qui ? Mais le discours, qui veut-il convaincre ? A qui le demander ? Je ne sais même pas qui vous êtes.*

Que vous soyez femme, je n'en doute guère. Ce n'est pas tant sur le détail, où vous vous plaisez, des robes de satin vert, guêpières, et jupes remontées à plusieurs tours : comme une boucle de cheveux dans un bigoudi. *Mais voici : c'est qu'*O*, le jour où René l'abandonne à de nouveaux supplices, garde assez de présence d'esprit pour observer que les pantoufles de son amant sont râpées, il faudra en acheter d'autres. Voilà qui me semble à moi presque inimaginable. Voilà ce qu'un homme n'aurait jamais trouvé, en tout cas n'aurait pas osé dire.*

Et pourtant O *exprime, à sa manière, un idéal viril. Viril, ou du moins masculin. Enfin une femme qui avoue ! Qui avoue quoi ? Ce dont les femmes se sont de tout temps défendues (mais jamais plus qu'aujourd'hui). Ce que les hommes de tout temps leur reprochaient : qu'elles ne cessent pas d'obéir à leur sang; que tout est sexe en elles, et jusqu'à l'esprit. Qu'il faudrait sans cesse les nourrir, sans cesse les laver et les farder, sans cesse les battre. Qu'elles ont simplement besoin d'un bon maître, et qui se défie de sa bonté : car elles emploient à se faire aimer par d'autres tout l'entrain, la joie, le naturel qui leur vient de notre tendresse, sitôt qu'elle est déclarée. Bref, qu'il faut prendre un fouet quand on va les voir. Il est peu d'hommes qui n'aient rêvé de posséder une Justine. Mais pas une femme, que je sache, n 'avait encore rêvé d'être Justine. En tout cas, rêvé à haute voix, avec cette fierté de la plainte et des pleurs, cette violence conquérante, avec cette rapacité de la souffrance et cette volonté, tendue jusqu'à la déchirure et à l'éclatement. Femme il se peut, mais qui tient du chevalier, et du croisé. Comme si vous portiez en vous les deux natures, ou que le destinataire de la lettre vous fût à chaque instant si présent que vous empruntiez ses goûts, et sa voix. Mais quelle femme, et qui êtes-vous ?*

*De toute façon, l'*Histoire d'O *vient de loin. J'y éprouve d'abord ce repos, et comme ces espaces qui viennent à un récit d'avoir été longtemps porté par son auteur : de lui être familier. Qui est Pauline Réage ? Est-ce une simple rêveuse,* *comme il en est. (Il suffit, disent-elles, d'écouter son cœur. C'est un cœur que rien n'arrête.) Est-ce une dame d'expérience, qui a passé par là ? Qui a passé par là, et s'étonne qu'une aventure qui commençait si bien — ou du moins si gravement : dans l'ascèse et la punition — à la fin tourne mal et s'achève sur une satisfaction plutôt louche, car enfin, nous sommes d'accord, O demeure dans l'espèce de maison close, où l'amour l'a fait entrer ; elle y demeure, et ne s'y trouve pas si mal. Pourtant, à ce propos :*

II. Une décence impitoyable

Moi aussi, cette fin m'étonne. Vous ne m'ôterez pas de l'idée qu'elle n'est pas la véritable fin. Que dans la réalité (pour ainsi dire) votre héroïne obtient de Sir Stephen qu'il la fasse mourir. Il ne défera ses fers qu'une fois morte. Mais évidemment tout n'est pas dit, et cette abeille — c'est de Pauline Réage que je parle — a gardé pour elle une part de son miel. Qui sait, peut-être a-t-elle été prise, cette unique fois, d'un souci d'écrivain : raconter quelque jour la suite des aventures d'O. Puis cette fin est si évidente, que ce n'était pas la peine de l'écrire. Nous la découvrons tout seuls, sans le moindre effort. Nous la découvrons et elle nous obsède un peu. Mais vous, comment l'avez-vous inventée — et quel mot à cette aventure ? J'y reviens, tant je suis sûr qu'une fois trouvé, les poufs et les lits à quenouilles et les chaînes mêmes s'expliqueraient, laisseraient aller et venir entre elles cette grande figure obscure, ce fantôme plein d'intentions, ces souffles étrangers.

Il me faut bien penser ici à ce qu'il y a, dans le désir masculin, de précisément étranger : d'insoutenable. On voit de ces pierres, où soufflent les vents, qui bougent tout d'un coup ou bien se mettent à pousser des soupirs, à jouer comme une mandoline. Les gens viennent les voir d'assez loin. Pourtant, on voudrait d'abord se sauver, on a beau aimer la musique. Au fait, si le rôle des érotiques (des livres dangereux si vous aimez mieux) était de nous mettre au courant ? De nous rassurer là-dessus, à la façon d'un confesseur. Je sais bien qu'on s'y habitue, en général. Et les hommes non plus ne sont pas si longtemps embarrassés. Ils prennent leur parti, ils disent que c'est eux qui ont commencé. Ils mentent, et, si l'on peut dire, les faits sont là : évidents, trop évidents.

Les femmes aussi, me dira-t-on. Sans doute, mais chez elles l'événement n'est pas visible. Elles peuvent toujours dire que non. Quelle décence ! D'où vient sans doute l'opinion qu'elles sont les plus belles des deux, que la beauté est féminine. Plus belles, je n'en suis pas sûr. Mais plus discrètes en tout cas, moins apparentes, c'est une façon de beauté. Voilà deux fois que je songe à la décence, à propos d'un livre où il n'en est guère question...

Mais est-il vrai qu'il n'en soit guère question ? Je ne songe pas à la décence, un peu fade et fausse, qui se contente de dissimuler ; qui s'enfuit de devant la pierre et nie l'avoir vue bouger. Il est une autre sorte de décence, elle irréductible et prompte à châtier ; qui humilie la chair assez vivement pour la rendre à sa première intégrité et la renvoie par la force aux jours où le désir ne s'était pas déclaré encore et le rocher n'avait pas chanté. Une décence entre les mains de laquelle il est dangereux de tomber. Car il ne faut rien de moins pour la satisfaire que les mains liées derrière le dos et les genoux disjoints, les corps écartelés, et la sueur et les larmes.

J'ai l'air de dire des choses effroyables. Il se peut, mais c'est alors que l'effroi est notre pain de chaque jour — et peut-être les livres dangereux sont-ils simplement ceux qui nous rendent à notre danger naturel. Quel amoureux ne serait épouvanté s'il mesurait un instant la portée du serment qu'il fait, non pas à la légère, de s'engager pour toute la vie ? Quelle amoureuse, si elle pesait une seconde ce que veulent *dire les « je n'ai pas connu l'amour avant toi...*

Je n'avais jamais été émue avant de te connaître » qui lui viennent aux lèvres ? Ou encore, et plus sagement — sagement ? — « Je voudrais me punir d'avoir été heureuse avant toi. » La voilà prise au mot. La voilà, si je peux dire, servie.

*Donc, il ne manque pas de tortures dans l'*Histoire d'O. *Il ne manque pas de coups de cravache ni même de marques au fer rouge, sans parler du carcan et de l'exposition en pleine terrasse. Presque autant de tortures qu'il est de prières dans la vie des ascètes du désert. Non moins soigneusement distinguées et comme numérotées — les unes des autres séparées par de petites pierres. Ce ne sont pas toujours des tortures joyeuses — je veux dire joyeusement infligées. René s'y refuse ; et Sir Stephen, s'il y consent, c'est à la manière d'un devoir. De toute évidence, ils ne s'amusent pas. Ils n'ont rien du sadique. Tout se passe enfin comme si c'était O seule, dès le début, qui exigeât d'être châtiée, forcée dans ses retraites.*

Ici, quelque sot va parler de masochisme. Je le veux bien, ce n'est guère qu'ajouter au vrai mystère, un mystère faux de langage. Que veut dire masochisme *? Que la douleur est en même temps du plaisir ; et la souffrance de la joie ? Il se peut. Ce sont là de ces affirmations, dont les métaphysiciens font grand usage — ainsi disent-ils encore que toute présence est une absence ; et toute parole, un silence — et je ne nie pas du tout (bien que je ne les comprenne pas toujours) qu'elles puissent avoir leur sens, tout au moins leur utilité. Mais c'est une utilité qui ne relève pas, en tout cas, de la simple observation — qui n'est donc pas l'affaire du médecin, ni du simple psychologue, du sot à plus forte raison. — Non, me dit-on. Il s'agit bien d'une douleur, mais que le masochiste sait* transformer *en plaisir ; d'une souffrance d'où il dégage, par quelque chimie dont il a le secret, une pure joie.*

Quelle nouvelle ! Ainsi les hommes auraient enfin trouvé ce qu'ils cherchaient si assidûment dans la médecine, dans la morale, dans les philosophies et les religions : le moyen d'éviter la douleur — ou tout au moins de la dépasser : de la comprendre (fût-ce en y voyant l'effet de notre sottise ou de nos fautes). Qui plus est, ils l'auraient trouvé de tout temps, car enfin les masochistes ne datent pas d'hier. Et je m'étonne alors qu'il ne leur ait pas été rendu de plus grands honneurs ; qu'on n'ait pas épié leur secret. Qu'on ne les ait pas réunis dans des palais, pour les mieux observer, enfermés dans des cages.

Peut-être les hommes ne se posent-ils jamais de questions qu'ils ne leur aient déjà dans le secret donné réponse. Peut-être y suffirait-il de les mettre au contact les uns des autres, de les arracher à leur solitude (comme s'il n'était pas un souhait humain qui fût purement chimérique). Eh bien, voici du moins la cage, et voici cette jeune femme dans la cage. Il ne reste qu'à l'écouter.

III. Curieuse lettre d'amour

Elle dit : « Tu as tort d'être étonné. Considère mieux ton amour. Il serait épouvanté, s'il comprenait un instant que je suis femme, et vivante. Et ce n'est pas en oubliant les sources brûlantes du sang que tu vas les tarir.

« Ta jalousie ne te trompe pas. Il est vrai que tu me rends heureuse et saine et mille fois plus vivante. Pourtant je ne peux faire que ce bonheur ne tourne aussitôt contre toi. La pierre aussi chante plus fort, quand le sang est à l'aise et le corps reposé. Garde-moi plutôt dans cette cage et nourris-moi à peine, si tu l'oses. Tout ce qui m'approche de la maladie et de la mort me rend fidèle. Et ce n'est qu'aux moments où tu me fais souffrir que je suis sans danger. Il ne fallait pas accepter de m'être un dieu, si les devoirs des dieux te font peur, et chacun sait qu'ils ne sont pas si tendres. Tu m'as déjà vue pleurer. Il te reste à prendre goût à mes larmes.

Est-ce que mon cou n'est pas charmant, quand il s'étrangle et bouge malgré moi, d'un cri que je retiens ? Il est trop vrai qu'il faut prendre un fouet quand on vient nous voir. Et même, à plus d'une, il faudrait le chat à neuf queues. »

Elle ajoute aussitôt : « Quelle sotte plaisanterie ! Mais aussi tu ne comprends rien. Et si je ne t'aimais pas d'un amour fou, crois-tu que j'oserais te parler ainsi ? et trahir mes pareilles ? »

Elle dit encore : « C'est mon imagination, ce sont mes rêves vagues qui te trahissent à chaque instant. Exténue-moi. Débarrasse-moi de ces rêves. Livre-moi. Prends les devants pour que je n'aie même pas le temps de songer *que je te suis infidèle. (Et la réalité, c'est en tout cas moins préoccupant.) Mais prends soin de me marquer d'abord à ton chiffre. Si je porte la trace de ta cravache ou de tes chaînes, ou ces anneaux encore dans mes lèvres, qu'il soit évident pour tous que je t'appartiens. Aussi longtemps qu'on me frappe, ou qu'on me viole de ta part, je ne suis que pensée de toi, désir de toi, obsession de toi. C'est ce que tu voulais, je pense. Quoi, je t'aime, et c'est aussi ce que je veux.*

« Si j'ai une fois pour toutes cessé d'être moi, si ma bouche et mon ventre et mes seins ne m'appartiennent plus, je deviens créature d'un autre monde, où tout a changé de sens. Un jour peut-être je ne saurai plus rien de moi. Que me fait désormais le plaisir, que me font les caresses de tant d'hommes, tes envoyés, que je ne distingue pas — que je ne puis te comparer ? »

C'est ainsi qu'elle parle. Moi, je l'écoute et je vois bien qu'elle ne ment pas. Je tâche de la suivre (c'est la prostitution qui m'a longtemps embarrassé). Il se peut, après tout, que la tunique ardente des mythologues ne soit pas simple allégorie ; ni la prostitution sacrée, curiosité de l'histoire. Il se peut que les chaînes des chansons naïves et les « je t'aime à en mourir » ne soient pas une simple métaphore. Ni ce que disent les rôdeuses à leur amant de cœur : « Je t'ai dans la peau, fais de moi ce que tu voudras. » (C'est curieux que *pour nous défaire d'un sentiment qui nous déroute, nous prenions le parti de le prêter aux apaches, aux prostituées.) Il se peut qu'Héloïse, quand elle écrivait à Abélard : « Je serai ta fille de joie », n'ait pas simplement voulu faire une jolie phrase. Sans doute l'*Histoire d'O *est-elle la plus farouche lettre d'amour qu'un homme ait jamais reçue.*

*Je me rappelle ce Hollandais qui doit voler sur les Océans tant qu'il n'a pas trouvé fille qui accepte de perdre la vie pour le sauver; et le chevalier Guiguemar qui attend pour guérir de ses blessures une femme qui souffre pour lui « ce que jamais femme n'a souffert ». Certes, l'*Histoire d'O *est plus longue qu'un lai et bien plus détaillée qu'une simple lettre. Peut-être y fallait-il aussi revenir de plus loin. Peut-être n'a-t-il jamais été aussi difficile qu'aujourd'hui de simplement comprendre ce que disent les garçons et les petites filles de la rue — ce que disaient, je suppose, les esclaves de la Barbade. Nous vivons dans un temps où les vérités les plus simples n'ont que la ressource de nous revenir nues (comme l'est* O*) sous un masque de chouette.*

*Car on entend des gens d'allure normale, et même sensée, volontiers parler de l'amour comme d'un sentiment léger, et qui ne tire pas à conséquence. On dit qu'il offre bien des plaisirs, et que ce contact de deux épidermes ne va pas sans charme. On ajoute que le charme ou le plaisir donnent leur plein à qui sait garder à l'amour sa fantaisie, son caprice et précisément sa liberté naturelle. Moi, je veux bien, et s'il est tellement facile à des personnes de sexe différent (voire du même sexe) de se donner l'un à l'autre de la joie, grand bien leur fasse, ils auraient tort de se gêner. Il n'y a qu'un ou deux mots là-dedans qui m'embarrassent : le mot d'*amour *et aussi le mot de* liberté*. Il va de soi que c'est tout le contraire, L'amour, c'est quand on dépend — je ne dis pas seulement dans son plaisir, dans son existence même, et dans ce qui vient avant l'existence : dans l'envie même qu'on a d'exister — de cinquante choses baroques : de deux lèvres (et de la grimace ou du sourire qu'elles font),* *d'une épaule (de certaine façon qu'elle a de monter ou de descendre), de deux yeux (d'un regard un peu plus humide, ou plus sec), enfin de tout un corps étranger, avec l'esprit ou l'âme qu'il porte — d'un corps qui peut à chaque instant devenir plus éblouissant que le soleil, plus glaçant qu'une plaine de neige. Ce n'est pas gai de passer par là, vous me faites rire avec vos supplices. On tremble quand ce corps se baisse pour rattacher la boucle d'un petit soulier, et il semble que chacun vous regarde trembler. Plutôt le fouet, et les anneaux dans la chair? Quant à la liberté... N'importe quel homme, ou quelle femme, s'ils ont passé par là, auront plutôt envie de hurler là contre, de se répandre en injures et en horreurs. Non, les horreurs ne manquent pas dans l'*Histoire d'O. *Mais il me semble parfois que c'est, plutôt qu'une jeune femme, une idée, une mode d'idées, une opinion qui s'y voit mise au supplice.*

La vérité sur la révolte

Chose étrange, le bonheur dans l'esclavage fait de nos jours figure d'idée neuve. Il n'est guère plus de droit de vie et de mort dans les familles, ni aux écoles de châtiments corporels et de brimades, ni dans les ménages de correction conjugale, et l'on met à tristement pourrir dans les caves les mêmes hommes que d'autres siècles décapitaient fièrement en place publique. Nous n'infligeons plus de tortures qu'anonymes et imméritées. Aussi bien sont-elles mille fois plus atroces, c'est le peuple entier d'une ville que la guerre met à rôtir d'un seul coup. La douceur excessive du père, de l'instituteur ou de l'amant se paie par le tapis de bombes et le napalm et l'explosion des atomes. Tout se passe comme s'il existait dans le monde certain équilibre mystérieux de la violence dont nous avons perdu le goût et jusqu'au sens. Et moi, je ne suis pas fâché que ce soit une femme qui les retrouve. Je n'en suis même pas étonné.

A dire vrai, je n'ai pas autant d'idées sur les femmes que les hommes en ont d'ordinaire. Je suis surpris qu'il y en ait (des femmes). Plus que surpris : vaguement émerveillé. D'où vient peut-être qu'elles me semblent merveilleuses, et je n'arrête guère de les envier. Qu'est-ce que j'envie au juste ?

Il m'arrive de regretter mon enfance. Mais ce que je regrette, ce ne sont pas du tout les surprises et la révélation dont parlent les poètes. Non. Il me souvient d'une époque où je me trouvais responsable de la terre entière. Tour à tour champion de boxe ou cuisinier, orateur politique (oui), général, voleur, et même Peau-Rouge, arbre ou rocher. On va me dire qu'il s'agissait d'un jeu. Oui, bien pour vous, grandes personnes, mais pour moi non, pas du tout. C'est alors que je tenais le monde en main, avec les soucis et les dangers qui s'ensuivent : c'est alors que j'étais universel. Voici où je veux en venir.

C'est qu'aux femmes du moins il est donné de ressembler, leur vie durant, aux enfants que nous étions. Une femme s'entend très bien à mille choses qui m'échappent. En général, elle sait coudre. Elle sait faire la cuisine. Elle sait comment se dispose un appartement, et quels sont les styles qui ne jurent pas d'être ensemble (je ne dis pas qu'elle fasse tout cela à la perfection, mais je n'étais pas non plus un Peau-Rouge sans reproche). Elle sait bien davantage. Elle est à l'aise avec les chiens et les chats ; elle parle à ces demi-fous, les enfants, que nous admettons parmi nous : elle leur apprend la cosmologie et la bonne tenue, l'hygiène et les contes de fées, et cela peut aller jusqu'au piano. Bref, nous n'arrêtons pas de rêver, depuis notre enfance, d'un homme qui serait à la fois tous les hommes. Mais il semble qu'il soit donné à chaque femme d'être toutes les femmes (et tous les hommes) à la fois. Il y a plus curieux encore.

On entend dire de nos jours qu'il suffit de tout comprendre pour tout pardonner. Eh bien ! il m'a toujours semblé que pour les femmes — si universelles soient-elles — c'était tout le contraire. J'ai eu pas mal d'amis, qui me prenaient pour ce que je suis, et je les prenais à mon tour pour ce qu'ils étaient — sans le moindre désir de nous transformer l'un les autres. Même je me réjouissais — et ils se réjouissaient de leur côté — que chacun de nous fût tellement semblable à soi-même. Mais il n'est pas une femme qui ne cherche à changer l'homme qu'elle aime, et se changer du même coup. Comme si le proverbe mentait, et qu'il suffit de tout comprendre pour ne rien pardonner du tout.

Non, Pauline Réage ne se pardonne pas grand-chose. Et même je me demande, pour tout dire, si elle n'exagère pas un peu ; si les femmes ses pareilles lui sont bien aussi pareilles quelle suppose. Mais c'est ce que plus d'un homme lui accorde trop volontiers.

Faut-il regretter le cahier des esclaves de la Barbade ? Je crains, à dire vrai, que l'excellent anabaptiste qui l'a rédigé ne l'ait pétri, dans la partie apologétique, de lieux communs assez plats : par exemple, qu'il y aura toujours des esclaves (c'est en tout cas ce qu'on voit) ; que ce seront toujours les mêmes (voilà qui peut se discuter) ; qu'il faut se résigner à son état et ne pas gâcher en récriminations un temps qui pourrait être donné aux jeux, à la méditation, aux plaisirs de l'habitude. Et le reste. Mais je suppose qu'il n'a pas dit la vérité : c'est que les esclaves de Glenelg étaient amoureux de leur maître, c'est qu'ils ne pouvaient se passer de lui, ni de leur esclavage. La même vérité, après tout, d'où vient à l'Histoire d'O *sa décision, son inconcevable décence et ce grand vent fanatique qui n'arrête pas de souffler.*

Jean PAULHAN.

HISTOIRE D'O

I
LES AMANTS DE ROISSY

Son amant emmène un jour O se promener dans un quartier où ils ne vont jamais, le parc Montsouris, le parc Monceau. A l'angle du parc, au coin d'une rue où il n'y a jamais de station de taxis, après qu'ils se sont promenés dans le parc, et assis côte à côte au bord d'une pelouse, ils aperçoivent une voiture, avec un compteur, qui ressemble à un taxi. « Monte », dit-il. Elle monte. Ce n'est pas loin du soir, et c'est l'automne. Elle est vêtue comme elle l'est toujours : des souliers avec de hauts talons, un tailleur à jupe plissée, une blouse de soie, et pas de chapeau. Mais de grands gants qui montent sur les manches de son tailleur, et elle porte dans son sac de cuir ses papiers, sa poudre et son rouge. Le taxi part doucement, sans que l'homme ait dit un mot au chauffeur. Mais il ferme, à droite et à gauche, les volets à glissière sur les vitres et à l'arrière ; elle a retiré ses gants, pensant qu'il veut l'embrasser, ou qu'elle le caresse. Mais il dit : « Tu es embarrassée, donne ton sac. » Elle le donne, il le pose hors de portée d'elle, et ajoute : « Tu es aussi trop habillée. Défais tes jarretelles, roule tes bas au-dessus de tes genoux : voici des jarretières. » Elle a un peu de peine, le taxi roule plus vite, et elle a peur que le chauffeur ne se retourne. Enfin, les bas sont roulés, et elle est gênée de sentir ses jambes nues et libres sous la soie de sa combinaison. Aussi, les jarretelles défaites glissent. « Défais ta ceinture, dit-il, et ôte ton slip. » Cela, c'est facile, il suffit de passer les mains derrière les reins et de se soulever un peu. Il lui prend des mains la ceinture et le slip, ouvre le sac et les y enferme, puis dit : « Il ne faut pas t'asseoir sur ta combinaison et ta jupe, il faut les relever et t'asseoir directement sur la banquette. » La banquette est en moleskine, glissante et froide, c'est saisissant de la sentir coller aux cuisses. Puis il lui dit : « Remets tes gants maintenant. » Le taxi roule toujours, et elle n'ose pas demander pourquoi René ne bouge pas, et ne dit plus rien, ni quelle signification cela peut avoir pour lui, qu'elle soit immobile et muette, si dénudée et si offerte, si bien gantée, dans une voiture noire qui va elle ne sait pas où. Il ne lui a rien ordonné, ni défendu, mais elle n'ose ni croiser les jambes ni serrer les genoux. Elle a ses deux mains gantées appuyées de chaque côté d'elle, sur la banquette.

« Voilà », dit-il tout à coup. Voilà : le taxi s'arrête dans une belle avenue, sous un arbre — ce sont des platanes — devant une sorte de petit hôtel qu'on devine entre cour et jardin, comme les petits hôtels du faubourg Saint-Germain. Les réverbères sont un peu loin, il fait sombre encore dans la voiture, et dehors, il pleut. « Ne bouge pas, dit René. Ne bouge pas du tout. » Il allonge la main vers le col de sa blouse, défait le nœud, puis les boutons. Elle penche un peu le buste, et croit qu'il veut lui caresser les seins. Non. Il tâtonne seulement pour saisir et trancher avec un petit canif les bretelles du soutien-gorge, qu'il enlève. Elle a maintenant, sous la blouse qu'il a refermée, les seins libres et nus comme elle a nus et libres les reins et le ventre, de la taille aux genoux.

« Ecoute, dit-il. Maintenant, tu es prête. Je te laisse. Tu vas descendre et sonner à la porte. Tu suivras qui t'ouvrira, tu feras ce qu'on t'ordonnera. Si tu n'entrais pas tout de suite, on viendrait te chercher, si tu n'obéissais pas tout de suite, on te ferait obéir. Ton sac ? Non, tu n'as plus besoin de ton sac. Tu es seulement la fille que je fournis. Si, si, je serai là. Va. »

Une autre version du même début était plus brutale et plus simple : la jeune femme pareillement vêtue était emmenée en voiture par son amant, et un ami inconnu. L'inconnu était au volant, l'amant assis à côté de la jeune femme, et c'était l'ami, l'inconnu, qui parlait pour expliquer à la jeune femme que son amant était chargé de la préparer, qu'il allait lui lier les mains dans le dos, par-dessus ses gants, lui défaire et lui rouler ses bas, lui enlever sa ceinture, son slip et son soutien-gorge, et lui bander les yeux. Qu'ensuite elle serait remise au château, où on l'instruirait à mesure de ce qu'elle aurait à faire. En effet, une fois ainsi dévêtue et liée, au bout d'une demi-heure de route, on l'aidait à sortir de voiture, on lui faisait monter quelques marches, puis franchir une ou deux portes toujours à l'aveugle, elle se retrouvait seule, son bandeau enlevé, debout dans une pièce noire où on la laissait une demi-heure, ou une heure, ou deux, je ne sais pas, mais c'était un siècle. Puis, quand enfin la porte s'ouvrait, et que s'allumait la lumière, on voyait qu'elle avait attendu dans une pièce très banale et confortable et pourtant singulière : avec un épais tapis par terre, mais sans un meuble, tout entourée de placards. Deux femmes avaient ouvert la porte, deux femmes jeunes et jolies, vêtues comme de jolies servantes du dix-huitième siècle : avec de longues jupes légères et bouffantes qui cachaient les pieds, des corselets serrés qui faisaient jaillir la poitrine et étaient lacés ou agrafés par-devant, et des dentelles autour de la gorge, et des manches à demi longues. Les yeux et la bouche fardés. Elles avaient un collier serré autour du cou, des bracelets serrés autour des poignets.

Alors je sais qu'elles ont défait les mains d'O qui étaient toujours liées derrière le dos, et lui ont dit qu'il fallait qu'elle se déshabillât, et qu'on allait la baigner, et la farder. On l'a donc mise nue, et on a rangé ses vêtements dans un des placards. On ne l'a pas laissée se baigner seule, et on l'a coiffée, comme chez le coiffeur, en la faisant asseoir dans un de ces grands fauteuils qui basculent quand on vous lave la tête, et que l'on redresse pour vous mettre le séchoir, après la mise en plis. Cela dure toujours au moins une heure. Cela a duré plus d'une heure en effet, mais elle était assise sur ce fauteuil, nue, et on lui défendait de croiser les genoux ou de les rapprocher l'un de l'autre. Et comme il y avait en face d'elle une grande glace, du haut en bas de la paroi, que n'interrompait aucune tablette, elle se voyait, ainsi ouverte, chaque fois que son regard rencontrait la glace.

Quand elle a été prête, et fardée, les paupières légèrement ombrées, la bouche très rouge, la pointe et l'aréole des seins rosies, le bord des lèvres du ventre rougi, du parfum longuement passé sur la fourrure des aisselles et du pubis, dans le sillon entre les cuisses, dans le sillon sous les seins, et au creux des paumes, on l'a fait entrer dans une pièce où un miroir à trois faces et un quatrième miroir au mur permettaient de se bien voir. On lui a dit de s'asseoir sur le pouf au milieu des miroirs, et d'attendre. Le pouf était couvert de fourrure noire, qui la piquait un peu, et le tapis était noir, les murs rouges. Elle avait des mules rouges aux pieds. Sur une des parois du petit boudoir, il y avait une grande fenêtre qui donnait sur un beau parc sombre. Il avait cessé de pleuvoir, les arbres bougeaient sous le vent, la lune courait haut entre les nuages. Je ne sais pas combien de temps elle est restée dans le boudoir rouge, ni si elle y était vraiment seule comme elle croyait l'être, ou si quelqu'un la regardait par une ouverture camouflée dans un mur. Mais ce que je sais, c'est que, lorsque les deux femmes sont revenues, l'une portait un centimètre de couturière, l'autre une corbeille. Un homme les accompagnait, vêtu d'une longue robe violette à manches étroites aux poignets et larges aux emmanchures, et qui s'ouvrait à partir de la taille quand il marchait. On voyait qu'il portait, sous sa robe, des espèces de chausses collantes qui recouvraient les jambes et les cuisses, mais laissaient libre le sexe. Ce fut le sexe qu'O vit d'abord, à son premier pas, puis le fouet de lanières de cuir passé à la ceinture, puis que l'homme était masqué par une cagoule noire, où un réseau de tulle noir dissimulait même les yeux — et enfin, qu'il avait des gants noirs aussi, et de fin chevreau. Il lui dit de ne pas bouger, en la tutoyant, et aux femmes de se dépêcher. Celle qui avait le centimètre prit alors la mesure du cou d'O et de ses poignets. C'étaient des mesures tout à fait courantes, quoique petites. Il fut facile de trouver dans le panier que tenait l'autre femme le collier et les bracelets qui correspondaient. Voici comment ils étaient faits : en plusieurs épaisseurs de cuir (chaque épaisseur assez mince, au total pas plus d'un doigt), fermées par un système à déclic, qui fonctionnait automatiquement comme un cadenas quand on le fermait et ne pouvait s'ouvrir qu'avec une petite clef. Dans la partie exactement opposée à la fermeture, dans le milieu des épaisseurs de cuir, et n'ayant presque pas de jeu, il y avait un anneau de métal, qui donnait une prise sur le bracelet, si on voulait le fixer, car il était trop serré au bras et le collier trop serré au cou, bien qu'il y eût assez de jeu pour ne pas du tout blesser, pour qu'on y pût glisser le moindre lien. On fixa donc ce collier et ces bracelets à son cou et à ses poignets, puis l'homme lui dit de se lever. Il s'assit à sa place sur le pouf de fourrure, et la fit approcher contre ses genoux, lui passa sa main gantée entre les cuisses et sur les seins et lui expliqua qu'elle serait présentée le soir même, après le dîner qu'elle prendrait seule. Elle le prit seule en effet, toujours nue, dans une sorte de petite cabine où une main invisible lui tendait les plats par un guichet. Enfin, le dîner fini, les deux femmes revinrent la chercher. Dans le boudoir, elles fixèrent ensemble, derrière son dos, les deux anneaux de ses bracelets, lui mirent sur les épaules, attachée à son collier, une longue cape rouge qui la couvrait tout entière, mais s'ouvrait quand elle marchait puisqu'elle ne pouvait la retenir, ayant les mains attachées derrière le dos. Une femme avançait devant elle et ouvrait les portes, l'autre la suivait et les refermait. Elles traversèrent un vestibule, deux salons, et pénétrèrent dans la bibliothèque, où quatre hommes prenaient le café. Ils portaient les mêmes grandes robes que le premier, mais aucun masque. Cependant, O n'eut pas le temps de voir leurs visages et de reconnaître si son amant était parmi eux (il y était), car l'un des quatre tourna vers elle une lampe-phare qui l'aveugla. Tout le monde resta immobile, les deux femmes de chaque côté d'elle, et les hommes en face qui la regardaient.

Puis le phare s'éteignit; les femmes partirent. Mais on avait remis à O un bandeau sur les yeux. Alors on la fit avancer, trébuchant un peu, et elle se sentit debout devant le grand feu, auprès duquel les quatre hommes étaient assis : elle sentait la chaleur, et entendait crépiter doucement les bûches dans le silence. Elle faisait face au feu. Deux mains soulevèrent sa cape, deux autres descendaient le long de ses reins après avoir vérifié l'attache des bracelets : elles n'étaient pas gantées, et l'une la pénétra de deux parts à la fois, si brusquement qu'elle cria. Quelqu'un rit. Quelqu'un d'autre dit : « Retournez-la, qu'on voie les seins et le ventre. » On la fit tourner, et la chaleur du feu était contre ses reins. Une main lui prit un sein, une bouche saisit la pointe de l'autre. Mais, soudain elle perdit l'équilibre et bascula à la renverse, soutenue dans quels bras? pendant qu'on lui ouvrait les jambes et qu'on lui écartait doucement les lèvres; des cheveux effleurèrent l'intérieur de ses cuisses. Elle entendit qu'on disait qu'il fallait la mettre à genoux. Ce qu'on fit. Elle était très mal à genoux, d'autant plus qu'on lui défendait de les rapprocher, et que ses mains liées au dos la faisaient pencher en avant. On lui permit alors de fléchir un peu en arrière, à demi assise sur les talons comme font les religieuses. « Vous ne l'avez jamais attachée? — Non, jamais. — Ni fouettée? — Jamais non plus, mais justement... » C'était son amant qui répondait. « Justement, dit l'autre voix. Si vous l'attachez quelquefois, si vous la fouettez un peu, et qu'elle y prenne plaisir, non. Ce qu'il faut, c'est dépasser le moment où elle prendra plaisir, pour obtenir les larmes. » On fit alors lever O et on allait la détacher, sans doute pour la lier à quelque poteau ou quelque mur, quand quelqu'un protesta qu'il la voulait prendre d'abord, et tout de suite — si bien qu'on la fit remettre à genoux, mais cette fois le buste reposant sur un pouf, toujours les mains au dos, et les reins plus haut que le torse, et l'un des hommes, la maintenant des deux mains aux hanches, s'enfonça dans son ventre. Il céda la place à un second. Le troisième voulut se frayer un chemin au plus étroit, et forçant brusquement, la fit hurler. Quand il la lâcha, gémissante et salie de larmes sous son bandeau, elle glissa à terre : ce fut pour sentir des genoux contre son visage, et que sa bouche ne serait pas épargnée. On la laissa enfin, captive à la renverse dans ses oripeaux rouges devant le feu. Elle entendit qu'on remplissait des verres, et qu'on buvait, et qu'on bougeait des sièges. On remettait du bois au feu. Soudain on lui enleva son bandeau. La grande pièce avec des livres sur les murs était faiblement éclairée par une lampe sur une console, et par la clarté du feu, qui se ranimait. Deux des hommes étaient debout et fumaient. Un autre était assis, une cravache sur les genoux, et celui qui était penché sur elle et lui caressait le sein était son amant. Mais tous quatre l'avaient prise, et elle ne l'avait pas distingué des autres.

On lui expliqua qu'il en serait toujours ainsi, tant qu'elle serait dans ce château, qu'elle verrait les visages de ceux qui la violeraient ou la tourmenteraient, mais jamais la nuit, et qu'elle ne saurait jamais quels étaient les responsables du pire. Que lorsqu'on la fouetterait, ce serait pareil, sauf qu'on voulait qu'elle se voie fouettée, qu'une première fois elle n'aurait donc pas de bandeau, mais qu'eux mettraient leurs masques, et qu'elle ne les distinguerait plus. Son amant l'avait relevée, et fait asseoir dans sa cape rouge sur le bras d'un fauteuil contre l'angle de la cheminée, pour qu'elle écoutât ce qu'on avait à lui dire et qu'elle regardât ce qu'on voulait lui montrer. Elle avait toujours les mains au dos. On lui montra la cravache, qui était noire, longue et fine, de fin bambou gainé de cuir, comme on en voit dans les vitrines des grands selliers ; le fouet de cuir que le premier des hommes qu'elle ait vu avait à la ceinture était long, fait de six lanières terminées par un nœud ; il y avait un troisième fouet de cordes assez fines, qui se terminaient par plusieurs nœuds, et qui étaient toutes raides, comme si on les avait trempées dans l'eau, ce qu'on avait fait, comme elle put le constater, car on lui en caressa le ventre et on lui écarta les cuisses pour qu'elle pût mieux sentir combien les cordes étaient humides et froides sur la peau tendre de l'intérieur. Restaient sur la console des clefs et des chaînettes d'acier. Le long d'une des parois de la bibliothèque courait à mi-hauteur une galerie, qui était soutenue par deux piliers. Un crochet était planté dans l'un d'eux, à une hauteur qu'un homme pouvait atteindre sur la pointe des pieds et à bras tendu. On dit à O, que son amant avait prise dans ses bras, une main sous ses épaules et l'autre au creux de son ventre, et qui la brûlait, pour l'obliger à défaillir, on lui dit qu'on ne lui déferait ses mains liées que pour l'attacher tout à l'heure, par ces mêmes bracelets, et une des chaînettes d'acier, à ce poteau. Que sauf les mains qu'elle aurait tenues un peu au-dessus de la tête, elle pourrait donc bouger, et voir venir les coups. Qu'on ne lui fouetterait en principe que les reins et les cuisses, bref, de la taille aux genoux, comme on l'y avait préparée dans la voiture qui l'avait amenée, quand on l'avait fait asseoir nue sur la banquette. Mais que l'un des quatre hommes présents voudrait probablement lui marquer les cuisses à la cravache, qui fait de belles zébrures longues et profondes, qui durent longtemps. Tout ne lui serait pas infligé à la fois, elle aurait le loisir de crier, de se débattre et de pleurer. On la laisserait respirer, mais quand elle aurait repris haleine, on recommencerait, jugeant du résultat non par ses cris ou ses larmes, mais par les traces plus ou moins vives ou durables, que les fouets laisseraient sur sa peau. On lui fit observer que cette manière de juger de l'efficacité du fouet, outre qu'elle était juste, et qu'elle rendait inutiles les tentatives que faisaient les victimes, en exagérant leurs gémissements, pour éveiller la pitié, permettait en outre de l'appliquer en dehors des murs du château, en plein air dans le parc, comme il arrivait souvent, ou dans n'importe quel appartement ordinaire ou n'importe quelle chambre d'hôtel, à condition d'utiliser un bâillon bien compris (comme on lui en montra un aussitôt) qui ne laisse de liberté qu'aux larmes, étouffe tous les cris, et permet à peine quelques gémissements.

Il n'était pas question de l'utiliser ce soir-là, au contraire. Ils voulaient entendre hurler O et au plus vite. L'orgueil qu'elle mit à résister et à se taire ne dura pas longtemps : ils l'entendirent même supplier qu'on la détachât, qu'on arrêtât un instant, un seul. Elle se tordait avec une telle frénésie pour échapper aux morsures des lanières qu'elle tournoyait presque sur elle-même, devant le poteau, car la chaînette qui la retenait était longue et donc un peu lâche, bien que solide. Si bien que le ventre et le devant des cuisses, et le côté, avaient leur part presque autant que les reins. On prit le parti, après avoir en effet arrêté un instant, de ne recommencer qu'une fois une corde passée autour de la taille, et en même temps autour du poteau. Comme on la serra beaucoup, pour bien fixer le corps par son milieu contre le poteau, le torse pencha nécessairement un peu sur un côté, ce qui faisait saillir la croupe de l'autre. De cet instant les coups ne s'égarèrent plus, sinon délibérément. Etant donné la manière dont son amant l'avait livrée, O aurait pu songer que faire appel à sa pitié était le meilleur moyen pour qu'il redoublât de cruauté tant il prenait plaisir à lui arracher ou à lui faire arracher ces indubitables témoignages de son pouvoir. Et en effet, ce fut lui qui remarqua le premier que le fouet de cuir, sous lequel elle avait d'abord gémi, la marquait beaucoup moins (ce qu'on obtenait presque avec la corde mouillée de la garcette, et au premier coup avec la cravache) et donc permettait de faire durer la peine et de recommencer parfois presque aussitôt qu'on en avait fantaisie. Il demanda que l'on n'employât plus que celui-là. Entre-temps, celui des quatre qui n'aimait les femmes que dans ce qu'elles ont de commun avec les hommes, séduit par cette croupe offerte qui se tendait sous la corde au-dessous de la taille et ne s'offrait que davantage en voulant se dérober, demanda un répit pour en profiter, en écarta les deux parts qui brûlaient sous ses mains et la pénétra non sans mal, tout en faisant la réflexion qu'il faudrait rendre ce passage plus commode. On convint que c'était faisable, et qu'on en prendrait les moyens.

Quand on détacha la jeune femme, chancelante et presque évanouie sous son manteau rouge, pour lui donner, avant de la faire conduire dans la cellule qu'elle devait occuper, le détail des règles qu'elle aurait à observer dans le château pendant qu'elle y serait, et dans la vie ordinaire après qu'elle l'aurait quitté (sans regagner sa liberté pour autant), on la fit asseoir dans un grand fauteuil près du feu, et on sonna. Les deux jeunes femmes qui l'avaient accueillie apportaient de quoi l'habiller pendant son séjour, et de quoi la faire reconnaître auprès de ceux qui avaient été les hôtes du château avant qu'elle ne vînt ou qui le seraient quand elle en serait partie. Le costume était semblable au leur : sur un corset très baleiné, et rigoureusement serré à la taille, et sur un jupon de linon empesé, une longue robe à large jupe dont le corsage laissait les seins, remontés par le corset, à peu près à découvert, à peine voilés de dentelle. Le jupon était blanc, le corset et la robe de satin vert d'eau, la dentelle blanche. Quand O fut habillée, et eut regagné son fauteuil au coin du feu, encore pâlie par sa robe pâle, les deux jeunes femmes, qui n'avaient pas dit un mot, s'en allèrent. Un des quatre hommes saisit l'une d'elles au passage, fit signe à l'autre d'attendre, et ramenant vers O celle qu'il avait arrêtée, la fit retourner, la prenant à la taille d'une main et relevant ses jupes de l'autre, pour montrer à O, dit-il, pourquoi ce costume, et comme il était bien compris, ajoutant qu'on pouvait faire tenir avec une simple ceinture cette jupe relevée autant qu'on voudrait, ce qui laissait la disposition pratique de ce qu'on découvrait ainsi. D'ailleurs, on faisait souvent circuler dans le château ou dans le parc les femmes troussées de cette manière, ou pardevant, également jusqu'à la taille. On fit montrer à O par la jeune femme comment elle devait faire tenir sa jupe : remontée à plusieurs tours (comme une boucle de cheveux roulés dans un bigoudi), dans une ceinture serrée, juste au milieu devant, pour laisser libre le ventre, ou juste au milieu du dos pour libérer les reins. Dans l'un et l'autre cas, le jupon et la jupe retombaient en gros plis diagonaux mêlés en cascade. Comme O, la jeune femme avait sur le travers des reins de fraîches marques de cravache. Elle s'en alla.

Voici le discours que l'on tint ensuite à O. « Vous êtes ici au service de vos maîtres. Le jour durant, vous ferez telle corvée qu'on vous confiera pour la tenue de la maison, comme de balayer, ou de ranger les livres ou de disposer les fleurs, ou de servir à table. Il n'y en a pas de plus dures. Mais vous abandonnerez toujours au premier mot de qui vous l'enjoindra, ou au premier signe, ce que vous faites, pour votre seul véritable service, qui est de vous prêter. Vos mains ne sont pas à vous, ni vos seins, ni tout particulièrement aucun des orifices de votre corps, que nous pouvons fouiller et dans lesquels nous pouvons nous enfoncer à notre gré. Par manière de signe, pour qu'il vous soit constamment présent à l'esprit, ou aussi présent que possible, que vous avez perdu le droit de vous dérober, devant nous vous ne fermerez jamais tout à fait les lèvres, ni ne croiserez les jambes, ni ne serrerez les genoux (comme vous avez vu qu'on a interdit de faire aussitôt votre arrivée), ce qui marquera à vos yeux et aux nôtres que votre bouche, votre ventre, et vos reins nous sont ouverts. Devant nous, vous ne toucherez jamais à vos seins : ils sont exhaussés par le corset pour nous appartenir. Le jour durant, vous serez donc habillée, vous relèverez votre jupe si on vous en donne l'ordre, et vous utilisera qui voudra, à visage découvert — et comme il voudra — à la réserve toutefois du fouet. Le fouet ne vous sera appliqué qu'entre le coucher et le lever du soleil. Mais outre celui qui vous sera donné par qui le désirera, vous serez punie du fouet le soir pour manquement à la règle dans la journée : c'est-à-dire pour avoir manqué de complaisance, ou levé les yeux sur celui qui vous parle ou vous prend : vous ne devez jamais regarder un de nous au visage. Dans le costume que nous portons à la nuit, et que j'ai devant vous, si notre sexe est à découvert, ce n'est pas pour la commodité, qui irait aussi bien autrement, c'est pour l'insolence, pour que vos yeux s'y fixent, et ne se fixent pas ailleurs, pour que vous appreniez que c'est là votre maître, à quoi vos lèvres sont avant tout destinées. Dans la journée, où nous sommes vêtus comme partout, et où vous l'êtes comme vous voilà, vous observerez la même consigne, et vous aurez seulement la peine, si l'on vous en requiert, d'ouvrir vos vêtements, que vous refermerez vous-même quand nous en aurons fini de vous. En outre, à la nuit, vous n'aurez que vos lèvres pour nous honorer, et l'écartement de vos cuisses, car vous aurez les mains liées au dos, et serez nue comme on vous a amenée tout à l'heure ; on ne vous bandera les yeux que pour vous maltraiter, et maintenant que vous avez vu comment on vous fouette, pour vous fouetter. A ce propos, s'il convient que vous vous accoutumiez à recevoir le fouet, comme tant que vous serez ici vous le recevrez chaque jour, ce n'est pas tant pour notre plaisir que pour votre instruction. Cela est tellement vrai que les nuits où personne n'aura envie de vous, vous attendrez que le valet chargé de cette besogne vienne dans la solitude de votre cellule vous appliquer ce que vous devrez recevoir et que nous n'aurons pas le goût de vous donner. Il s'agit en effet, par ce moyen, comme par celui de la chaîne qui, fixée à l'anneau de votre collier, vous maintiendra plus ou moins étroitement à votre lit plusieurs heures par jour, beaucoup moins de vous faire éprouver une douleur, crier ou répandre des larmes, que de vous faire sentir, par le moyen de cette douleur, que vous êtes contrainte, et de vous enseigner que vous êtes entièrement vouée à quelque chose qui est en dehors de vous. Quand vous sortirez d'ici, vous porterez un anneau de fer à l'annulaire, qui vous fera reconnaître : vous aurez appris à ce moment-là à obéir à ceux qui porteront ce même signe — eux sauront à le voir que vous êtes constamment nue sous votre jupe, si correct et banal que soit votre vêtement, et que c'est pour eux. Ceux qui vous trouveraient indocile vous ramèneront ici. On va vous conduire dans votre cellule. »

Pendant qu'on parlait à O, les deux femmes qui étaient venues l'habiller s'étaient tenues debout de part et d'autre du poteau où on l'avait fouettée, mais sans le toucher, comme s'il les eût effrayées, ou qu'on le leur eût interdit (et c'était le plus vraisemblable) ; lorsque l'homme eut fini, elles s'avancèrent vers O, qui comprit qu'elle devait se lever pour les suivre. Elle se leva donc, prenant à brassée ses jupes pour ne pas trébucher, car elle n'avait pas l'habitude des robes longues, et ne se sentait pas d'aplomb sur les mules à semelles surélevées et très hauts talons qu'une bande de satin épais, du même vert que sa robe, empêchait seule d'échapper au pied. En se baissant, elle tourna la tête. Les femmes attendaient, les hommes ne la regardaient plus. Son amant, assis par terre, adossé au pouf contre lequel on l'avait renversée au début de la soirée, les genoux relevés et les coudes sur les genoux, jouait avec le fouet de cuir. Au premier pas qu'elle fit pour atteindre les femmes, sa jupe le frôla. Il leva la tête et lui sourit, l'appelant de son nom, se mit à son tour debout. Il lui caressa doucement les cheveux, lui lissa les sourcils du bout du doigt, lui baisa doucement les lèvres. Tout haut, il lui dit qu'il l'aimait. O, tremblante, s'aperçut avec terreur qu'elle lui répondait « je t'aime » et que c'était vrai. Il la prit contre lui, lui dit « mon chéri, mon cœur chéri », lui embrassa le cou et le coin de la joue ; elle avait laissé sa tête aller sur l'épaule que recouvrait la robe violette. Tout bas cette fois il lui répéta qu'il l'aimait et tout bas encore dit : « Tu vas te mettre à genoux, me caresser et m'embrasser » et la repoussa, en faisant signe aux femmes de s'écarter, pour s'accoter contre la console. Il était grand, mais la console n'était pas très haute, et ses longues jambes, gainées du même violet que sa robe, pliaient. La robe ouverte se tendait par-dessous comme une draperie, et l'entablement de la console soulevait un peu le sexe lourd, et la toison claire qui le couronnait. Les trois hommes se rapprochèrent. O se mit à genoux sur le tapis, sa robe verte en corolle autour d'elle. Son corset la serrait, ses seins, dont on voyait la pointe, étaient à la hauteur des genoux de son amant. « Un peu plus de lumière », dit un des hommes. Lorsqu'on eut pris le temps de diriger le rayon de la lampe de façon que la clarté tombât d'aplomb sur son sexe et sur le visage de sa maîtresse, qui en était tout près, et sur ses mains qui le caressaient par-dessous, René ordonna soudain : « Répète : je vous aime. » O répéta « je vous aime », avec un tel délice que ses lèvres osaient à peine effleurer la pointe du sexe, que protégeait encore sa gaine de douce chair. Les trois hommes, qui fumaient, commentaient ses gestes, le mouvement de sa bouche refermée et resserrée sur le sexe qu'elle avait saisi, et le long duquel elle montait et descendait, son visage défait qui s'inondait de larmes chaque fois que le membre gonflé la frappait jusqu'au fond de la gorge, repoussant la langue et lui arrachant une nausée. C'est la bouche à demi bâillonnée déjà par la chair durcie qui l'emplissait qu'elle murmura encore « je vous aime ». Les deux femmes s'étaient mises l'une à droite, l'autre à gauche de René, qui s'appuyait de chaque bras sur leurs épaules. O entendait les commentaires des témoins, mais guettait à travers leurs paroles les gémissements de son amant, attentive à le caresser, avec un respect infini et la lenteur qu'elle savait lui plaire. O sentait que sa bouche était belle, puisque son amant daignait s'y enfoncer, puisqu'il daignait en donner les caresses en spectacle, puisqu'il daignait enfin s'y répandre. Elle le reçut comme on reçoit un dieu, l'entendit crier, entendit rire les autres, et quand elle l'eut reçu s'écroula, le visage contre le sol. Les deux femmes la relevèrent, et cette fois on l'emmena.

Les mules claquaient sur les carrelages rouges des couloirs, où des portes se succédaient, discrètes et propres, avec des serrures minuscules, comme les portes des chambres dans les grands hôtels. O n'osait demander si chacune de ces chambres était habitée, et par qui, quand une de ses compagnes, dont elle n'avait pas encore entendu la voix, lui dit : « Vous êtes dans l'aile rouge, et votre valet s'appelle Pierre. — Quel valet ? dit O saisie par la douceur de la voix, et comment vous appelez-vous ? — Je m'appelle Andrée. — Et moi Jeanne », dit la seconde. La première reprit : « C'est le valet qui a les clefs, qui vous attachera et vous détachera, vous fouettera quand vous serez punie et quand on n'aura pas de temps pour vous. — J'ai été dans l'aile rouge l'année dernière, dit Jeanne, Pierre y était déjà. Il venait souvent la nuit ; les valets ont les clefs et dans les chambres qui font partie de leur section, ils ont le droit de se servir de nous. »

O allait demander comment était ce Pierre. Elle n'en eut pas le temps. Au détour du couloir, on la fit s'arrêter devant une porte que rien ne distinguait des autres : sur une banquette entre cette porte et la porte suivante elle aperçut une sorte de paysan rougeaud, trapu, la tête presque rasée, avec de petits yeux noirs enfoncés et des bourrelets de chair à la nuque. Il était vêtu comme un valet d'opérette : une chemise à jabot de dentelle sortait de son gilet noir que recouvrait un spencer rouge. Il avait des culottes noires, des bas blancs et des escarpins vernis. Lui aussi portait à la ceinture un fouet à lanière de cuir. Ses mains étaient couvertes de poils roux. Il sortit un passe de sa poche de gilet, ouvrit la porte et fit entrer les trois femmes, disant : « Je referme, vous sonnerez quand vous aurez fini. »

La cellule était toute petite, et comportait en réalité deux pièces. La porte qui donnait sur le couloir refermée, on se trouvait dans une antichambre, qui ouvrait sur la cellule proprement dite; sur la même paroi ouvrait, de la chambre, une autre porte, sur une salle de bains. En face des portes il y avait la fenêtre. Sur la paroi de gauche, entre les portes et la fenêtre, s'appuyait le chevet d'un grand lit carré, très bas et couvert de fourrures. Il n'y avait pas d'autres meubles, il n'y avait aucune glace. Les murs étaient rouge vif, le tapis noir. Andrée fit remarquer à O que le lit était moins un lit qu'une plate-forme matelassée, recouverte d'une étoffe noire à très longs poils qui imitait la fourrure. L'oreiller, plat et dur comme le matelas, était en même tissu, la couverture à double face aussi. Le seul objet qui fût au mur, à peu près à la même hauteur par rapport au lit que le crochet fixé au poteau par rapport au sol de la bibliothèque, était un gros anneau d'acier brillant, où passait une longue chaîne d'acier qui pendait droit sur le lit; ses anneaux entassés formaient une petite pile, l'autre extrémité s'accrochait à portée de la main à un crochet cadenassé, comme une draperie que l'on aurait tirée et prise dans une embrasse.

« Nous devons vous faire prendre votre bain, dit Jeanne. Je vais défaire votre robe. »

Les seuls traits particuliers à la salle de bains étaient le siège à la turque, dans l'angle le plus proche de la porte, et le fait que les parois étaient entièrement revêtues de glace. Andrée et Jeanne ne laissèrent O pénétrer que quand elle fut nue, rangèrent sa robe dans le placard près du lavabo, où étaient déjà rangées ses mules et sa cape rouge, et demeurèrent avec elle, si bien que lorsqu'elle dut s'accroupir sur le socle de porcelaine, elle se trouva au milieu de tant de reflets aussi exposée que dans la bibliothèque lorsque des mains inconnues la forçaient. « Attendez que ce soit Pierre, dit Jeanne, et vous verrez. — Pourquoi Pierre ? — Quand il viendra vous enchaîner, il vous fera peut-être accroupir. » O se sentit pâlir. « Mais pourquoi ? dit-elle. — Vous serez bien obligée, répliqua Jeanne, mais vous avez de la chance. — Pourquoi de la chance ? — C'est votre amant qui vous a amenée ? — Oui, dit O. — On sera beaucoup plus dur avec vous. — Je ne comprends pas... — Vous comprendrez très vite. Je sonne Pierre. Nous viendrons vous chercher demain matin. »

Andrée sourit en partant, et Jeanne, avant de la suivre, caressa, à la pointe des seins, O qui restait debout au pied du lit, interdite. A la réserve du collier et des bracelets de cuir, que l'eau avait durcis quand elle s'était baignée, et qui la serraient davantage, elle était nue. « Alors la belle dame », dit le valet en entrant. Et il lui saisit les deux mains. Il fit glisser l'un dans l'autre les deux anneaux de ses bracelets, ce qui lui joignit étroitement les poignets, et ces deux anneaux dans l'anneau du collier. Elle se trouva donc les mains jointes à la hauteur du cou, comme en prière. Il ne restait plus qu'à l'enchaîner au mur, avec la chaîne qui reposait sur le lit et passait dans l'anneau au-dessus. Il défit le crochet qui en fixait l'autre extrémité, et tira pour la raccourcir.

O fut obligée d'avancer vers la tête du lit, où il la fit coucher. La chaîne cliquetait dans l'anneau, et se tendit si bien que la jeune femme pouvait seulement se déplacer sur la largeur du lit, ou se tenir debout de chaque côté du chevet. Comme la chaîne tirait le collier au plus court, c'est-à-dire vers l'arrière, et que les mains tendaient à le ramener en avant, il s'établit un équilibre, les mains jointes se couchèrent vers l'épaule gauche, vers laquelle la tête se pencha aussi. Le valet ramena sur O la couverture noire, mais après lui avoir rabattu un instant les jambes sur la poitrine, pour examiner l'entrebâillement de ses cuisses. Il ne la toucha pas davantage, ne dit pas un mot, éteignit la lumière, qui était une applique entre les deux portes, et sortit.

Couchée sur le côté gauche, et seule dans le noir et le silence, chaude entre ses deux épaisseurs de fourrure, et par force immobile, O se demandait pourquoi tant de douceur se mêlait en elle à la terreur, ou pourquoi la terreur lui était si douce. Elle s'aperçut qu'une des choses qui lui étaient le plus déchirantes, c'était que l'usage de ses mains lui fût enlevé ; non que ses mains eussent pu la défendre (et désirait-elle se défendre ?) mais libres, elles en auraient ébauché le geste, auraient tenté de repousser les mains qui s'emparaient d'elle, la chair qui la transperçait, de s'interposer entre ses reins et le fouet. On l'avait délivrée de ses mains ; son corps sous la fourrure lui était à elle-même inaccessible ; que c'était étrange de ne pouvoir toucher ses propres genoux, ni le creux de son propre ventre. Ses lèvres entre les jambes, qui la brûlaient, lui étaient interdites, et la brûlaient peut-être parce qu'elle les savait ouvertes à qui voudrait : au valet Pierre, s'il lui plaisait d'entrer. Elle s'étonnait que le souvenir du fouet qu'elle avait reçu la laissât aussi sereine, alors que la pensée qu'elle ne saurait sans doute jamais lequel des quatre hommes lui avait par deux fois forcé les reins, et si c'était les deux fois le même, et si ce n'était pas son amant, la bouleversait. Elle glissa un peu sur le ventre, songea que son amant aimait le sillon de ses reins, qu'à la réserve de ce soir (si c'était lui) il n'avait jamais pénétré. Elle souhaita que c'eût été lui ; lui demanderait-elle ? Ah ! jamais. Elle revit la main qui dans la voiture lui avait pris sa ceinture et son slip, et tendu les jarretières pour qu'elle roulât ses bas au-dessus de ses genoux. Si vive fut l'image qu'elle oublia qu'elle avait les mains liées, fit grincer sa chaîne. Et pourquoi si la mémoire du supplice lui était aussi légère, la seule idée, le seul mot, la seule vue d'un fouet lui faisaient-ils battre le cœur à grands coups et fermer les yeux d'épouvante ? Elle ne s'arrêta pas à considérer si c'était seulement l'épouvante ; une panique la saisit : on halerait sa chaîne pour la mettre debout sur son lit et on la fouetterait, le ventre collé au mur et on la fouetterait, fouetterait, le mot tournoyait dans sa tête. Pierre la fouetterait, Jeanne l'avait dit. Vous avez de la chance, avait répété Jeanne, on sera beaucoup plus dur avec vous, qu'avait-elle voulu dire ? Elle ne sentait plus que le collier, les bracelets et la chaîne, son corps partait à la dérive, elle allait comprendre. Elle s'endormit.

Aux dernières heures de la nuit, quand elle est plus noire et plus froide, juste avant l'aube, Pierre reparut. Il alluma la lumière de la salle de bains en laissant la porte ouverte, ce qui faisait un carré de clarté sur le milieu du lit, à l'endroit où le corps d'O, mince et recroquevillé, enflait un peu la couverture, qu'il rejeta en silence. Comme O était couchée sur la gauche, le visage vers la fenêtre, et les genoux un peu remontés, elle offrait à son regard sa croupe très blanche sur la fourrure noire. De sous sa tête, il ôta l'oreiller, dit poliment : « Voulez-vous vous mettre debout, s'il vous plaît » et lorsqu'elle fut à genoux, ce qu'elle dut commencer à faire en s'accrochant à la chaîne, l'aida en la prenant par les coudes pour qu'elle se dressât tout à fait, et s'accotât face au mur. Le reflet de la lumière sur le lit, qui était faible, puisque le lit était noir, éclairait son corps à elle, non ses gestes à lui. Elle devina, et ne vit pas, qu'il détachait la chaîne du mousqueton pour la raccrocher à un autre maillon, de manière qu'elle demeurât tendue, et elle la sentit se tendre. Ses pieds reposaient, nus, bien à plat sur le lit. Elle ne vit pas non plus qu'il avait à la ceinture, non pas le fouet de cuir, mais la cravache noire pareille à celle dont on l'avait frappée deux fois seulement, et presque légèrement, quand elle était au poteau. La main gauche de Pierre se posa sur sa taille, le matelas fléchit un peu, c'est qu'il y avait posé le pied droit pour être d'aplomb. En même temps qu'elle entendit un sifflement dans la pénombre, O sentit une atroce brûlure par le travers des reins, et hurla. Pierre la cravachait à toute volée. Il n'attendit pas qu'elle se tût, et recommença quatre fois, en prenant soin de cingler chaque fois ou plus haut ou plus bas que la fois précédente, pour que les traces fussent nettes. Il avait cessé qu'elle criait encore, et que ses larmes coulaient dans sa bouche ouverte. « Vous voudrez bien vous retourner », dit-il, et comme éperdue, elle n'obéissait pas, il la prit par les hanches, sans lâcher la cravache dont le manche effleura sa taille. Lorsqu'elle lui fit face, il se donna un peu de recul, puis de toute sa force abattit sa cravache sur le devant des cuisses. Le tout avait duré cinq minutes. Quand il partit, après avoir refermé la lumière et la porte de la salle de bains, O gémissante oscillait de douleur le long du mur, au bout de sa chaîne, dans le noir. Elle mit à se taire et à s'immobiliser contre la paroi dont la percale brillante était fraîche à sa peau déchirée, tout le temps que le jour mit à se lever. La grande fenêtre, vers laquelle elle était tournée, car elle s'appuyait sur le flanc, était orientée vers l'est, et allait du plafond au sol, sans aucun rideau, sinon la même étoffe rouge que celle qui était au mur, et qui la drapait de chaque côté, et se cassait en plis raides dans les embrasses. O regarda naître une lente aurore pâle, qui traînait ses brumes sur les touffes d'asters dehors au pied de la fenêtre, et dégageait enfin un peuplier. Les feuilles jaunies tombaient de temps en temps en tourbillonnant, bien qu'il n'y eût aucun vent. Devant la fenêtre, après le massif d'asters mauves, il y avait une pelouse, au bout de la pelouse une allée. Il faisait grand jour et depuis longtemps O ne bougeait plus. Un jardinier apparut le long de l'allée, poussant une brouette. On entendait grincer la roue de fer sur le gravier. S'il s'était approché pour balayer les feuilles tombées au pied des asters, la fenêtre était si grande et la pièce si petite et si claire qu'il aurait vu O enchaînée nue et les marques de la cravache sur ses cuisses. Les balafres s'étaient gonflées, et formaient des bourrelets étroits beaucoup plus foncés que le rouge des murs. Où dormait son amant, comme il aimait dormir au matin calme ? Dans quelle chambre, dans quel lit ? Savait-il à quel supplice il l'avait donnée ? Est-ce lui qui l'avait décidé ? O songea aux prisonniers, comme on en voyait sur les gravures dans les livres d'histoire, qui avaient été enchaînés et fouettés aussi, il y avait combien d'années, ou de siècles, et qui étaient morts. Elle ne souhaita pas mourir, mais si le supplice était le prix à payer pour que son amant continuât à l'aimer, elle souhaita seulement qu'il fût content qu'elle l'eût subi, et attendit, toute douce et muette, qu'on la ramenât vers lui.

Aucune femme n'avait les clefs, ni celles des portes, ni celles des chaînes, ni celles des bracelets et des colliers, mais tous les hommes portaient à un anneau les trois sortes de clefs qui, chacune dans leur genre, ouvraient toutes les portes, ou tous les cadenas, ou tous les colliers. Les valets les avaient aussi. Mais, au matin, les valets qui avaient été de service la nuit dormaient, et c'est l'un des maîtres ou un autre valet qui venait ouvrir les serrures. L'homme qui entra dans la cellule d'O était habillé d'un blouson de cuir et d'une culotte de cheval, et botté. Elle ne le reconnut pas. Il défit d'abord la chaîne du mur, et O put se coucher sur le lit. Avant de lui détacher les poignets, il lui passa la main entre les cuisses, comme l'avait fait l'homme masqué et ganté qu'elle avait vu le premier dans le petit salon rouge. C'était peut-être le même. Il avait le visage osseux et décharné, le regard droit qu'on voit aux portraits des vieux huguenots, et ses cheveux étaient gris. O soutint son regard un temps qui lui parut interminable, et brusquement glacée se souvint qu'il était interdit de regarder les maîtres plus haut que la ceinture. Elle ferma les yeux, mais trop tard et l'entendit rire et dire, pendant qu'il libérait enfin ses mains : « Vous noterez une punition après dîner. » Il parlait à Andrée et à Jeanne, qui étaient entrées avec lui, et qui attendaient debout de chaque côté du lit. Sur quoi il s'en alla. Andrée ramassa l'oreiller qui était par terre, et la couverture que Pierre avait rabattue vers le pied du lit, quand il était venu fouetter O, pendant que Jeanne tirait vers le chevet une table roulante qui avait été amenée dans le couloir et portait du café, du lait, du sucre, du pain, du beurre et des croissants. « Mangez vite, dit Andrée, il est neuf heures, vous pourrez ensuite dormir jusqu'à midi, et quand vous entendrez sonner il sera temps de vous apprêter pour le déjeuner. Vous vous baignerez et vous vous coifferez, je viendrai vous farder et vous lacer votre corset. — Vous ne serez de service que dans l'après-midi, dit Jeanne, pour la bibliothèque : servir le café, les liqueurs et entretenir le feu. — Mais vous ? dit O. — Ah ! nous sommes seulement chargées de vous pour les premières vingt-quatre heures de votre séjour, ensuite vous serez seule et vous n'aurez affaire qu'aux hommes. Nous ne pourrons pas vous parler, et vous non plus à nous. — Restez, dit O, restez encore, et dites-moi... » mais elle n'eut pas le temps d'achever, la porte s'ouvrit : c'était son amant, et il n'était pas seul. C'était son amant vêtu comme lorsqu'il sortait du lit, et qu'il allumait la première cigarette de la journée : en pyjama rayé, et robe de chambre de lainage bleu, la robe de chambre aux revers de soie matelassée qu'ils avaient choisie ensemble un an plus tôt. Et ses chaussons étaient râpés, il faudrait en acheter d'autres. Les deux femmes disparurent, sans autre bruit que le crissement de la soie lorsqu'elles relevèrent leurs jupes (toutes les jupes traînaient un peu) — sur les tapis les mules ne s'entendaient pas. O, qui tenait une tasse de café à la main gauche et de l'autre un croissant, assise à demi en tailleur au rebord du lit, une jambe pendante et l'autre repliée, resta immobile, sa tasse tremblant soudain dans sa main, cependant que le croissant lui échappait. « Ramasse-le », dit René. Ce fut sa première parole. Elle posa la tasse sur la table, ramassa le croissant entamé, et le posa à côté de la tasse. Une grosse miette du croissant était restée sur le tapis, contre son pied nu. René se baissa à son tour et la ramassa. Puis il s'assit près d'O, la renversa et l'embrassa. Elle lui demanda s'il l'aimait. Il lui répondit : « Ah ! je t'aime », puis se releva et la fit mettre debout, appuyant doucement la paume fraîche de ses mains, puis ses lèvres tout le long des balafres. Parce qu'il était venu avec son amant, O ne savait si elle pouvait ou non regarder l'homme qui était entré avec lui, et qui pour l'instant leur tournait le dos, et fumait, près de la porte. Ce qui suivit ne la mit pas hors de peine. « Viens qu'on te voie », dit son amant, et l'ayant entraînée au pied du lit, il fit remarquer à son compagnon qu'il avait eu raison, et le remercia, ajoutant qu'il était bien juste qu'il prît O le premier s'il en avait envie. L'inconnu, qu'elle n'osait toujours pas regarder, demanda alors, après avoir passé la main sur ses seins et le long de ses reins, qu'elle écartât les jambes. « Obéis », lui dit René, qui la soutint debout, appuyée du dos contre lui qui était debout aussi. Et sa main droite lui caressait un sein, et l'autre lui tenait l'épaule. L'inconnu s'était assis sur le rebord du lit, il avait saisi et lentement ouvert, en tirant sur la toison, les lèvres qui protégeaient le creux du ventre. René la poussa en avant, pour qu'elle fût mieux à portée, quand il comprit ce qu'on désirait d'elle, et son bras droit glissa autour de sa taille, ce qui lui donnait plus de prise. Cette caresse qu'elle n'acceptait jamais sans se débattre et sans être comblée de honte, et à laquelle elle se dérobait aussi vite qu'elle pouvait, si vite qu'elle avait à peine le temps d'en être atteinte, et qui lui semblait sacrilège, parce qu'il lui semblait sacrilège que son amant fût à ses genoux, alors qu'elle devait être aux siens, elle sentit soudain qu'elle n'y échapperait pas, et se vit perdue. Car elle gémit quand les lèvres étrangères, qui appuyaient sur le renflement de chair d'où part la corolle intérieure, l'enflammèrent brusquement, le quittèrent pour laisser la pointe chaude de la langue l'enflammer davantage ; elle gémit plus fort quand les lèvres la reprirent ; elle sentit durcir et se dresser la pointe cachée, qu'entre les dents et les lèvres une longue morsure aspirait et ne lâchait plus, une longue et douce morsure, sous laquelle elle haletait ; le pied lui manqua, elle se retrouva étendue sur le dos, la bouche de René sur sa bouche ; ses deux mains lui plaquaient les épaules sur le lit, cependant que deux autres mains sous ses jarrets lui ouvraient et lui relevaient les jambes. Ses mains à elle, qui étaient sous ses reins (car au moment où René l'avait poussée vers l'inconnu, il lui avait lié les poignets en joignant les anneaux des bracelets), ses mains furent effleurées par le sexe de l'homme qui se caressait au sillon de ses reins, remontait et alla frapper au fond de la gaine de son ventre. Au premier coup elle cria, comme sous le fouet, puis à chaque coup, et son amant lui mordit la bouche. L'homme la quitta d'un brusque arrachement, rejeté à terre comme par une foudre, et lui aussi cria. René défit les mains d'O, la remonta, la coucha sous la couverture. L'homme se relevait, il alla avec lui vers la porte. Dans un éclair, O se vit délivrée, anéantie, maudite. Elle avait gémi sous les lèvres de l'étranger comme jamais son amant ne l'avait fait gémir, crié sous le choc du membre de l'étranger comme jamais son amant ne l'avait fait crier. Elle était profanée et coupable. S'il la quittait, ce serait juste. Mais non, la porte se refermait, il restait avec elle, revenait, se couchait le long d'elle, sous la couverture, se glissait dans son ventre humide et brûlant, et la tenant embrassée, lui disait : « Je t'aime. Quand je t'aurai donnée aussi aux valets, je viendrai une nuit te faire fouetter jusqu'au sang. » Le soleil avait percé la brume et inondait la chambre. Mais seule la sonnerie de midi les réveilla.

O ne sut que faire. Son amant était là, aussi proche, aussi tendrement abandonné que dans le lit de la chambre au plafond bas, où il venait dormir auprès d'elle presque chaque nuit, depuis qu'ils habitaient ensemble. C'était un grand lit à quenouilles, à l'anglaise, en acajou, mais sans ciel de lit, et dont les quenouilles au chevet étaient plus hautes que celles du pied. Il dormait toujours à gauche, et quand il se réveillait, fût-ce au milieu de la nuit, allongeait toujours la main vers ses jambes. C'est pourquoi elle ne portait jamais que des chemises de nuit, ou quand elle avait un pyjama ne mettait jamais le pantalon. Il fit de même ; elle prit cette main et la baisa, sans oser rien lui demander. Mais il parla. Il lui dit, tout en la tenant par le collier, deux doigts glissés entre le cuir et le cou, qu'il entendait qu'elle fût désormais mise en commun entre lui et ceux dont il déciderait, et ceux qu'il ne connaîtrait pas qui étaient affiliés à la société du château, comme elle l'avait été la veille au soir. Que c'est de lui, et de lui seul qu'elle dépendait, même si elle recevait des ordres d'autres que lui, qu'il fût présent ou absent, car il participait par principe à n'importe quoi qu'on pût exiger d'elle ou lui infliger, et que c'était lui qui la possédait et jouissait d'elle à travers ceux aux mains de qui elle était remise, du seul fait qu'il la leur avait remise. Elle devait leur être soumise et les accueillir avec le même respect avec lequel elle l'accueillait, comme autant d'images de lui. Il la posséderait ainsi comme un dieu possède ses créatures, dont il s'empare sous le masque d'un monstre ou d'un oiseau, de l'esprit invisible ou de l'extase. Il ne voulait pas se séparer d'elle. Il tenait d'autant plus à elle qu'il la livrait davantage. Le fait qu'il la donnait lui était une preuve, et devait en être une pour elle, qu'elle lui appartenait; on ne donne que ce qui vous appartient. Il la donnait pour la reprendre aussitôt, et la reprenait enrichie à ses yeux, comme un objet ordinaire qui aurait servi à un usage divin et se trouverait par là consacré. Il désirait depuis longtemps la prostituer, et il sentait avec joie que le plaisir qu'il en tirait était plus grand qu'il ne l'avait espéré, et l'attachait à elle davantage comme il l'attacherait à lui, d'autant plus qu'elle en serait plus humiliée et plus meurtrie. Elle ne pouvait, puisqu'elle l'aimait, qu'aimer ce qui lui venait de lui. O écoutait et tremblait de bonheur, puisqu'il l'aimait, tremblait, consentante. Il le devina sans doute, car il reprit : « C'est parce qu'il t'est facile de consentir que je veux de toi ce à quoi il te sera impossible de consentir, même si d'avance tu l'acceptes, même si tu dis oui maintenant, et que tu t'imagines capable de te soumettre. Tu ne pourras pas ne pas te révolter. On obtiendra ta soumission malgré toi, non seulement pour l'incomparable plaisir que moi ou d'autres y trouverons, mais pour que tu prennes conscience de ce qu'on a fait de toi. » O allait répondre qu'elle était son esclave, et portait ses liens avec joie. Il l'arrêta : « On t'a dit hier que tu ne devais, tant que tu serais dans ce château, ni regarder un homme au visage, ni lui parler. Tu ne le dois pas davantage à moi, mais te taire, et obéir. Je t'aime. Lève-toi. Tu n'ouvriras désormais ici la bouche, en présence d'un homme, que pour crier ou caresser. » O se leva donc. René resta étendu sur le lit. Elle se baigna, se coiffa, l'eau tiède la fit frémir quand ses reins meurtris y plongèrent, et elle dut s'éponger sans frotter, pour ne pas réveiller la brûlure. Elle farda sa bouche, non ses yeux, se poudra, et toujours nue, mais les yeux baissés, revint dans la cellule.

René regardait Jeanne, qui était entrée, et se tenait debout au chevet du lit, elle aussi les yeux baissés, muette elle aussi. Il lui dit d'habiller O. Jeanne prit le corset de satin vert, le jupon blanc, la robe, les mules vertes, et ayant agrafé le corset d'O sur le devant, commença à serrer le lacet par-derrière. Le corset était durement baleiné, long et rigide, comme au temps des tailles de guêpes, et comportait des goussets où reposaient les seins. A mesure qu'on serrait, les seins remontaient, s'appuyaient pardessous sur le gousset, et offraient davantage leur pointe. En même temps, la taille s'étranglait, ce qui faisait saillir le ventre et cambrer profondément les reins. L'étrange est que cette armature était très confortable, et jusqu'à un certain point reposante. On s'y tenait bien droite, mais elle rendait sensible, sans qu'on sût très bien pourquoi, à moins que ce ne fût par contraste, la liberté ou plutôt la disponibilité de ce qu'elle ne comprimait pas. La large jupe et le corsage échancré en trapèze, de la base du cou jusqu'à la pointe et sur toute la largeur des seins, semblaient à la fille qu'elle revêtait moins une protection qu'un appareil de provocation, de présentation. Lorsque Jeanne eut noué le lacet d'un double nœud, O prit sur le lit sa robe, qui était d'une seule pièce, le jupon tenu à la jupe comme une doublure amovible, et le corsage, croisé devant et noué derrière pouvant suivre ainsi la ligne plus ou moins fine du buste, selon qu'on avait plus ou moins serré le corset. Jeanne l'avait beaucoup serré, et O se voyait dans le miroir de la salle de bains, par la porte restée ouverte, mince et perdue dans l'épais satin vert qui bouillonnait sur ses hanches, comme auraient fait des paniers. Les deux femmes étaient debout l'une près de l'autre. Jeanne allongea le bras pour rectifier un pli à la manche de la robe verte, et ses seins bougèrent dans la dentelle qui bordait son corsage, des seins dont la pointe était longue et l'aréole brune. Sa robe était de faille jaune. René qui s'était approché des deux femmes dit à O : « Regarde. » Et à Jeanne : « Relève ta robe. » A deux mains elle releva la soie craquante et le linon qui la doublait découvrant un ventre doré, des cuisses et des genoux polis, et un noir triangle clos. René y porta la main et le fouilla lentement, de l'autre main faisant saillir la pointe d'un sein. « C'est pour que tu voies », dit-il à O. O voyait. Elle voyait son visage ironique mais attentif, ses yeux qui guettaient la bouche entrouverte de Jeanne et le cou renversé que serrait le collier de cuir. Quel plaisir lui donnait-elle, elle, que celle-ci, ou une autre, ne lui donnât aussi ? « Tu n'y avais pas pensé ? » dit-il encore. Non, elle n'y avait pas pensé. Elle s'était affaissée contre le mur entre les deux portes, toute droite, les bras abandonnés. Il n'y avait plus besoin de lui ordonner de se taire. Comment aurait-elle parlé ? Peut-être fut-il touché de son désespoir. Il quitta Jeanne pour la prendre dans ses bras, l'appelant son amour et sa vie, répétant qu'il l'aimait. La main dont il lui caressait la gorge et le cou était moite de l'odeur de Jeanne. Et après ? Le désespoir qui l'avait noyée reflua : il l'aimait, ah ! il l'aimait. Il était bien maître de prendre plaisir à Jeanne, ou à d'autres, il l'aimait. « Je t'aime, disait-elle à son oreille, je t'aime », si bas qu'il entendait à peine. « Je t'aime. » Il ne partit que lorsqu'il la vit douce et les yeux clairs, heureuse.

Jeanne prit O par la main et l'entraîna dans le couloir. Leurs mules claquèrent de nouveau sur le carrelage, et elles trouvèrent de nouveau sur la banquette, entre les portes, un valet. Il était vêtu comme Pierre, mais ce n'était pas lui. Celui-ci était grand, sec, et le poil noir. Il les précéda, et les fit entrer dans une antichambre où, devant une porte en fer forgé qui se découpait sur de grands rideaux verts, deux autres valets attendaient, des chiens blancs tachés de feu à leurs pieds. « C'est la clôture », murmura Jeanne. Mais le valet qui marchait devant l'entendit et se retourna. O vit avec stupeur Jeanne devenir toute pâle et lâcher sa main, lâcher sa robe qu'elle tenait légèrement de l'autre main, et tomber à genoux sur le dallage noir — car l'antichambre était dallée de marbre noir. Les deux valets près de la grille se mirent à rire. L'un d'eux s'avança vers O en la priant de le suivre, ouvrit une porte face à celle qu'elle venait de franchir et s'effaça. Elle entendit rire, et qu'on marchait, puis la porte se referma sur elle. Jamais, mais jamais elle n'apprit ce qui s'était passé, si Jeanne avait été punie pour avoir parlé, ni comment, ou si elle avait cédé seulement à un caprice du valet, si en se jetant à genoux elle avait obéi à une règle, ou voulu le fléchir et réussi. Elle s'aperçut seulement, pendant son premier séjour au château, qui dura deux semaines, que bien que la règle du silence fût absolue, il était rare que pendant les allées et venues, ou pendant les repas, on ne tentât point de l'enfreindre, et particulièrement le jour, en la seule présence des valets, comme si le vêtement eût donné une assurance, que la nudité et les chaînes de la nuit, et la présence des maîtres, effaçaient. Elle s'aperçut aussi que, tandis que le moindre geste qui pût ressembler à une avance vers un des maîtres paraissait tout naturellement inconcevable, il n'en était pas de même avec les valets. Ceux-ci ne donnaient jamais un ordre, bien que la politesse de leurs prières fût aussi implacable que des ordres. Il leur était apparemment enjoint de punir les infractions à la règle, quand ils en étaient seuls témoins, sur-le-champ. O vit ainsi, à trois reprises, une fois dans le couloir qui menait à l'aile rouge, et les deux autres fois dans le réfectoire où on venait de la faire pénétrer, des filles surprises à parler jetées à terre et fouettées. On pouvait donc être fouettées en plein jour, malgré ce qui lui avait été dit le premier soir, comme si ce qui se passait avec les valets dût ne pas compter, et être laissé à leur discrétion. Le plein jour donnait au costume des valets un aspect étrange et menaçant. Quelques-uns portaient des bas noirs, et au lieu de veste rouge et de jabot blanc, une chemise souple de soie rouge à larges manches, froncée au cou, les manches serrées aux poignets. Ce fut un de ceux-là qui, le huitième jour, à midi, le fouet déjà à la main, fit lever de son tabouret, près d'O, une opulente Madeleine blonde, à la gorge de lait et de roses, qui lui avait souri et dit quelques mots si vite qu'O ne les avait pas compris. Avant qu'il l'eût touchée, elle était à ses genoux, ses mains si blanches effleurèrent sous la soie noire le sexe encore au repos qu'elle dégagea et approcha de sa bouche entrouverte. Elle ne fut pas fouettée cette fois-là. Et comme il était le seul surveillant, à cet instant, dans le réfectoire, et qu'il fermait les yeux à mesure qu'il acceptait la caresse, les autres filles parlèrent. On pouvait donc soudoyer les valets. Mais à quoi bon ? S'il y avait une règle à laquelle O eut de la peine à se plier, et finalement ne se plia jamais tout à fait, c'était la règle qui interdisait de regarder les hommes au visage — du fait que la règle était aussi applicable à l'égard des valets. O se sentait en danger constant, tant la curiosité des visages la dévorait, et elle fut en effet fouettée par l'un ou par l'autre, non pas à la vérité chaque fois qu'ils s'en aperçurent (car ils prenaient des libertés avec les consignes, et peut-être tenaient assez à la fascination qu'ils exerçaient pour ne pas se priver par une rigueur trop absolue et trop efficace des regards qui ne quittaient leurs yeux et leur bouche que pour revenir à leur sexe, à leur fouet, à leurs mains, et recommencer), mais sans doute chaque fois qu'ils eurent envie de l'humilier. Si cruellement qu'ils l'eussent traitée, quand ils s'y étaient décidés, elle n'eut cependant jamais le courage, ou la lâcheté, de se jeter d'elle-même à leurs genoux, et les subit parfois, mais ne les sollicita jamais. Quant à la règle du silence, sauf à l'égard de son amant, elle lui était si légère qu'elle n'y manqua pas une fois, répondant par signes quand une autre fille profitait d'un moment d'inattention de leurs gardiens pour lui parler. C'était généralement pendant les repas, qui avaient lieu dans la salle où on l'avait fait entrer, quand le grand valet qui les accompagnait s'était retourné sur Jeanne. Les murs étaient noirs et le dallage noir, la table longue noire aussi, en verre épais, et chaque fille avait pour s'asseoir un tabouret rond recouvert de cuir noir. Il fallait relever sa jupe pour s'y poser, et O retrouvait ainsi, au contact du cuir lisse et froid sous ses cuisses, le premier instant où son amant lui avait fait ôter ses bas et son slip, et l'avait fait asseoir à même la banquette de la voiture. Inversement, lorsqu'elle eut quitté le château, et qu'elle dut, vêtue comme tout le monde, mais les reins nus sous son tailleur banal ou sa robe ordinaire, relever à chaque fois sa combinaison et sa jupe pour s'asseoir aux côtés de son amant, ou d'un autre, à même la banquette d'une auto ou d'un café, c'était le château qu'elle retrouvait, les seins offerts dans les corsets de soie, les mains et les bouches à qui tout était permis, et le terrible silence. Rien cependant qui lui ait été d'autant de secours que le silence, sinon les chaînes. Les chaînes et le silence, qui auraient dû la ligoter au fond d'elle-même, l'étouffer, l'étrangler, tout au contraire la délivraient d'elle-même. Que serait-il advenu d'elle, si la parole lui avait été accordée, si un choix lui avait été laissé, lorsque son amant la prostituait devant lui ? Elle parlait il est vrai dans les supplices, mais peut-on appeler paroles ce qui n'est que plaintes et cris ? Encore la faisait-on souvent taire en la bâillonnant. Sous les regards, sous les mains, sous les sexes qui l'outrageaient, sous les fouets qui la déchiraient, elle se perdait dans une délirante absence d'elle-même qui la rendait à l'amour, et l'approchait peut-être de la mort. Elle était n'importe qui, elle était n'importe laquelle des autres filles, ouvertes et forcées comme elle, et qu'elle voyait ouvrir et forcer, car elle le voyait, quand même elle ne devait pas y aider. Le jour qui fut son deuxième jour, quand vingt-quatre heures n'étaient pas encore écoulées depuis son arrivée, elle fut donc, après le repas, conduite dans la bibliothèque, pour y faire le service du café et du feu. Jeanne l'accompagnait, que le valet au poil noir avait ramenée, et une autre fille qui s'appelait Monique. C'est le même valet qui les conduisit, et demeura dans la pièce, debout près du poteau où O avait été attachée. La bibliothèque était encore déserte. Les portes-fenêtres ouvraient à l'ouest, et le soleil d'automne, qui tournait lentement dans un grand ciel paisible, à peine nuageux, éclairait sur une commode une énorme gerbe de chrysanthèmes soufre qui sentaient la terre et les feuilles mortes. « Pierre vous a marquée hier soir ? » demanda le valet à O. Elle fit signe que oui. « Vous devez donc le montrer, dit-il, veuillez relever votre robe. » Il attendit qu'elle eût roulé sa robe par-derrière, comme Jeanne l'avait fait la veille au soir, et que Jeanne l'eût aidée à la fixer. Puis il lui dit d'allumer le feu. Les reins d'O jusqu'à la taille, ses cuisses, ses fines jambes s'encadraient dans les plis en cascade de la soie verte et du linon blanc. Les cinq balafres étaient noires. Le feu était prêt dans l'âtre, O n'eut qu'une allumette à mettre à la paille sous les brindilles, qui s'enflammèrent. Les branchages de pommier eurent bientôt pris, puis les bûches de chêne, qui brûlaient avec de hautes flammes pétillantes et claires, presque invisibles dans le grand jour, mais odorantes. Un autre valet entra, posa sur la console d'où l'on avait retiré la lampe un plateau avec des tasses et le café, puis s'en alla. O s'avança près de la console, Monique et Jeanne restèrent debout de chaque côté de la cheminée. A ce moment-là deux hommes entrèrent, et le premier valet sortit à son tour. O crut reconnaître, à sa voix, l'un de ceux qui l'avait forcée la veille, et qui avait demandé qu'on rendît plus facile l'accès de ses reins. Elle le regardait à la dérobée, tout en versant le café dans les petites tasses noir et or, que Monique offrit, avec du sucre. Ce serait donc ce garçon mince, si jeune, blond, qui avait l'air d'un Anglais. Il parla encore, elle n'eut plus de doute. L'autre était blond aussi, trapu, avec une figure épaisse. Tous deux assis dans les grands fauteuils de cuir, les pieds au feu, fumèrent tranquillement, en lisant leurs journaux, sans plus s'inquiéter des femmes que si elles n'avaient pas été là. De temps en temps, on entendait un froissement de papier, des braises qui croulaient. De temps en temps, O remettait une bûche sur le feu. Elle était assise sur un coussin par terre près du panier de bois, Monique et Jeanne par terre aussi en face d'elle. Leurs jupes étalées se mêlaient. Celle de Monique était rouge sombre. Tout à coup, mais au bout d'une heure seulement, le garçon blond appela Jeanne, puis Monique. Il leur dit d'apporter le pouf (c'était le pouf contre lequel on avait renversé O à plat ventre la veille). Monique n'attendit pas d'autres ordres, elle s'agenouilla, se pencha, la poitrine écrasée contre la fourrure et tenant à pleines mains les deux coins du pouf. Lorsque le garçon fit relever par Jeanne la jupe rouge, elle ne bougea pas. Jeanne dut alors, et il en donna l'ordre dans les termes les plus brutaux, défaire son vêtement, et prendre entre ses deux mains cette épée de chair qui avait si cruellement, au moins une fois transpercé O. Elle se gonfla et se raidit contre la paume refermée, et O vit ces mêmes mains, les mains menues de Jeanne, qui écartaient les cuisses de Monique au creux desquelles, lentement, et à petites secousses qui la faisaient gémir, le garçon s'enfonçait. L'autre homme, qui regardait sans mot dire, fit signe à O d'approcher, et sans cesser de regarder, l'ayant fait basculer en avant sur un des bras du fauteuil — et sa jupe relevée lui offrait toute la longueur de ses reins — lui prit le ventre à pleines mains. Ce fut ainsi que René la trouva, une minute plus tard, quand il ouvrit la porte. « Ne bougez pas, je vous en prie », dit-il, et il s'assit par terre sur le coussin où O était assise au coin de la cheminée, avant qu'on l'appelât. Il la regardait attentivement et souriait chaque fois que la main qui la tenait, la fouillait, revenait, et s'emparait à la fois, de plus en plus profondément, de son ventre et de ses reins qui s'ouvraient davantage, lui arrachait un gémissement qu'elle ne pouvait pas retenir. Monique était depuis longtemps relevée, Jeanne tisonnait le feu à la place d'O : elle apporta à René qui lui baisa la main, un verre de whisky qu'il but sans quitter O des yeux. L'homme qui la tenait toujours dit alors : « Elle est à vous ? — Oui, répondit René. — Jacques a raison, reprit l'autre, elle est trop étroite, il faut l'élargir. — Pas trop tout de même, dit Jacques. — A votre gré, dit

René en se levant, vous êtes meilleur juge que moi. » Et il sonna.

Désormais, huit jours durant, entre la tombée du jour où finissait son service dans la bibliothèque et l'heure de la nuit, huit heures ou dix heures généralement, où on l'y ramenait — quand on l'y ramenait — enchaînée et nue sous une cape rouge, O porta fixée au centre de ses reins par trois chaînettes tendues à une ceinture de cuir autour de ses hanches, de façon que le mouvement intérieur de ses muscles ne la pût repousser, une tige d'ébonite faite à l'imitation d'un sexe dressé. Une chaînette suivait le sillon des reins, les deux autres le pli des cuisses de part et d'autre du triangle du ventre, afin de ne pas empêcher qu'on y pénétrât au besoin. Quand René avait sonné, c'était pour faire apporter le coffret où dans un compartiment il y avait un assortiment de chaînettes et de ceintures, et dans l'autre un choix de ces tiges, qui allaient des plus minces aux plus épaisses. Toutes avaient en commun qu'elles s'élargissaient à la base, pour qu'on fût certain qu'elles ne remonteraient pas à l'intérieur du corps, ce qui aurait risqué de laisser se resserrer l'anneau de chair qu'elles devaient forcer et distendre. Ainsi écartelée, et chaque jour davantage, car chaque jour Jacques, qui la faisait mettre à genoux, ou plutôt prosterner, pour veiller à ce que Jeanne ou Monique, ou telle autre qui se trouvait là, fixassent la tige qu'il avait choisie, la choisissait plus épaisse. Au repas du soir, que les filles prenaient ensemble dans le même réfectoire, mais après leur bain, nues et fardées, O la portait encore, et du fait des chaînettes et de la ceinture, tout le monde pouvait voir qu'elle la portait. Elle ne lui était enlevée, et par lui, qu'au moment où le valet Pierre venait l'enchaîner, soit au mur pour la nuit si personne ne la réclamait, soit les mains au dos s'il devait la reconduire à la bibliothèque. Rares furent les nuits où il ne se trouva pas quelqu'un pour faire usage de cette voie ainsi rapidement rendue aussi aisée, bien que toujours plus étroite que l'autre. Au bout de huit jours aucun appareil ne fut plus nécessaire et son amant dit à O qu'il était heureux qu'elle fût doublement ouverte, et qu'il veillerait à ce qu'elle le demeurât. En même temps il l'avertit qu'il partait, et que durant les sept dernières journées qu'elle devait passer au château avant qu'il revînt la chercher pour retourner avec elle à Paris, elle ne le verrait pas. « Mais je t'aime, ajouta-t-il, je t'aime, ne m'oublie pas. » Ah! comment l'aurait-elle oublié? Il était la main qui lui bandait les yeux, le fouet du valet Pierre, il était la chaîne au-dessus de son lit, et l'inconnu qui la mordait au ventre, et toutes les voix qui lui donnaient des ordres étaient sa voix. Se lassait-elle? Non. A force d'être outragée, il semble qu'elle aurait dû s'habituer aux outrages, à force d'être caressée, aux caresses, sinon au fouet à force d'être fouettée. Une affreuse satiété de la douleur et de la volupté dut la rejeter peu à peu sur des berges insensibles, proches du sommeil ou du somnambulisme. Mais au contraire. Le corset qui la tenait droite, les chaînes qui la gardaient soumise, le silence son refuge y étaient peut-être pour quelque chose, comme aussi le spectacle constant des filles livrées comme elle, et même lorsqu'elles n'étaient pas livrées, de leur corps constamment accessible. Le spectacle aussi et la conscience de son propre corps. Chaque jour et pour ainsi dire rituellement salie de salive et de sperme, de sueur mêlée à sa propre sueur, elle se sentait à la lettre le réceptacle d'impureté, l'égout dont parle l'Ecriture. Et cependant les parties de son corps les plus constamment offensées, devenues plus sensibles, lui paraissaient en même temps devenues plus belles, et comme ennoblies : sa bouche refermée sur des sexes anonymes, les pointes de ses seins que des mains constamment froissaient, et entre ses cuisses écartelées les chemins de son ventre, routes communes labourées à plaisir. Qu'à être prostituée elle dût gagner en dignité étonnait, c'est pourtant de dignité qu'il s'agissait. Elle en était éclairée comme par le dedans, et l'on voyait en sa démarche le calme, sur son visage la sérénité et l'imperceptible sourire intérieur qu'on devine aux yeux des recluses.

Lorsque René l'avertit qu'il la laissait, la nuit était déjà tombée. O était nue dans sa cellule, et attendait qu'on vînt la conduire au réfectoire. Son amant, lui, était vêtu comme à l'ordinaire, d'un costume qu'il portait en ville tous les jours. Quand il la prit dans ses bras, le tweed de son vêtement lui agaça la pointe des seins. Il l'embrassa, la coucha sur le lit, se coucha contre elle, et tendrement et lentement et doucement la prit, allant et venant dans les deux voies qui lui étaient offertes, pour finalement se répandre dans sa bouche, qu'ensuite il embrassa encore. « Avant de partir, je voudrais te faire fouetter, dit-il, et cette fois je te le demande. Acceptes-tu ? » Elle accepta. « Je t'aime, répéta-t-il, sonne Pierre. » Elle sonna. Pierre lui enchaîna les mains au-dessus de sa tête, à la chaîne du lit. Son amant, quand elle fut ainsi liée, l'embrassa encore, debout contre elle sur le lit, lui répéta encore qu'il l'aimait, puis descendit du lit et fit signe à Pierre. Il la regarda se débattre, si vainement, il écouta ses gémissements devenir des cris. Quand ses larmes coulèrent, il renvoya Pierre. Elle trouva la force de lui redire qu'elle l'aimait. Alors il embrassa son visage trempé, sa bouche haletante, la délia, la coucha et partit.

Dire que O, dès la seconde où son amant l'eut quittée, commença de l'attendre, est peu dire : elle ne fut plus qu'attente et que nuit. Le jour elle était comme une figure peinte dont la peau est douce et la bouche docile, et — ce fut le seul temps où elle observa strictement la règle — qui garde les yeux baissés. Elle faisait et entretenait le feu, versait et offrait le café et l'alcool, allumait les cigarettes, elle arrangeait les fleurs et pliait les journaux comme une jeune fille dans le salon de ses parents, si limpide avec sa gorge découverte et son collier de cuir, son étroit corset et ses bracelets de prisonnière qu'il suffisait aux hommes qu'elle servait d'exiger qu'elle se tînt auprès d'eux quand ils violaient une autre fille pour la vouloir violer aussi; ce fut pourquoi sans doute on la maltraita davantage. Commit-elle une faute ? ou son amant l'avait-il laissée pour que justement ceux à qui il la prêtait se sentissent plus libres de disposer d'elle ? Toujours est-il que le surlendemain de son départ, comme elle venait, au soir tombé, de quitter ses vêtements, et qu'elle regardait au miroir de sa salle de bains les marques maintenant presque effacées de la cravache de Pierre sur le devant de ses cuisses, Pierre entra. Il y avait deux heures encore avant le dîner. Il lui dit qu'elle ne dînerait pas dans la salle commune, et de s'apprêter, lui désignant dans l'angle le siège à la turque, où elle dut en effet s'accroupir, comme Jeanne l'avait avertie qu'il lui faudrait le faire en présence de Pierre. Tout le temps qu'elle y demeura, il resta à la considérer, elle le voyait dans les miroirs, et se voyait elle-même, incapable de retenir l'eau qui s'échappait de son corps. Il attendit qu'elle eût ensuite pris son bain, et qu'elle fût fardée. Elle allait chercher ses mules et sa cape rouge quand il arrêta son geste, et ajouta, en lui liant les mains au dos, que ce n'était pas la peine, mais qu'elle l'attendît un instant. Elle s'assit sur un coin de lit. Dehors, il y avait une tempête de vent froid et de pluie, et le peuplier près de la fenêtre se courbait et se redressait sous les rafales. Des feuilles pâles, mouillées, se plaquaient de temps en temps sur les vitres. Il faisait noir comme au cœur de la nuit, bien que sept heures ne fussent pas sonnées, mais on avançait dans l'automne, et les jours raccourcissaient. Pierre, revenant, avait à la main le même bandeau dont on lui avait bandé les yeux le premier soir. Il avait aussi, qui cliquetait, une longue chaîne semblable à celle du mur. Il parut à O qu'il hésitait à lui mettre d'abord la chaîne ou d'abord le bandeau. Elle regardait la pluie, indifférente à ce qu'on voulait d'elle, et songeait seulement que René avait dit qu'il reviendrait, qu'il y avait encore cinq jours et cinq nuits à passer, et qu'elle ne savait pas où il était, ni s'il était seul, et, s'il n'était pas seul, avec qui. Mais il reviendrait. Pierre avait posé la chaîne sur le lit et, sans déranger O de ses songes, attachait sur ses yeux le bandeau de velours noir. Il se renflait un peu au-dessous des orbites, et s'appliquait exactement aux pommettes : impossible de glisser le moindre regard, impossible de lever les paupières. Bienheureuse nuit pareille à sa propre nuit, jamais O ne l'accueillit avec tant de joie, bienheureuses chaînes qui l'enlevaient à elle-même. Pierre attachait cette chaîne à l'anneau de son collier, et la priait de l'accompagner. Elle se leva, sentit qu'on la tirait en avant, et marcha. Ses pieds nus se glacèrent sur le carreau, elle comprit qu'elle suivait le couloir de l'aile rouge, puis le sol, toujours aussi froid, devint rugueux : elle marchait sur un dallage de pierre, grès ou granit. A deux reprises, le valet la fit arrêter, elle entendit le bruit d'une clef dans une serrure, ouverte, puis refermée. « Prenez garde aux marches », dit Pierre, et elle descendit un escalier où elle trébucha une fois. Pierre la rattrapa à bras-le-corps. Il ne l'avait jamais touchée que pour l'enchaîner ou la battre, mais voilà qu'il la couchait contre les marches froides où de ses mains liées elle s'accrochait tant bien que mal pour ne pas glisser, et qu'il lui prenait les seins. Sa bouche allait de l'un à l'autre, et en même temps qu'il s'appuyait contre elle, elle sentit qu'il se dressait lentement. Il ne la releva que lorsqu'il eût fait d'elle à son plaisir. Moite et tremblant de froid, elle avait enfin descendu les dernières marches quand elle l'entendit ouvrir encore une porte, qu'elle franchit, et sentit aussitôt sous ses pieds un épais tapis. La chaîne fut encore un peu tirée, puis les mains de Pierre détachaient ses mains, dénouaient son bandeau : elle était dans une pièce ronde et voûtée, très petite et très basse; les murs et la voûte étaient de pierre sans aucun revêtement, on voyait les joints de la maçonnerie. La chaîne qui était fixée à son collier tenait au mur à un piton à un mètre de haut, face à la porte et ne lui laissait que la liberté de faire deux pas en avant. Il n'y avait ni lit ni simulacre de lit, ni couverture, et seulement trois ou quatre coussins pareils à des coussins marocains, mais hors de portée, et qui ne lui étaient pas destinés. Par contre, à sa portée, dans une niche d'où partait le peu de lumière qui éclairât la pièce, un plateau de bois portait de l'eau, des fruits et du pain. La chaleur des radiateurs qui avaient été disposés à la base et dans l'épaisseur des murs, et formaient tout autour comme une plinthe brûlante, ne suffisait pas cependant à venir à bout de l'odeur de vase et de terre qui est l'odeur des anciennes prisons, et dans les vieux châteaux, des donjons inhabités. Dans cette chaude pénombre où ne pénétrait aucun bruit, O eut vite fait de perdre le compte du temps. Il n'y avait plus ni jour ni nuit, jamais la lumière ne s'éteignait. Pierre, ou un autre valet indifféremment, remettait sur le plateau de l'eau, des fruits et du pain quand il n'y en avait plus, et la conduisait se baigner dans un réduit voisin. Elle ne vit jamais les hommes qui entraient, parce qu'un valet entrait chaque fois avant eux pour lui bander les yeux, et détachait le bandeau seulement quand ils étaient partis. Elle perdit aussi leur compte, et leur nombre, et ses douces mains ni ses lèvres caressant à l'aveugle ne surent jamais reconnaître qui elles touchaient. Parfois ils étaient plusieurs, et le plus souvent seuls, mais chaque fois, avant qu'on s'approchât d'elle, elle était mise à genoux face au mur, l'anneau de son collier accroché au même piton où était fixée la chaîne, et fouettée. Elle posait ses paumes contre le mur, et appuyait au dos de ses mains son visage, pour ne pas l'égratigner à la pierre ; mais elle y éraflait ses genoux et ses seins. Elle perdit aussi le compte des supplices et de ses cris, que la voûte étouffait. Elle attendait. Tout d'un coup le temps cessa d'être immobile. Dans sa nuit de velours on détachait sa chaîne. Il y avait trois mois, trois jours qu'elle attendait, ou dix jours, ou dix ans. Elle sentit qu'on l'enveloppait dans une étoffe épaisse, et quelqu'un la prit aux épaules et aux jarrets, la souleva et l'emporta. Elle se retrouva dans sa cellule, couchée sous sa fourrure noire, c'était le début de l'après-midi, elle avait les yeux ouverts, les mains libres, et René assis près d'elle lui caressait les cheveux. « Il faut te rhabiller, dit-il, nous partons. » Elle prit un dernier bain, il lui brossa les cheveux, lui tendit sa poudre et son rouge à lèvres. Quand elle revint dans la cellule, son tailleur, sa blouse, sa combinaison, ses bas, ses chaussures étaient sur le pied du lit, son sac et ses gants aussi. Il y avait même le manteau qu'elle mettait sur son tailleur quand il commençait à faire froid, et un carré de soie pour protéger le cou, mais ni ceinture, ni slip. Elle s'habilla lentement, roulant ses bas au-dessus du genou, et sans mettre sa veste parce qu'il faisait très chaud dans la cellule. A cet instant, l'homme qui lui avait expliqué le premier soir ce qui serait exigé d'elle entra. Il défit le collier et les bracelets qui depuis deux semaines la tenaient captive. En fut-elle délivrée ? ou s'il lui manqua quelque chose ? Elle ne dit rien, osant à peine passer les mains sur ses poignets, n'osant pas les porter à son cou. Il la pria ensuite de choisir, parmi des bagues toutes semblables qu'il lui présentait dans un petit coffret de bois, celle qui irait à son annulaire gauche. C'étaient de curieuses bagues de fer, intérieurement cerclées d'or, dont le chaton large et lourd, comme le chaton d'une chevalière mais renflé, portait en nielles d'or le dessin d'une sorte de roue à trois branches, qui chacune se refermait en spirale, semblable à la roue solaire des Celtes. La seconde, en forçant un peu, lui allait exactement. Elle était lourde à sa main, et l'or brillait comme à la dérobée dans le gris mat du fer poli. Pourquoi le fer, pourquoi l'or, et le signe qu'elle ne comprenait pas ? Il n'était pas possible de parler dans cette pièce tendue de rouge où la chaîne était encore au mur au-dessus du lit, où la couverture noire encore défaite traînait par terre, où le valet Pierre pouvait entrer, allait entrer, absurde avec son costume d'opéra dans la lumière ouatée de novembre. Elle se trompait, Pierre n'entra pas. René lui fit mettre la veste de son tailleur, et ses longs gants qui recouvraient le bas des manches. Elle prit son foulard, son sac, et sur le bras son manteau. Les talons de ses chaussures faisaient sur le carreau du couloir moins de bruit que n'en avaient fait ses mules, les portes étaient fermées, l'antichambre était vide. O tenait son amant par la main. L'inconnu qui les accompagnait ouvrit les grilles dont Jeanne avait dit que c'était la clôture, et que ne gardaient plus ni valets ni chiens. Il souleva un des rideaux de velours vert, et les fit passer tous les deux. Le rideau retomba. On entendit la grille se refermer. Ils étaient seuls dans une autre antichambre qui ouvrait sur le parc. Il n'y avait plus qu'à descendre les marches du perron, devant lequel O reconnut la voiture. Elle s'assit près de son amant, qui prit le volant et démarra. Quand ils furent sortis du parc dont la porte cochère était grande ouverte, au bout de quelques centaines de mètres, il arrêta pour l'embrasser. C'était juste avant un village petit et paisible qu'ils traversèrent en repartant. O put lire le nom sur la plaque indicatrice : Roissy.

II

SIR STEPHEN

L'appartement qu'O habitait était situé dans l'île Saint-Louis, sous les combles d'une vieille maison qui donnait au sud et regardait la Seine. Les pièces étaient mansardées, larges et basses, et celles qui étaient en façade, il y en avait deux, ouvraient chacune sur des balcons ménagés dans la pente du toit. L'une d'elles était la chambre d'O, l'autre, où du sol au plafond, sur une paroi des rayons de livres encadraient la cheminée, servait de salon, de bureau, et même de chambre si l'on voulait : elle avait un grand divan face à ses deux fenêtres, et face à la cheminée une grande table ancienne. On y dînait aussi quand la toute petite salle à manger tendue de serge vert foncé, sur la cour intérieure, était vraiment trop petite pour les convives. Une autre chambre, sur la cour aussi, servait à René qui y rangeait ses vêtements, et s'y habillait. O partageait avec lui sa salle de bains jaune; la cuisine, jaune aussi, était minuscule. Une femme de ménage venait tous les jours. Les pièces sur cour étaient carrelées de rouge, de ces carreaux anciens à six pans, qui recouvrent dès qu'on dépasse le second étage les marches et les paliers des vieux hôtels à Paris. O les revoyant eut un choc au cœur : c'étaient les mêmes carreaux que ceux des corridors de Roissy. Sa chambre était petite, les rideaux de chintz rose et noir étaient fermés, le feu brillait derrière la toile métallique du pare-feu, le lit était prêt, la couverture faite.

« Je t'ai acheté une chemise de nylon, dit René, tu n'en avais pas encore. » En effet, une chemise de nylon blanc, plissé, serré et fin comme les vêtements des statuettes égyptiennes, et presque transparent, était dépliée au bord du lit, sur le côté où se couchait O. On la serrait à la taille avec une fine ceinture par-dessus une bande de piqûres élastiques, et le jersey de nylon était si léger que la saillie des seins le colorait en rose. Tout, à l'exception des rideaux, et du panneau tendu de même étoffe contre lequel s'appuyait la tête du lit, et de deux petits fauteuils bas recouverts du même chintz, tout était blanc dans cette chambre : les murs, la courtepointe du lit aux quenouilles d'acajou, et les peaux d'ours par terre. Ce fut assise devant le feu, dans sa chemise blanche, qu'O écouta son amant. Il lui dit tout d'abord qu'il ne fallait pas qu'elle se crût libre désormais. A cela près qu'elle était libre de ne plus l'aimer, et de le quitter aussitôt. Mais si elle l'aimait, elle n'était libre de rien. Elle l'écoutait sans mot dire, songeant qu'elle était bien heureuse qu'il voulût se prouver, peu importe comment, qu'elle lui appartenait, et aussi qu'il n'était pas sans naïveté, de ne pas se rendre compte que cette appartenance était au-delà de toute épreuve. Mais peut-être qu'il s'en rendait compte, et ne voulait le marquer que parce qu'il y prenait plaisir? Elle regardait le feu pendant qu'il parlait, mais lui non, n'osant pas rencontrer son regard. Lui était debout, et marchait de long en large. Soudain il lui dit que tout d'abord il voulait que pour l'écouter elle desserrât les genoux, et dénouât les bras; car elle était assise les genoux joints et les bras noués autour des genoux. Elle releva donc sa chemise, et à genoux, mais assise sur ses talons, comme sont les carmélites ou les Japonaises, elle attendit. Seulement, comme ses genoux étaient écartés, elle sentait, entre ses cuisses entrouvertes, le léger picotement aigu de la fourrure blanche ; il insista : elle n'ouvrait pas assez les jambes. Le mot « ouvre » et l'expression « ouvre les jambes » se chargeaient dans la bouche de son amant de tant de trouble et de pouvoir qu'elle ne les entendait jamais sans une sorte de prosternation intérieure, de soumission sacrée, comme si un dieu, et non lui, avait parlé. Elle demeura donc immobile, et ses mains reposaient, paumes en l'air, de chaque côté de ses genoux, entre lesquels le jersey de sa chemise étalée autour d'elle reformait ses plis. Ce que son amant voulait d'elle était simple : qu'elle fût constamment et immédiatement accessible. Il ne lui suffisait pas de savoir qu'elle l'était : il fallait qu'elle le fût sans le moindre obstacle, et que sa façon de se tenir d'abord, et ses vêtements ensuite en donnassent pour ainsi dire le symbole à des yeux avertis. Cela voulait dire, poursuivit-il, deux choses. La première, qu'elle savait, et dont elle avait été prévenue le soir de son arrivée au château : les genoux qu'elle ne devait jamais croiser, les lèvres qui devaient rester entrouvertes. Elle croyait sans doute que ce n'était rien (elle le croyait en effet), elle s'apercevrait au contraire qu'il lui faudrait pour se conformer à cette discipline un constant effort d'attention, qui lui rappellerait, dans le secret partagé entre elle et lui, et quelques autres peut-être, mais au milieu d'occupations ordinaires et parmi tous ceux qui ne le partageraient pas, la réalité de sa condition. Quant à ses vêtements, à elle de s'arranger pour les choisir ou au besoin les inventer de telle façon que ce demi-déshabillage auquel il l'avait soumise dans la voiture qui l'emmenait à Roissy ne fût plus nécessaire : demain elle ferait le tri, dans ses armoires, de ses robes, dans ses tiroirs, de ses sous-vêtements, elle lui remettrait absolument tout ce qu'elle y trouverait de ceintures et de slips ; de même les soutiens-gorge pareils à celui dont il avait dû couper les bretelles pour le lui enlever, les combinaisons dont le haut lui couvrait les seins, les blouses et les robes qui ne s'ouvraient pas par-devant, les jupes trop étroites pour se relever d'un seul geste. Qu'elle se fasse faire d'autres soutiens-gorge, d'autres blouses, d'autres robes. D'ici là elle irait chez sa corsetière les seins nus sous sa blouse ou sous son chandail ? Eh bien, elle irait les seins nus. Si quelqu'un s'en apercevait, elle l'expliquerait comme elle voudrait, ou ne l'expliquerait pas, à son gré, cela ne regardait qu'elle. Maintenant, pour le reste de ce qu'il avait à lui apprendre, il désirait attendre quelques jours, et voulait que pour l'entendre elle fût vêtue comme elle devait l'être. Elle trouverait dans le petit tiroir de son secrétaire tout l'argent qu'il lui faudrait. Lorsqu'il eut fini de parler, elle murmura « je t'aime » sans le moindre geste. C'est lui qui remit du bois sur le feu, alluma la lampe de chevet, qui était d'opaline rose. Il dit alors à O de se coucher, et de l'attendre, et qu'il dormirait avec elle. Quand il fut revenu, O allongea la main pour éteindre la lampe : c'était la main gauche, et la dernière chose qu'elle vit avant que l'ombre n'effaçât tout, fut l'éclat sombre de sa bague de fer. Elle était à demi couchée sur le flanc : au même instant son amant l'appelait à voix basse par son nom, et la prenait à pleine main au creux du ventre, l'attirait vers lui.

Le lendemain, O venait de finir de déjeuner, seule, en robe de chambre, dans la salle à manger verte — René était parti de bonne heure et ne devait revenir que le soir pour l'emmener dîner — lorsque le téléphone sonna. L'appareil était dans la chambre au chevet du lit, sous la lampe. O s'assit par terre pour décrocher. C'était René, qui voulait savoir si la femme de ménage était partie. Oui, elle venait de s'en aller, après avoir servi le déjeuner, et ne reviendrait que le lendemain matin. « As-tu commencé le tri de tes vêtements ? dit René. — J'allais commencer, répondit-elle, mais je me suis levée très tard, j'ai pris un bain, et je n'ai été prête que pour midi. — Tu es habillée ? — Non, j'ai ma chemise de nuit et ma robe de chambre. — Pose l'appareil, enlève ta robe de chambre et ta chemise. » O obéit, si saisie que l'appareil glissa du lit où elle le posait sur le tapis blanc, et qu'elle crut avoir coupé la communication. Non, ce n'était pas coupé. « Tu es nue ? reprit René. — Oui, dit-elle, mais d'où m'appelles-tu ? » Il ne répondit pas à sa question, ajouta seulement : « Tu as gardé ta bague ? » Elle avait gardé sa bague. Alors il lui dit de rester comme elle était jusqu'à ce qu'il revînt et de préparer ainsi la valise des vêtements dont elle devait se débarrasser. Puis il raccrocha. Il était une heure passée, et le temps était beau. Un peu de soleil éclairait, sur le tapis, la chemise blanche et la robe de velours côtelé, vert pâle comme les coques d'amandes fraîches, qu'O les enlevant avait laissé glisser. Elle les ramassa et alla les porter dans la salle de bains, pour les ranger dans un placard. Au passage, une des glaces fixées sur une porte, et qui formait avec un pan de mur et une autre porte également recouverte de glaces, un grand miroir à trois faces, lui renvoya brusquement son image : elle n'avait sur elle que ses mules de cuir du même vert que sa robe de chambre — à peine plus foncé que les mules qu'elle portait à Roissy — et sa bague. Elle n'avait plus ni collier ni bracelets de cuir, et elle était seule, n'ayant qu'elle-même pour spectateur. Jamais cependant elle ne se sentit plus totalement livrée à une volonté qui n'était pas la sienne, plus totalement esclave, plus heureuse de l'être. Quand elle se baissait pour ouvrir un tiroir, elle voyait ses seins bouger doucement. Elle mit près de deux heures à disposer sur son lit les vêtements qu'il lui faudrait ensuite ranger dans la valise. Pour les slips, cela allait de soi, elle en fit une petite pile près d'une des colonnettes. Pour ses soutiens-gorge aussi, pas un qui restât : tous se croisaient dans le dos, et se fixaient sur le côté. Elle vit cependant de quelle façon elle pourrait faire exécuter le même modèle, en ménageant la fermeture au milieu du devant, juste sous le creux des seins. Les ceintures ne firent pas davantage de difficultés, mais elle hésita à y joindre la guêpière de satin rose broché, qui se laçait dans le dos et ressemblait tant au corset qu'elle portait à Roissy. Elle la mit à part, sur sa commode. René déciderait. Il déciderait aussi pour les chandails, qui tous s'entraient par la tête, et étaient serrés au ras du cou, donc ne s'ouvraient pas. Mais on pouvait les remonter, à partir de la taille, et dégager ainsi les seins. Toutes les combinaisons, par contre, s'entassèrent sur son lit. Il resta dans le tiroir de la commode un jupon de faille noire bordé d'un volant plissé et de petites valenciennes, qui servait de dessous à une jupe plissée soleil, en lainage noir trop léger pour n'être pas transparent. Il lui faudrait d'autres jupons, clairs et courts. Elle s'aperçut qu'il lui faudrait aussi, ou bien renoncer à porter des robes droites, ou bien choisir des modèles de robes-manteaux boutonnées de haut en bas, et faire faire alors un dessous qui s'ouvrît en même temps que la robe elle-même. Pour les jupons, c'était facile, pour les robes aussi, mais pour les dessous de robes, que dirait sa lingère ? Elle lui expliquerait qu'elle voulait une doublure amovible, parce qu'elle était frileuse. Il est vrai aussi qu'elle était frileuse, et elle se demanda soudain comment elle supporterait, si mal protégée, le froid dehors l'hiver. Enfin lorsqu'elle eut fini, et n'eut sauvé de sa garde-robe que ses chemisiers qui tous se boutonnaient par-devant, sa jupe plissée noire, ses manteaux bien entendu, et le tailleur avec lequel elle était revenue de Roissy, elle alla préparer du thé. Dans la cuisine, elle remonta le thermostat de chauffage ; la femme de ménage n'avait pas empli le panier de bois pour le feu dans le salon, et O savait que son amant aimerait la retrouver le soir dans le salon, auprès du feu. Elle emplit le panier au coffre du corridor, le porta près de la cheminée du salon, et alluma. Ainsi attendit-elle, pelotonnée dans un grand fauteuil, le plateau à thé près d'elle qu'il rentrât, mais cette fois elle l'attendit, comme il le lui avait ordonné, nue.

La première difficulté que rencontra O fut dans son métier. Difficulté est beaucoup dire. Etonnement serait plus juste. O travaillait dans le service de mode d'une agence photographique. Ce qui voulait dire qu'elle exécutait, dans le studio où elles devaient poser durant des heures, les photos des filles les plus étranges et les plus jolies, choisies par les couturiers pour parer leurs modèles. On s'étonna qu'O eût prolongé ses vacances si tard dans l'automne, et se fût ainsi absentée justement à l'époque où l'activité était la plus grande, quand la mode nouvelle allait sortir. Mais ce n'était encore rien. On s'étonna surtout qu'elle fût si changée. Au premier regard, on ne savait trop dire en quoi, mais on le sentait cependant, et plus on l'observait, plus on en était convaincu. Elle se tenait plus droite, elle avait le regard plus clair, mais ce qui frappait surtout était la perfection de son immobilité, et la mesure de ses gestes. Elle avait toujours été vêtue sobrement, comme sont les filles qui travaillent, quand leur travail ressemble au travail des hommes, mais, si adroitement qu'elle s'y prît, et du fait que les autres filles, qui constituaient l'objet même de son travail, avaient pour occupation et pour vocation les vêtements et les parures, elles eurent vite fait de remarquer ce qui serait passé inaperçu à d'autres yeux que les leurs. Les chandails portés à même la peau, et qui dessinaient si doucement les seins — René avait finalement permis les chandails —, les jupes plissées qui si facilement tourbillonnaient, prenaient un peu l'allure d'un discret uniforme, tellement O les portait souvent. « Très jeune fille », lui dit un jour, d'un air narquois, un mannequin blond aux yeux verts, qui avait les pommettes hautes des Slaves et leur teint bis. « Mais, ajouta-t-elle, les jarretières, vous avez tort, vous allez vous abîmer les jambes. » C'est qu'O devant elle, et sans y prendre garde, s'était assise un peu vite, et de biais, sur le bras d'un grand fauteuil de cuir; son geste avait fait envoler sa jupe. La grande fille avait aperçu l'éclair de la cuisse nue au-dessus du bas roulé, qui couvrait le genou, mais s'arrêtait aussitôt. O l'avait vue sourire, si curieusement qu'elle se demandait ce qu'elle avait imaginé sur l'instant, ou peut-être compris. Elle tira ses bas, l'un après l'autre, pour les tendre davantage, ce qui était plus difficile que lorsqu'ils montaient jusqu'à mi-cuisses, et étaient tenus par des jarretelles, et répondit comme pour se justifier, à Jacqueline : « C'est pratique. — Pratique pour quoi? dit Jacqueline. — Je n'aime pas les ceintures », répondit O. Mais Jacqueline ne l'écoutait pas et regardait la bague de fer.

De Jacqueline, en quelques jours, O fit une cinquantaine de clichés. Ils ne ressemblaient à aucun de ceux qu'elle avait faits auparavant. Jamais, peut-être, elle n'avait eu pareil modèle. En tout cas, jamais elle n'avait su tirer d'un visage ou d'un corps une aussi émouvante signification. Il ne s'agissait pourtant que de rendre plus belles les soies, les fourrures, les dentelles, par la beauté soudaine de fée surprise au miroir que prenait Jacqueline sous la plus simple blouse, comme sous le plus somptueux vison. Elle avait les cheveux courts, épais et blonds, à peine ondés, au moindre mot penchait un peu la tête vers son épaule gauche et appuyait la joue contre le col relevé de sa fourrure, si elle portait alors une fourrure. O la saisit une fois ainsi, souriante et tendre, les cheveux légèrement soulevés comme par un peu de vent, et sa douce et dure pommette appuyée sur du vison bleu, gris et doux comme la cendre fraîche du feu de bois. Elle entrouvrait les lèvres et fermait à demi les yeux. Sous l'eau brillante et glacée de la photo, on aurait dit une noyée bienheureuse, pâle, si pâle. O avait fait tirer l'épreuve dans le plus léger ton de gris. Elle avait fait une autre photo de Jacqueline qui la bouleversait encore davantage : à contre-jour, les épaules nues, sa fine petite tête serrée tout entière, et le visage aussi dans une voilette noire à larges mailles, et sommée d'une absurde aigrette double, dont les brins impalpables la couronnaient comme une fumée ; elle portait une immense robe de soie épaisse et brochée, rouge comme une robe de mariée du Moyen Age, qui la couvrait jusqu'aux pieds, s'épanouissait aux hanches, la serrait à la taille, et dont l'armature dessinait la poitrine. C'était ce que les couturiers appellent une robe de gala, et que personne ne porte jamais. Les sandales à talons très hauts étaient aussi de soie rouge. Et tout le temps que Jacqueline fut devant O avec cette robe, et ces sandales, et cette voilette qui était comme la prémonition d'un masque, O complétait en elle-même, modifiait en elle-même le modèle : si peu de chose — la taille serrée davantage, les seins davantage offerts — et c'était la même robe qu'à Roissy, la même robe que portait Jeanne, la même soie épaisse, lisse, cassante, la soie qu'on soulève à pleines mains quand on vous dit... Et oui, Jacqueline à pleines mains la soulevait, pour descendre de la plate-forme où depuis un quart d'heure elle posait. C'était le même bruissement, le même craquement de feuilles sèches. Personne ne porte ces robes de gala? Ah! si. Jacqueline avait aussi, au cou, un collier d'or serré, aux poignets, deux bracelets d'or. O se surprit à penser qu'elle serait plus belle avec un collier, avec des bracelets de cuir. Et cette fois-là, ce qu'elle n'avait jamais fait, elle suivit Jacqueline dans la grande loge attenant au studio, où les modèles s'habillaient et se maquillaient, et laissaient leurs vêtements et leurs fards de travail quand elles partaient. Elle resta debout contre le chambranle de la porte, les yeux fixés sur le miroir de la coiffeuse devant lequel Jacqueline s'était assise sans avoir quitté sa robe. Le miroir était si grand — il tenait le fond du mur, et la coiffeuse était une simple tablette de verre noir — qu'elle voyait à la fois Jacqueline et sa propre image, et l'image de l'habilleuse, qui défaisait les aigrettes et le réseau de tulle. Jacqueline détacha elle-même le collier, ses bras nus levés comme deux anses; un peu de sueur brillait sous ses aisselles, qui étaient épilées (pourquoi? se dit O, quel dommage, elle est si blonde) et O en sentit l'odeur âpre et fine, un peu végétale, et se demanda quel parfum devrait porter Jacqueline — quel parfum on ferait porter à Jacqueline.

Puis Jacqueline défit ses bracelets, les posa sur la tablette de verre, où ils firent une seconde comme un cliquetis de chaînes. Elle était si claire de cheveux que sa peau était plus foncée que ses cheveux, bise et beige comme du sable fin quand la marée vient juste de se retirer. Sur la photo, la soie rouge serait noire. Juste à ce moment-là, les cils épais, que Jacqueline ne fardait qu'à contrecœur, se levèrent, et O rencontra dans le miroir son regard si droit, si immobile que sans pouvoir en détacher le sien elle se sentit lentement rougir. Ce fut tout. « Je vous demande pardon, dit Jacqueline, il faut que je me déshabille. » « Pardon », murmura O, et elle referma la porte. Le lendemain elle emporta chez elle les épreuves des clichés exécutés la veille, sans savoir si elle désirait, ou ne désirait pas, les montrer à son amant, avec qui elle devait dîner dehors. Tout en se fardant, devant la coiffeuse de sa chambre, elle les regardait, et s'interrompait pour suivre du doigt, sur la photo, la ligne d'un sourcil, le dessin d'un sourire. Mais quand elle entendit le bruit de la clef dans la serrure de la porte d'entrée, elle les glissa dans le tiroir.

O était, depuis deux semaines, entièrement équipée, et ne s'habituait pas à l'être, lorsqu'elle trouva un soir en revenant du studio un mot de son amant qui la priait d'être prête à huit heures pour venir dîner avec lui et avec un de ses amis. Une voiture passerait la prendre, le chauffeur monterait la chercher. Le post-scriptum précisait qu'elle prît sa veste de fourrure, s'habillât entièrement en noir (entièrement était souligné) et eût soin de se farder et de se parfumer comme à Roissy. Il était six heures. Entièrement en noir, et pour dîner — et c'était la mi-décembre, il faisait froid, cela voulait dire bas de nylon noir, gants noirs, et avec sa jupe plissée en éventail, un épais chandail pailleté, ou son pourpoint de faille. Elle choisit le pourpoint de faille. Il était ouaté et matelassé à larges piqûres, ajusté et agrafé du col à la taille comme les stricts pourpoints des hommes au seizième siècle, et s'il dessinait si parfaitement la poitrine, c'était que le soutien-gorge y était intérieurement fixé. Il était doublé de même raille, et ses basques découpées s'arrêtaient aux hanches. Seules l'éclairaient les grandes agrafes dorées, apparentes comme celles qu'on voit aux chaussons de neige des enfants : qui s'ouvrent et se referment avec bruit, sur de larges anneaux plats. Rien ne parut plus étrange à O, une fois qu'elle eut disposé ses vêtements sur son lit, et au pied de son lit ses escarpins de daim noir, à fin talon en aiguille, que de se voir, libre et seule dans sa salle de bains, soigneusement occupée, une fois baignée, à se farder, à se parfumer, comme à Roissy. Les fards qu'elle possédait n'étaient pas ceux qu'on utilisait là-bas. Elle trouva, dans le tiroir de sa coiffeuse, du rouge gras pour les joues — elle ne s'en servait jamais — dont elle souligna l'aréole de ses seins. C'était un rouge qu'on voyait à peine au moment qu'on l'appliquait, mais qui fonçait ensuite. Elle crut d'abord en avoir trop mis, l'effaça un peu à l'alcool — il s'effaçait très mal — et recommença : un sombre rose pivoine fleurit la pointe de ses seins. Vainement voulut-elle s'en farder les lèvres que cachait la toison de son ventre, sur elles il ne marquait pas. Elle trouva enfin, parmi les tubes de rouge à lèvres qu'elle avait dans le même tiroir, un de ces rouges-baiser dont elle n'aimait pas se servir parce qu'ils étaient trop secs, et marquaient sa bouche trop longtemps. Là, il convenait. Elle apprêta ses cheveux, son visage, enfin se parfuma. René lui avait donné, dans un vaporisateur qui le projetait en brume épaisse, un parfum dont elle ignorait le nom, mais qui avait des odeurs de bois sec et de plantes des marécages, âpres et un peu sauvages. Sur sa peau, la brume fondait et coulait, sur la fourrure des aisselles et du ventre, se fixait en gouttelettes minuscules. O avait appris à Roissy la lenteur : elle se parfuma trois fois, laissant à chaque fois le parfum sécher sur elle. Elle mit d'abord ses bas et ses hautes chaussures, puis le dessous de jupe et la jupe, puis le pourpoint. Elle mit ses gants, prit son sac. Dans le sac il y avait sa boîte à poudre, son tube de rouge, un peigne, sa clef, mille francs. Toute gantée, elle sortit de l'armoire sa fourrure, et regarda l'heure au chevet de son lit : il était huit heures moins un quart. Elle s'assit de biais au bord du lit, et les yeux fixés sur le réveil, attendit sans bouger le coup de sonnette. Quand elle l'entendit enfin et se leva pour partir, elle aperçut dans la glace de la coiffeuse, avant d'éteindre la lumière, son regard hardi, doux et docile.

Lorsqu'elle poussa la porte du petit restaurant italien devant lequel la voiture l'avait arrêtée, la première personne qu'elle aperçut, au bar, fut René. Il lui sourit avec tendresse, lui prit la main, et se tournant vers une sorte d'athlète à cheveux gris, lui présenta, en anglais, Sir Stephen H. On offrit à O un tabouret entre les deux hommes, et comme elle allait s'asseoir, René lui dit à mi-voix de prendre garde de ne pas froisser sa robe. Il l'aida à glisser sa jupe en dehors du tabouret, dont elle sentit le cuir froid sous sa peau et le rebord gainé de métal au creux même de ses cuisses, car elle n'osa d'abord s'asseoir qu'à demi, de crainte si elle s asseyait d'aplomb de céder à la tentation de croiser un genou sur l'autre. Sa jupe s'étalait autour d'elle. Son talon droit était accroché à l'un des barreaux du tabouret, la pointe de son pied gauche touchait terre. L'Anglais, qui s'était sans mot dire incliné devant elle, ne l'avait pas quittée des yeux; elle s'aperçut qu'il regardait ses genoux, ses mains et enfin ses lèvres mais si tranquillement, et avec une attention si précise et si sûre d'elle-même qu'O se sentit pesée et jaugée pour l'instrument qu'elle savait bien qu'elle était, et ce fut comme forcée par son regard et pour ainsi dire malgré elle qu'elle retira ses gants : elle savait qu'il allait parler quand elle aurait les mains nues — parce que ses mains étaient singulières, et ressemblaient aux mains d'un jeune garçon plutôt qu'aux mains d'une femme, et parce qu'elle portait à l'annulaire gauche la bague de fer à triple spirale d'or. Mais non, il ne dit rien, il sourit : il avait vu la bague. René buvait un Martini, Sir Stephen du whisky. Il finit lentement son whisky, puis attendit que René eût bu son second Martini et O le jus de pamplemousse que René avait commandé pour elle, tout en expliquant que si O voulait bien lui faire le plaisir d'être de leur avis à tous deux, on pourrait dîner dans la salle du sous-sol, qui était plus petite et plus tranquille que celle qui, au rez-de-chaussée, prolongeait le bar. « Sûrement », dit O qui prenait déjà sur le bar le sac et les gants qu'elle y avait posés. Alors, pour l'aider à quitter son tabouret, Sir Stephen lui tendit la main droite, dans laquelle elle posa la sienne, et lui adressant enfin directement la parole, ce fut pour remarquer qu'elle avait des mains faites pour porter des fers, tant le fer lui allait bien. Mais comme il le disait en anglais, il y avait une légère équivoque dans les termes, et l'on pouvait hésiter à comprendre s'il s'agissait seulement du métal, ou s'il ne s'agissait pas aussi, et même surtout, de chaînes. Dans la salle du sous-sol, qui était une simple cave crépie à la chaux mais fraîche et gaie, il n'y avait en effet que quatre tables, dont une seule était occupée par des convives dont le repas touchait à sa fin. Sur les murs on avait dessiné, comme à la fresque, une carte d'Italie gastronomique et touristique, de couleurs tendres comme celles des glaces à la vanille, à la framboise, à la pistache ; cela fit penser à O qu'elle demanderait une glace à la fin du dîner, avec des pralines pilées et de la crème fraîche. Car elle se sentait heureuse et légère, le genou de René touchait sous la table son genou, et lorsqu'il parlait, elle savait qu'il parlait pour elle. Lui aussi regardait ses lèvres. On lui permit la glace, mais non le café. Sir Stephen pria O et René d'accepter le café chez lui. Tous avaient dîné très légèrement, et O s'était rendu compte qu'ils avaient pris garde de ne presque pas boire, et de la laisser boire moins encore : une demi-carafe de Chianti à eux trois. Ils avaient aussi dîné vite : il était à peine neuf heures. « J'ai renvoyé le chauffeur, dit Sir Stephen, voulez-vous conduire, René, le plus simple est d'aller directement chez moi. » René prit le volant, O s'assit près de lui, Sir Stephen près d'elle. La voiture était une grosse Buick, on tenait facilement à trois sur la banquette avant.

Après l'Aima, le Cours-la-Reine était clair parce que les arbres étaient sans feuilles, et la place de la Concorde scintillante et sèche, avec au-dessus le ciel sombre des temps où la neige s'amasse et ne se décide pas à tomber. O entendit un petit déclic, et sentit l'air chaud monter le long de ses jambes : Sir Stephen avait mis le chauffage. René suivit encore la Seine sur la rive droite, puis tourna au Pont-Royal pour gagner la rive gauche : entre ses carcans de pierre, l'eau avait l'air figée comme de pierre aussi, et noire. O songea aux hématites, qui sont noires. Quand elle avait quinze ans, sa meilleure amie, qui en avait trente, et dont elle était amoureuse, portait en bague une hématite, sertie de tout petits diamants. O aurait voulu un collier de ces pierres noires, et sans diamants, un collier au ras du cou, qui, sait, serré au cou. Mais les colliers qu'on lui donnait maintenant — non, on ne les lui donnait pas — les aurait-elle échangés pour le collier d'hématites, pour les hématites du rêve? Elle revit la chambre misérable où Marion l'avait emmenée, derrière le carrefour Turbigo, et comment elle avait défait, elle, non pas Marion, ses deux larges nattes d'écolière, quand Marion l'avait déshabillée, et couchée sur le lit de fer. Elle était belle Marion quand on la caressait, et c'est vrai que des yeux peuvent avoir l'air d'étoiles; les siens ressemblaient à des étoiles bleues frémissantes. René arrêtait la voiture. O ne reconnut pas la petite rue, une de celles qui joignaient transversalement la rue de l'Université à la rue de Lille.

L'appartement de Sir Stephen était situé au fond d'une cour, dans l'aile d'un hôtel ancien, et les pièces se commandaient en enfilade. Celle qui était au bout des autres était aussi la plus grande, et la plus reposante, meublée à l'anglaise d'acajou sombre et de soieries pâles, jaunes et grises. « Je ne vous demande pas de vous occuper du feu, dit Sir Stephen à O, mais ce canapé est pour vous. Asseyez-vous, voulez-vous, René fera le café, je voudrais seulement vous prier de m'entendre. » Le grand canapé de damas clair était placé perpendiculairement à la cheminée, face aux fenêtres qui donnaient sur un jardin, et le dos à celles qui, vis-à-vis des premières, donnaient sur la cour. O enleva sa fourrure et la posa sur le dossier du sofa. Elle s'aperçut, lorsqu'elle se retourna, que son amant et son hôte attendaient debout, qu'elle obéît à l'invitation de Sir Stephen. Elle posa son sac contre sa fourrure, défit ses gants. Quand, quand saurait-elle enfin, et saurait-elle jamais trouver pour soulever ses jupes au moment de s'asseoir un geste assez furtif pour que personne ne l'aperçût, et qu'elle-même pût oublier sa nudité, sa soumission ? Ce ne serait pas, en tout cas, tant que René et cet étranger la regarderaient en silence, comme ils faisaient. Elle céda enfin, Sir Stephen ranima le feu, René soudain passa derrière le sofa, et saisissant O par le cou et par les cheveux, lui renversa la tête contre le dossier et lui baisa la bouche, si longuement et si profond qu'elle perdait le souffle et sentait son ventre fondre et brûler. Il ne la quitta que pour lui dire qu'il l'aimait, et la reprit aussitôt. Les mains d'O, défaites et renversées, abandonnées la paume en l'air, reposaient sur sa robe noire qui s'étalait en corolle autour d'elle ; Sir Stephen s'était approché, et lorsque René la laissa enfin tout à fait, et qu'elle rouvrit les yeux, ce fut le regard gris et droit de l'Anglais qu'elle rencontra. Tout étourdie qu'elle fût et haletante de bonheur, elle n'eut cependant pas de peine à y voir qu'il l'admirait, et qu'il la désirait. Qui aurait résisté à sa bouche humide et entrouverte, à ses lèvres gonflées, à son cou blanc renversé sur le col noir de son pourpoint de page, à ses yeux plus grands et plus clairs, et qui ne fuyaient pas ? Mais le seul geste que se permit Sir Stephen fut de caresser doucement du doigt ses sourcils, puis ses lèvres. Ensuite, il s'assit en face d'elle, de l'autre côté de la cheminée, et quand René eut pris aussi un fauteuil, il parla. « Je crois, dit-il, que René ne vous a jamais parlé de sa famille. Peut-être savez-vous cependant que sa mère, avant d'épouser son père, avait été mariée avec un Anglais, qui lui-même avait un fils d'un premier mariage. Je suis ce fils, et j'ai été élevé par elle, jusqu'au jour où elle a abandonné mon père. Je n'ai donc avec René aucune parenté, et pourtant, en quelque sorte, nous sommes frères. Que René vous aime, je le sais. Je l'aurais vu, sans qu'il me l'eût dit, et même sans qu'il eût bougé : il suffit de le voir vous regarder. Je sais aussi que vous êtes de celles qui ont été à Roissy, et j'imagine que vous y retournerez. En principe, la bague que vous portez me donne le droit de disposer de vous, comme elle le donne à tous ceux qui en connaissent le sens. Mais il ne s'agit alors que d'un engagement passager, et ce que nous attendons de vous est plus grave. Je dis nous, parce que vous voyez que René se tait : il veut que je vous parle pour lui et pour moi. Si nous sommes frères, je suis l'aîné, de dix ans plus âgé que lui. Il y a aussi entre nous une liberté si ancienne et si absolue que ce qui m'appartient a de tout temps été à lui, et ce qui lui appartient à moi. Voulez-vous consentir à y participer ? Je vous en prie, et vous demande votre aveu parce qu'il vous engagera plus que votre soumission, dont je sais qu'elle est acquise. Considérez avant de me répondre que je suis seulement, et ne peux être qu'une autre forme de votre amant : vous n'aurez toujours qu'un maître. Plus redoutable, je le veux bien, que les hommes à qui vous avez été livrée à Roissy, parce que je serai là tous les jours, et qu'en outre, j'ai le goût de l'habitude et du rite. (And besides, I am fond of habits and rites...) »

La voix calme et posée de Sir Stephen s'élevait dans un silence absolu. Les flammes mêmes, dans la cheminée, éclairaient sans bruit. O était fixée sur le sofa comme un papillon par une épingle, une longue épingle faite de paroles et de regards qui transperçait le milieu de son corps et appuyait ses reins nus et attentifs sur la soie tiède. Elle ne savait où étaient ses seins, ni sa nuque, ni ses mains. Mais que les habitudes et les rites dont on lui parlait dussent avoir pour objet la possession, entre autres parties de son corps, de ses longues cuisses cachées sous la jupe noire, et d'avance entrouvertes, elle n'en doutait pas. Les deux hommes lui faisaient face. René fumait, mais avait allumé près de lui une de ces lampes à capuchon noir qui dévorent la fumée, et l'air, déjà purifié par le feu de bois, sentait le frais de la nuit. « Me répondrez-vous, ou voulez-vous en savoir davantage ? dit encore Sir Stephen. — Si tu acceptes, dit René, je t'expliquerai moi-même les préférences de Sir Stephen. — Les exigences », corrigea Sir Stephen. Le plus difficile, se disait O, n'était pas d'accepter, et elle se rendait compte que l'un et l'autre n'envisageaient pas une seconde, non plus qu'elle-même, qu'elle pût refuser. Le plus difficile était simplement de parler. Elle avait les lèvres brûlantes et la bouche sèche, la salive lui manquait, une angoisse de peur et de désir lui serrait la gorge, et ses mains retrouvées étaient froides et moites. Si au moins elle avait pu fermer les yeux. Mais non. Deux regards pourchassaient le sien, auxquels elle ne pouvait — ni ne voulait — échapper. Ils la tiraient, vers ce qu'elle croyait avoir laissé pour longtemps, peut-être pour toujours, à Roissy. Car depuis son retour, René ne l'avait prise que par des caresses, et le symbole de son appartenance à tous ceux qui connaissaient le secret de sa bague avait été sans conséquence ; ou bien elle n'avait rencontré personne qui l'eût connu, ou bien ceux qui l'avaient compris s'étaient tus — la seule personne qu'elle soupçonnât était Jacqueline (et si Jacqueline avait été à Roissy, pourquoi ne portait-elle pas, elle aussi, la bague ? En outre, quel droit donnait sur elle à Jacqueline la participation à ce secret, et lui donnait-elle aucun droit ?). Pour parler, fallait-il bouger ? Mais elle ne pouvait pas bouger de son propre gré — un ordre l'aurait fait se lever à l'instant, mais cette fois-ci, ce qu'ils voulaient d'elle n'était pas qu'elle obéît à un ordre, c'était qu'elle vînt au-devant des ordres, qu'elle se jugeât elle-même esclave, et se livrât pour telle. Voilà ce qu'ils appelaient son aveu. Elle se souvint qu'elle n'avait jamais dit à René autre chose que « je t'aime », et « je suis à toi ». Il semblait aujourd'hui qu'on voulût qu'elle parlât, et acceptât en détail et avec précision ce que son silence seul avait jusqu'ici accepté. Elle finit par se redresser, et comme si ce qu'elle avait à dire l'étouffait, défit les premières agrafes de sa tunique, jusqu'au sillon des seins. Puis elle se mit debout tout à fait. Ses genoux et ses mains tremblaient. « Je suis à toi, dit-elle enfin à René, je serai ce que tu voudras que je sois. — Non, reprit-il, à nous ; répète après moi : Je suis à vous, je serai ce que vous voudrez que je sois. » Les yeux gris et durs de Sir Stephen ne la quittaient pas, ni ceux de René, où elle se perdait, répétant lentement après lui les phrases qu'il lui dictait, mais en les transposant à la première personne, comme dans un exercice de grammaire. « Tu reconnais à moi et à Sir Stephen le droit… » disait René, et O reprenait aussi clairement qu'elle pouvait : « Je reconnais à toi et à Sir Stephen le droit… » Le droit de disposer de son corps à leur gré, en quelque lieu et de quelque manière qu'il leur plût, le droit de la tenir enchaînée, le droit de la fouetter comme une esclave ou comme une condamnée pour la moindre faute ou pour leur plaisir, le droit de ne pas tenir compte de ses supplications ni de ses cris, s'ils la faisaient crier. « Il me semble, dit René, que c'est ici que Sir Stephen voulait te tenir de moi, et de toi-même, et qu'il désire que je te donne le détail de ses exigences. » O écoutait son amant, et les paroles qu'il lui avait dites à Roissy lui revenaient en mémoire : c'étaient presque les mêmes paroles. Mais alors elle les avait écoutées serrée contre lui, protégée par une invraisemblance qui tenait du rêve, par le sentiment qu'elle existait dans une autre vie, et peut-être qu'elle n'existait pas. Rêve ou cauchemar, décors de prison, robes de gala, personnages masqués, tout l'éloignait de sa propre vie, et jusqu'à l'incertitude de la durée. Elle se sentait là-bas comme on est dans la nuit, au cœur d'un rêve que l'on reconnaît, et qui recommence : sûre qu'il existe, et sûre qu'il va prendre fin, et on voudrait qu'il prît fin parce qu'on craint de ne le pouvoir soutenir, et qu'il continuât pour en connaître le dénouement. Eh bien, le dénouement était là, quand elle ne l'attendait plus, et sous la dernière forme qu'elle eût attendue (en admettant, ce qu'elle se disait maintenant, que ce fût bien le dénouement, et qu'un autre ne se cachât point derrière celui-là, et peut-être un autre encore derrière le suivant). Ce dénouement-ci, c'est qu'elle basculait du souvenir dans le présent, c'est aussi que ce qui n'avait de réalité que dans un cercle fermé, dans un univers clos, allait soudain contaminer tous les hasards et toutes les habitudes de sa vie quotidienne, et sur elle, et en elle, ne plus se contenter de signes — les reins nus, les corsages qui se dégrafent, la bague de fer — mais exiger un accomplissement. Il était exact que René ne l'avait jamais frappée et la seule différence entre l'époque où elle l'avait connu avant qu'il l'emmenât à Roissy, et le temps écoulé depuis qu'elle en était revenue, était qu'il usait aussi bien maintenant de ses reins et de sa bouche qu'il faisait auparavant (et continuait à faire) de son ventre. Elle n'avait jamais su si à Roissy même les coups de fouet qu'elle avait si régulièrement reçus avaient, fût-ce une seule fois, été donnés par lui (quand elle pouvait se poser la question, quand elle-même ou ceux à qui elle avait affaire étaient masqués) mais elle ne le croyait pas. Sans doute le plaisir qu'il prenait au spectacle de son corps lié et livré, vainement débattu, et de ses cris, était-il si fort qu'il ne supportait pas l'idée d'en être distrait en y prêtant lui-même les mains. Autant dire qu'il l'avouait, puisqu'il lui disait maintenant, si doucement, si tendrement, sans bouger du profond fauteuil où il était à demi étendu, un genou croisé sur l'autre, combien il était heureux de la remettre, combien il était heureux qu'elle se remît elle-même aux ordres et aux volontés de Sir Stephen. Lorsque Sir Stephen désirerait qu'elle passât la nuit chez lui, ou seulement une heure, ou qu'elle l'accompagnât hors de Paris ou à Paris même à quelque restaurant ou à quelque spectacle il lui téléphonerait et lui enverrait sa voiture — à moins que René ne vînt lui-même la chercher. Aujourd'hui, maintenant, c'était à elle de parler. Consentait-elle ? Mais elle ne pouvait parler. Cette volonté qu'on lui demandait tout à coup d'exprimer, c'était la volonté de faire abandon d'elle-même, de dire oui d'avance à tout ce à quoi elle voulait assurément dire oui, mais à quoi son corps disait non, au moins pour ce qui était du fouet. Car pour le reste, s'il fallait être honnête avec elle-même, elle se sentait trop troublée par le désir qu'elle lisait dans les yeux de Sir Stephen pour se leurrer, et toute tremblante qu'elle fût, et peut-être justement parce qu'elle tremblait, elle savait qu'elle attendait avec plus d'impatience que lui le moment où il poserait sa main, ou peut-être ses lèvres, contre elle. Sans doute, il dépendait d'elle de rapprocher ce moment. Quelque courage, ou quelque violent désir qu'elle en eût, elle se sentit si soudainement faiblir, au moment de répondre enfin, qu'elle glissa à terre, dans sa robe épanouie autour d'elle, et que Sir Stephen remarqua, à voix sourde dans le silence, que la peur aussi lui allait bien. Ce n'est pas à elle qu'il s'adressa, mais à René. O eut l'impression qu'il se retenait d'avancer vers elle, et regretta qu'il se retînt. Cependant elle ne le regardait pas, ne quittant pas René des yeux, épouvantée qu'il devinât, lui, dans les siens, ce qu'il considérerait peut-être comme une trahison. Et pourtant ce n'en était pas une, car à mettre en balance le désir qu'elle avait d'être à Sir Stephen et son appartenance à René, elle n'aurait pas eu un éclair d'hésitation ; elle ne se laissait en vérité aller à ce désir que parce que René le lui avait permis, et jusqu'à un certain point laissé entendre qu'il le lui ordonnait. Pourtant il lui demeurait ce doute de savoir qu'il ne s'irriterait pas de se voir trop vite et trop bien obéi. Le plus infime signe de lui l'effacerait aussitôt. Mais il ne fit aucun signe, se contentant de lui demander, pour la troisième fois, une réponse. Elle balbutia : « Je consens à tout ce qu'il vous plaira. » Baissa les yeux vers ses mains qui attendaient disjointes au creux de ses genoux, puis avoua dans un murmure : « Je voudrais savoir si je serai fouettée... » Pendant un si long moment qu'elle eut le temps de se repentir vingt fois de sa question, personne ne répondit. Puis la voix de Sir Stephen dit lentement : « Quelquefois. » O entendit ensuite craquer une allumette, et le bruit de verres qu'on remuait : sans doute l'un des deux hommes reprenait-il du whisky. René laissait O sans secours. René se taisait. « Même si j'y consens maintenant, dit-elle, même si je promets maintenant, je ne pourrai pas le supporter. — On ne vous demande que de le subir, et si vous criez ou vous plaignez, de consentir d'avance que ce soit en vain, reprit Sir Stephen. — Oh ! par pitié, dit O, pas encore », car Sir Stephen se levait. René aussi se levait, se penchait vers elle, la prenait aux épaules. « Réponds donc, dit-il, tu acceptes ? » Elle dit enfin qu'elle acceptait. Il la souleva doucement, et s'étant assis sur le grand sofa, la fit mettre à genoux le long de lui ; face au sofa sur lequel, les bras allongés, les yeux fermés, elle reposa la tête et le buste. Une image alors la traversa, qu'elle avait vue quelques années auparavant, une curieuse estampe représentant une femme à genoux, comme elle, devant un fauteuil, dans une pièce carrelée, un enfant et un chien jouaient dans un coin, les jupes de la femme étaient relevées, et un homme debout tout auprès levait sur elle une poignée de verges. Tous portaient des vêtements de la fin du XVIe siècle et l'estampe avait un titre qui lui avait paru révoltant : la correction familiale. René, d'une main, lui enserra les poignets, pendant que de l'autre il relevait sa robe, si haut qu'elle sentit la gaze plissée lui effleurer la joue. Il lui caressait les reins, et faisait remarquer à Sir Stephen les deux fossettes qui les creusaient, et la douceur du sillon entre les cuisses. Puis il appuya de cette même main sur sa taille pour faire saillir davantage les reins, en lui ordonnant de mieux ouvrir les genoux. Elle obéit sans mot dire. Les honneurs que René faisait de son corps, les réponses de Sir Stephen, la brutalité des termes que les deux hommes employaient la plongèrent dans un accès de honte si violent et si inattendu que le désir qu'elle avait d'être à Sir Stephen s'évanouit, et qu'elle se mit à espérer le fouet comme une délivrance, la douleur et les cris comme une justification. Mais les mains de Sir Stephen ouvrirent son ventre, forcèrent ses reins, la quittèrent, la reprirent, la caressèrent jusqu'à ce qu'elle gémît, humiliée de gémir, et défaite. « Je te laisse à Sir Stephen, dit alors René, reste comme tu es, il te renverra quand il voudra. » Combien de fois n'était-elle pas restée à Roissy ainsi à genoux et offerte à n'importe qui ? Mais elle était alors toujours tenue par les bracelets qui joignaient ses mains ensemble, heureuse prisonnière à qui tout était imposé, à qui rien n'était demandé. Ici, c'était de son propre gré qu'elle demeurait à demi nue, alors qu'un seul geste, le même qui suffirait à la remettre debout, suffirait à la couvrir. Sa promesse la liait autant que les bracelets de cuir et les chaînes. Etait-ce seulement sa promesse ? Et si humiliée qu'elle fût, ou plutôt parce qu'elle était humiliée, n'y avait-il pas aussi la douceur de n'avoir de prix que par son humiliation même, que par sa docilité à se courber, par son obéissance à s'ouvrir ? René parti, Sir Stephen l'accompagnant jusqu'à la porte, elle attendit donc seule sans bouger, se sentant, dans la solitude, plus exposée, et dans l'attente plus prostituée qu'elle ne l'avait éprouvé quand ils étaient là. La soie grise et jaune du sofa était lisse sous sa jupe, à travers le nylon de ses bas elle sentait sous ses genoux le tapis de haute laine, et, tout le long de sa cuisse gauche, la chaleur du foyer, où Sir Stephen avait ajouté trois bûches qui flambaient à grand bruit. Un cartel ancien, au-dessus d'une commode, avait un tic-tac si léger qu'on le percevait seulement quand tout se taisait à l'entour. O l'écouta attentivement, songeant à ce qu'il y avait d'absurde, dans ce salon civilisé et discret, à demeurer dans la posture où elle était. A travers les persiennes fermées, on entendait le grondement ensommeillé de Paris, passé minuit. Demain matin au jour, reconnaîtrait-elle, sur le coussin du sofa, la place où elle tenait sa tête appuyée ? Reviendrait-elle jamais, en plein jour, dans ce même salon, pour y être traitée de même ? Sir Stephen tardait à rentrer, et O, qui avait attendu avec un tel abandon le bon plaisir des inconnus de Roissy, avait la gorge serrée à l'idée que dans une minute, dans dix minutes, il poserait de nouveau ses mains sur elle. Mais ce ne fut pas tout à fait comme elle l'avait prévu. Elle l'entendit qui rouvrait la porte, traversait la pièce. Il resta quelque temps debout, le dos au feu, à considérer O, puis d'une voix très basse, il lui dit de se relever et de se rasseoir. Elle obéit, surprise, et presque gênée. Il lui apporta courtoisement un verre de whisky, et une cigarette, qu'elle refusa également. Elle vit alors qu'il était en robe de chambre, une robe très stricte en bure grise — du même gris que ses cheveux. Ses mains étaient longues et sèches, et les ongles plats, coupés court, étaient très blancs. Il saisit le regard d'O, qui rougit : c'étaient bien ces mêmes mains, dures et insistantes, qui s'étaient emparées de son corps, et que maintenant elle redoutait, et espérait. Mais il n'approchait pas. « Je voudrais que vous vous mettiez nue, dit-il. Mais défaites d'abord seulement votre veste, sans vous lever. » O détacha les grandes agrafes dorées, et fit glisser de ses épaules le justaucorps noir, qu'elle posa à l'autre bout du sofa, où étaient déjà sa fourrure, ses gants et son sac. « Caressez un peu la pointe de vos seins », dit alors Sir Stephen, qui ajouta : « Il faudra mettre un fard plus foncé, le vôtre est trop clair. » O stupéfaite frôla du bout de ses doigts la pointe de ses seins, qu'elle sentit durcir et dresser, et cacha de ses paumes : « Ah ! non », reprit Sir Stephen. Elle retira ses mains et se renversa sur le dossier du sofa : ses seins étaient lourds pour son buste mince, et s'écartèrent doucement vers ses aisselles. Elle avait la nuque appuyée au dossier, les mains de part et d'autre de ses hanches. Pourquoi Sir Stephen ne penchait-il pas sa bouche vers elle, n'avançait-il pas sa main vers les pointes qu'il avait voulu voir dresser, et qu'elle sentait frémir, si immobile qu'elle se tînt, au seul mouvement de sa respiration. Mais il s'était approché, assis de biais sur le bras du sofa, et ne la touchait pas. Il fumait, et un mouvement de sa main, dont O ne sut jamais s'il était ou non volontaire, fit voler un peu de cendres presque chaudes entre ses seins. Elle eut le sentiment qu'il voulait l'insulter, par son dédain, par son silence, par ce qu'il y avait de détachement dans son attention. Pourtant il la désirait tout à l'heure, maintenant encore il la désirait, elle le voyait tendu sous l'étoffe souple de sa robe. Que ne la prenait-il, fût-ce pour la blesser ! O se détesta de son propre désir, et détesta Sir Stephen pour l'empire qu'il avait sur lui-même. Elle voulait qu'il l'aimât, voilà la vérité : qu'il fût impatient de toucher ses lèvres et de pénétrer son corps, qu'il la saccageât au besoin, mais qu'il ne pût devant elle garder son calme et maîtriser son plaisir. Il lui était bien indifférent, à Roissy, que ceux qui se servaient d'elle eussent quelque sentiment que ce fût : ils étaient les instruments par quoi son amant prenait plaisir à elle, par quoi elle devenait ce qu'il voulait qu'elle fût, polie et lisse et douce comme une pierre. Leurs mains étaient ses mains, leurs ordres ses ordres. Ici non. René l'avait remise à Sir Stephen, mais on voyait bien qu'il voulait la partager avec lui, non pas pour obtenir d'elle davantage, ni pour la joie de la livrer, mais pour partager avec Sir Stephen ce qu'il aimait aujourd'hui le plus, comme sans doute jadis, quand ils étaient plus jeunes, ils avaient ensemble partagé un voyage, un bateau, un cheval. C'était par rapport à Sir Stephen que le partage avait un sens aujourd'hui, beaucoup plus que par rapport à elle. Ce que chacun chercherait en elle, ce serait la marque de l'autre, la trace du passage de l'autre. René tout à l'heure, quand elle était à genoux à demi nue contre lui, et que Sir Stephen des deux mains lui ouvrait les cuisses,

René avait expliqué à Sir Stephen pourquoi les reins d'O étaient si faciles, et pourquoi il avait été content qu'on les eût ainsi préparés : c'est qu'il avait pensé qu'il serait agréable à Sir Stephen d'avoir constamment à sa disposition la voie qui lui plaisait. Il avait même ajouté que, s'il le désirait, il lui en laisserait le seul usage. « Ah ! volontiers », avait dit Sir Stephen, mais il avait remarqué que malgré tout il risquait de déchirer O. « O est à vous, avait répondu René. » Et il s'était penché vers elle et lui avait embrassé les mains. La seule idée que René pouvait ainsi envisager de se priver de quelque part d'elle avait bouleversé O. Elle y avait vu le signe que son amant tenait à Sir Stephen plus qu'il ne tenait à elle. Et aussi, bien qu'il lui eût si souvent répété qu'il aimait en elle l'objet qu'il en avait fait, la disposition absolue qu'il avait d'elle, la liberté où il était vis-à-vis d'elle, comme on a la disposition d'un meuble, qu'on a autant et parfois plus de plaisir à donner qu'à garder pour soi, elle se rendit compte qu'elle ne l'avait pas cru tout à fait. Elle voyait encore un autre signe de ce que l'on ne pouvait guère appeler que de la déférence envers Sir Stephen dans le fait que René, qui aimait si profondément la voir sous les corps ou les coups d'autres que lui, qui regardait avec une si constante tendresse, une si inlassable reconnaissance sa bouche s'ouvrir pour gémir ou crier, ses yeux se fermer sur les larmes, l'avait quittée après s'être assuré, en la lui exposant, en l'entrouvrant comme on entrouvre la bouche d'un cheval pour montrer qu'il est assez jeune, que Sir Stephen la trouvait assez belle ou à la rigueur assez commode pour lui, et voulait bien l'accepter. Cette conduite, outrageante peut-être, ne changeait rien à l'amour d'O pour René. Elle se trouvait heureuse de compter assez pour lui pour qu'il prît plaisir à l'outrager, comme les croyants remercient Dieu de les abaisser. Mais, en Sir Stephen, elle devinait une volonté ferme et glacée, que le désir ne ferait pas fléchir, et devant laquelle jusqu'ici elle ne comptait, si émouvante et si soumise qu'elle fût, pour absolument rien. Autrement pourquoi aurait-elle éprouvé tant de peur? Le fouet à la ceinture des valets à Roissy, les chaînes presque constamment portées lui avaient semblé moins effrayantes que la tranquillité du regard que Sir Stephen attachait sur ses seins qu'il ne touchait pas. Elle savait combien sur ses épaules menues et la minceur de son buste leur lourdeur même, lisse et gonflée, les faisait fragiles. Elle ne pouvait arrêter leur tremblement, il aurait fallu cesser de respirer. Espérer que cette fragilité désarmerait Sir Stephen était futile, et elle savait bien que c'était tout le contraire : sa douceur offerte appelait les blessures autant que les caresses, les ongles autant que les lèvres. Elle eut un instant d'illusion : la main droite de Sir Stephen, qui tenait sa cigarette, effleura, du bout du médius, leur pointe, qui obéit, et se raidit davantage. Que ce fût pour Sir Stephen une manière de jeu, sans plus, ou de vérification, comme on vérifie l'excellence et la bonne marche d'un mécanisme, O n'en douta pas. Sans quitter le bras de son fauteuil, Sir Stephen lui dit alors d'ôter sa jupe. Sous les mains moites d'O, les agrafes glissaient mal, et elle dut s'y reprendre à deux fois pour défaire, sous sa jupe, son jupon de faille noire. Lorsqu'elle fut tout à fait nue, ses hautes sandales vernies et ses bas de nylon noir roulés à plat au-dessus de ses genoux, soulignant la finesse de ses jambes et la blancheur de ses cuisses, Sir Stephen, qui s'était levé aussi, la prit d'une main au ventre et la poussa vers le sofa. Il la fit mettre à genoux, le dos contre le sofa, et pour qu'elle s'y appuyât plus près des épaules que de la taille, il lui fit écarter un peu les cuisses. Ses mains reposaient contre ses chevilles, ainsi son ventre était-il entrebâillé, et au-dessus de ses seins toujours offerts, sa gorge renversée. Elle n'osait regarder au visage Sir Stephen, mais voyait ses mains dénouer la ceinture de sa robe. Quand il eut enjambé O toujours à genoux et qu'il l'eut saisie par la nuque, il s'enfonça dans sa bouche. Ce n'était pas la caresse de ses lèvres le long de lui qu'il cherchait, mais le fond de sa gorge. Il la fouilla longtemps, et O sentait gonfler et durcir en elle le bâillon de chair qui l'étouffait, et dont le choc lent et répété lui arrachait les larmes. Pour mieux l'envahir, Sir Stephen avait fini par se mettre à genoux sur le sofa de part et d'autre de son visage, et ses reins reposaient par instants sur la poitrine d'O, qui sentait son ventre, inutile et dédaigné, la brûler. Si longuement que Sir Stephen se complût en elle, il n'acheva pas son plaisir, mais se retira d'elle en silence, et se remit debout sans refermer sa robe. « Vous êtes facile, O, lui dit-il. Vous aimez René, mais vous êtes facile. René se rend-il compte que vous avez envie de tous les hommes qui vous désirent, qu'en vous envoyant à Roissy ou en vous livrant à d'autres, il vous donne autant d'alibis pour votre propre facilité ? — J'aime René, répondit O. — Vous aimez René, mais vous avez envie de moi, entre autres », reprit Sir Stephen. Oui, elle avait envie de lui, mais si René, l'apprenant, allait changer ? Elle ne pouvait que se taire, et baisser les yeux, son regard seul dans les yeux de Sir Stephen aurait été un aveu. Alors Sir Stephen se pencha vers elle et la prenant aux épaules la fit glisser sur le tapis. Elle se retrouva sur le dos, les jambes relevées et repliées contre elle. Sir Stephen, qui s'était assis sur le sofa à l'endroit où, l'instant d'avant elle était appuyée, saisit son genou droit et le tira vers lui. Comme elle faisait face à la cheminée, la lumière du foyer tout proche éclairait violemment le double sillon écartelé de son ventre et de ses reins. Sans la lâcher, Sir Stephen lui ordonna brusquement de se caresser elle-même, mais de ne pas refermer les jambes. Saisie, elle allongea docilement vers son ventre sa main droite, et rencontra sous ses doigts, déjà dégagée de la toison qui la protégeait, déjà brûlante, l'arête de chair où se rejoignaient les fragiles lèvres de son ventre. Mais sa main retomba, et elle balbutia : « Je ne peux pas. » Et en effet, elle ne pouvait pas. Elle ne s'était jamais caressée que furtivement dans la tiédeur et l'obscurité de son lit, quand elle dormait seule, sans jamais chercher jusqu'au bout le plaisir. Mais elle le trouvait parfois plus tard en rêve, et se réveillait déçue qu'il eût été si fort à la fois et si fugace. Le regard de Sir Stephen insistait. Elle ne put le soutenir et, répétant « je ne peux pas », ferma les yeux. Ce qu'elle revoyait, et n'arrivait pas à fuir, et qui lui donnait le même vertige de dégoût que chaque fois qu'elle en avait été témoin, c'était quand elle avait quinze ans, Marion renversée dans le fauteuil de cuir d'une chambre d'hôtel, Marion une jambe sur le bras du fauteuil et la tête à demi pendante sur l'autre bras, qui se caressait devant elle et gémissait. Marion lui avait raconté qu'elle s'était un jour caressée ainsi dans son bureau, quand elle se croyait seule, et que le chef de son service était entré à l'improviste et l'avait surprise. O se souvenait du bureau de Marion, une pièce nue, aux murs vert pâle, dont le jour qui venait du nord passait à travers des vitres poussiéreuses. Il n'y avait qu'un seul fauteuil, destiné aux visiteurs, et qui faisait face à la table. « Tu t'es sauvée ? avait dit O. — Non, avait répondu Marion, il m'a demandé de recommencer, mais il a fermé la porte à clef, m'a fait enlever mon slip, et a poussé le fauteuil devant la fenêtre. » O avait été envahie d'admiration pour ce qu'elle trouvait le courage de Marion, et d'horreur, et avait farouchement refusé, elle, de se caresser devant Marion, et juré qu'elle ne se caresserait jamais, jamais devant personne. Marion avait ri et dit : « Tu verras quand ton amant te le demandera. » René ne le lui avait jamais demandé. Aurait-elle obéi? Ah! sûrement, mais avec quelle terreur de voir se lever dans les yeux de René le dégoût qu'elle-même avait éprouvé devant Marion. Ce qui était absurde. Et que ce fût Sir Stephen, c'était plus absurde encore. Que lui importait le dégoût de Sir Stephen? Mais non, elle ne pouvait pas. Pour la troisième fois, elle murmura : « Je ne peux pas. » Si bas que ce fût dit, il l'entendit, la lâcha, se leva, referma sa robe, ordonna à O de se lever. « C'est cela votre obéissance? » dit-il. Puis de la main gauche il lui prit les deux poignets, et de la droite la gifla à tour de bras. Elle chancela, et serait tombée s'il ne l'avait maintenue. « Mettez-vous à genoux pour m'écouter, dit-il, je crains que René ne vous ait bien mal dressée. — J'obéis toujours à René, balbutia-t-elle. — Vous confondez l'amour et l'obéissance. Vous m'obéirez sans m'aimer, et sans que je vous aime. » Alors elle se sentit soulevée de la révolte la plus étrange, niant en silence à l'intérieur d'elle-même les paroles qu'elle entendait, niant ses promesses de soumission et d'esclavage, niant son propre consentement, son propre désir, sa nudité, sa sueur, ses jambes tremblantes, le cerne de ses yeux. Elle se débattit en serrant les dents de rage quand l'ayant fait se courber, prosternée, les coudes à terre et tête entre ses bras, et la soulevant aux hanches, il força ses reins pour la déchirer comme

René avait dit qu'il la déchirerait. Une première fois elle ne cria pas. Il s'y reprit plus brutalement, et elle cria. Et à chaque fois qu'il se retirait, puis revenait, donc à chaque fois qu'il le décidait, elle criait. Elle criait de révolte autant que de douleur, et il ne s'y trompait pas. Elle savait aussi, ce qui faisait que de toute façon elle était vaincue, qu'il était content de la contraindre à crier. Lorsqu'il en eut fini, et qu'après l'avoir fait relever, il fut sur le point de la renvoyer, il lui fit remarquer que ce que de lui il avait répandu en elle, allait peu à peu en s'échappant d'elle se teinter du sang de la blessure qu'il lui avait faite, que cette blessure la brûlerait tant que ses reins ne se seraient pas faits à lui, et qu'il continuerait à en forcer le passage. Cet usage d'elle, que René lui réservait, il ne s'en priverait certes pas, et il ne fallait pas qu'elle espérât être ménagée. Il lui rappela qu'elle avait consenti à être l'esclave de René et la sienne, mais il lui paraissait peu probable qu'elle sût, en toute connaissance de cause, à quoi elle s'était engagée. Lorsqu'elle l'aurait appris, il serait trop tard pour qu'elle échappât. O l'écoutant se disait que peut-être il serait également trop tard, si longue elle serait à réduire, pour qu'il ne fût pas enfin épris de son ouvrage, et ne l'aimât pas un peu. Car toute sa résistance intérieure, et le timide refus qu'elle osait manifester n'avaient que cette seule raison d'être : elle voulait exister pour Sir Stephen, si peu que ce fût, comme elle existait pour René, et qu'il eût pour elle plus que du désir. Non qu'elle en fût éprise, mais parce qu'elle voyait bien que René aimait Sir Stephen avec la passion des garçons pour leurs aînés, et qu'elle le sentait prêt, pour satisfaire Sir Stephen, à sacrifier d'elle au besoin ce que Sir Stephen en exigerait; elle savait, de divination certaine, qu'il calquerait son attitude sur la sienne, et que si Sir Stephen lui montrait du mépris, René, quelque amour qu'il eût pour elle, serait contaminé par ce mépris, comme jamais il ne l'avait été, ni n'avait songé à l'être, par l'attitude des hommes à Roissy. C'est qu'à Roissy, vis-à-vis d'elle, il était le maître, et l'attitude de tous ceux à qui il la donnait dépendait de la sienne. Ici, le maître n'était plus lui, au contraire. Sir Stephen était le maître de René, sans que René s'en doutât parfaitement lui-même, c'est-à-dire que René l'admirait, et voudrait l'imiter, rivaliser avec lui, c'était pourquoi il partageait tout avec lui, et pourquoi il lui avait donné O : cette fois, il était criant qu'elle était donnée tout de bon. René continuerait à l'aimer sans doute dans la mesure où Sir Stephen trouverait qu'elle en valait la peine, et l'aimerait à son tour. Jusque-là, il était clair que Sir Stephen serait son maître, et, quoi que René s'imaginât, son seul maître, dans le rapport exact qui lie le maître à l'esclave. Elle n'en attendait aucune pitié, mais ne pouvait-elle espérer lui arracher quelque amour? A demi étendu dans le grand fauteuil qu'il occupait près du feu, avant le départ de René, il l'avait laissée nue, debout devant lui, en lui disant d'attendre ses ordres. Elle avait attendu sans mot dire. Puis il s'était levé et lui avait dit de le suivre. Nue encore, avec ses sandales à hauts talons et ses bas noirs, elle avait monté derrière lui l'escalier qui partait du palier du rez-de-chaussée, et pénétré dans une petite chambre, si petite qu'il n'y avait place que pour un lit dans un angle et pour une coiffeuse et une chaise entre le lit et la fenêtre. Cette petite chambre était commandée par une chambre plus grande qui était celle de Sir Stephen et toutes deux ouvraient sur la même salle de bains. O se lava et s'essuya — la serviette se tacha d'un peu de rose —, ôta ses sandales et ses bas, et se coucha dans les draps froids. Les rideaux de la fenêtre étaient ouverts, mais il faisait nuit noire. Avant de fermer la porte de communication, O déjà couchée, Sir Stephen s'approcha d'elle et lui baisa le bout des doigts, comme il avait fait quand elle était descendue de son tabouret, au bar, et qu'il l'avait complimentée de sa bague de fer. Ainsi, il avait enfoncé en elle ses mains et son sexe, saccagé ses reins et sa bouche, mais ne daignait poser ses lèvres que sur le bout de ses doigts. O pleura, et s'endormit à l'aube.

Le lendemain, un peu avant midi, le chauffeur de Sir Stephen avait reconduit O chez elle. A dix heures elle s'était réveillée, une vieille mulâtresse lui avait apporté une tasse de café, préparé un bain et donné ses vêtements, à l'exception toutefois de sa fourrure, de ses gants et de son sac, qu'elle retrouva sur le sofa du salon quand elle fut descendue. Le salon était vide, les persiennes et les rideaux étaient ouverts. On apercevait, face au sofa, un jardin étroit et vert comme un aquarium, uniquement planté de lierres, de houx et de fusains. Comme elle mettait son manteau, la mulâtresse lui avait dit que Sir Stephen était sorti et lui avait tendu une lettre où, sur l'enveloppe, était sa seule initiale; la feuille blanche portait deux lignes : « René a téléphoné qu'il viendrait à six heures vous chercher au studio », signées d'un S, et un post-scriptum : « La cravache est pour votre prochaine visite. » O regarda autour d'elle : sur la table, entre les deux fauteuils où, la veille, s'étaient assis Sir Stephen et René, il y avait, près d'un bol de roses jaunes, une très longue et mince cravache de cuir. La domestique l'attendait à la porte. O mit la lettre dans son sac et partit.

René avait donc téléphoné à Sir Stephen, et non pas à elle. De retour chez elle, après avoir quitté ses vêtements et déjeuné, enveloppée dans sa robe de chambre, elle eut encore le temps de refaire à loisir son maquillage et sa coiffure, et de se rhabiller pour partir pour le studio où elle devait être à trois heures : le téléphone ne sonna pas, René ne l'appela pas. Pourquoi ? Qu'est-ce que Sir Stephen lui avait dit ? Comment avaient-ils parlé d'elle ? Elle se souvint des mots avec lesquels ils avaient tous deux devant elle si naturellement discuté de la commodité de son corps par rapport aux exigences des leurs. Peut-être était-ce qu'elle n'avait pas l'habitude, en anglais, du vocabulaire de cette sorte, mais les seuls termes français qui lui parussent équivalents étaient d'une bassesse absolue. Il est vrai qu'elle avait passé entre autant de mains que les prostituées des bordels, pourquoi la traiterait-on autrement ? « Je t'aime, René, je t'aime, répétait-elle, je t'aime, fais de moi ce que tu voudras, mais ne me laisse pas, mon Dieu, ne me laisse pas. »

Qui aura pitié de ceux qui attendent ? On les reconnaît si bien : à leur douceur, à leur regard faussement attentif — attentif, oui, mais à autre chose que ce qu'ils regardent — à leur absence. Trois heures durant, dans le studio où posait pour des chapeaux un petit mannequin roux et potelé qu'O ne connaissait pas, elle fut cette absente tirée à l'intérieur d'elle-même par la hâte que les minutes passent, et par l'angoisse. Sur une blouse et un jupon de soie rouge, elle avait mis une jupe écossaise et une courte veste de daim. Le rouge de sa blouse, sous sa veste entrouverte, pâlissait son visage déjà pâle, et le petit mannequin roux lui dit qu'elle avait l'air fatal. « Fatal pour qui ? » se dit O. Deux ans plus tôt, avant d'avoir rencontré René et de l'avoir aimé, elle se serait juré : « fatal pour Sir Stephen », et dit « il va bien voir ». Mais son amour pour René et l'amour de René pour elle lui avaient enlevé toutes ses armes, et au lieu de lui apporter de nouvelles preuves de son pouvoir, lui avaient ôté celles qu'elle avait jusque-là. Elle était jadis indifférente et dansante, s'amusant à tenter d'un mot ou d'un geste les garçons qui étaient amoureux d'elle, mais sans leur rien accorder, se donnant ensuite par caprice, une fois, une seule, pour récompenser, mais aussi pour enflammer davantage, et rendre plus cruelle une passion qu'elle ne partageait pas. Elle était sûre qu'ils l'aimaient. L'un d'eux avait tenté de se tuer; quand il était revenu guéri de la clinique où on l'avait transporté, elle était allée chez lui, s'était mise nue, et lui défendant de la toucher, s'était étendue sur son divan. Blême de désir et de douleur, il l'avait contemplée pendant deux heures, en silence, pétrifié par sa parole donnée. Elle n'avait jamais voulu le revoir. Ce n'est pas qu'elle prît à la légère le désir qu'elle inspirait. Elle le comprenait ou croyait le comprendre d'autant mieux qu'elle-même éprouvait un désir analogue (pensait-elle) pour ses amies ou pour de jeunes femmes inconnues. Quelques-unes lui cédaient, qu'elle emmenait dans des hôtels trop discrets, aux couloirs étroits et aux cloisons transparentes à tous les bruits, d'autres la repoussaient avec horreur. Mais ce qu'elle s'imaginait être du désir n'allait pas plus loin que le goût de la conquête, et ses manières de mauvais garçon, ni le fait qu'elle avait eu quelques amants — si l'on peut les appeler amants — ni sa dureté, ni même son courage, ne lui servirent de rien quand elle rencontra René. En huit jours elle apprit la peur, mais la certitude, l'angoisse, mais le bonheur. René se jeta sur elle comme un forban sur une captive, et elle devint captive avec délices, sentant à ses poignets, à ses chevilles, à tous ses membres et au plus secret de son corps et de son cœur les liens plus invisibles que les plus fins cheveux, plus puissants que les câbles dont les Lilliputiens avaient ligoté Gulliver, que son amant serrait ou desserrait d'un regard. Elle n'était plus libre ? Ah ! Dieu merci, elle n'était plus libre. Mais elle était légère, déesse sur les nuées, poisson dans l'eau, perdue de bonheur. Perdue parce que ces fins cheveux, ces câbles que René tenait tous dans sa main, étaient le seul réseau de forces par où passât désormais en elle le courant de la vie. Et c'était si vrai que lorsque René relâchait sa prise sur elle — ou qu'elle se l'imaginait — lorsqu'il semblait absent, ou s'éloignait avec ce qui paraissait à O de l'indifférence, ou lorsqu'il demeurait sans la voir ou sans répondre à ses lettres, et qu'elle croyait qu'il ne voulait plus la voir ou qu'il allait ne plus l'aimer, ou qu'il ne l'aimait plus, tout s'étouffait en elle, elle suffoquait. L'herbe devenait noire, le jour n'était plus le jour, ni la nuit la nuit, mais d'infernales machines qui faisaient alterner le clair et l'obscur pour son supplice. L'eau fraîche lui donnait la nausée. Elle se sentait statue de cendres, âcre, inutile, et damnée, comme les statues de sel de Gomorrhe. Car elle était coupable. Ceux qui aiment Dieu, et que Dieu délaisse dans la nuit obscure, sont coupables, puisqu'ils sont délaissés. Ils cherchent leurs fautes dans leur souvenir. Elle cherchait les siennes. Elle ne trouvait que d'insignifiantes complaisances, qui étaient plus dans sa disposition que dans ses actes, pour les désirs qu'elle éveillait chez d'autres hommes que René, auxquels elle ne prêtait attention que dans la mesure où le bonheur que lui donnait l'amour de René, la certitude d'appartenir à René, la comblait, et dans l'abandon où elle était vis-à-vis de lui, la rendait invulnérable, irresponsable, et tous ses actes sans conséquences — mais quels actes ? Car elle n'avait à se reprocher que des pensées, et des tentations fugitives. Pourtant, il était sûr qu'elle était coupable et que sans le vouloir René la punissait d'une faute qu'il ne connaissait pas (puisqu'elle restait tout intérieure) mais que Sir Stephen avait à l'instant décelée : la facilité. O était heureuse que René la fît fouetter et la prostituât parce que sa soumission passionnée donnerait à son amant la preuve de son appartenance, mais aussi parce que la douleur et la honte du fouet, et l'outrage que lui infligeaient ceux qui la contraignaient au plaisir quand ils la possédaient et tout aussi bien se complaisaient au leur sans tenir compte du sien, lui semblaient le rachat même de sa faute. Il y avait des étreintes qui lui avaient été immondes, des mains qui sur ses seins étaient une intolérable insulte, des bouches qui avaient aspiré ses lèvres et sa langue comme de molles et ignobles sangsues, et des langues et des sexes, bêtes gluantes, qui se caressant à sa bouche fermée, au sillon de toutes ses forces serré de son ventre et de ses reins, l'avaient raidie de révolte, si longuement que le fouet n'avait pas été de trop pour la réduire, mais auxquels elle avait fini par s'ouvrir, avec un dégoût et une servilité abominables. Et si malgré cela Sir Stephen avait raison ? Si son avilissement lui était doux ? Alors, plus sa bassesse était grande, plus René était miséricordieux de consentir à faire d'O l'instrument de son plaisir. Quand elle était enfant, elle avait lu, en lettres rouges sur le mur blanc d'une chambre qu'elle avait habitée pendant deux mois au pays de Galles, un texte biblique comme les protestants en inscrivent dans leurs maisons : « Il est terrible de tomber entre les mains du Dieu vivant. » Non, se disait-elle maintenant, ce n'est pas vrai. Ce qui est terrible, c'est d'être rejetée des mains du Dieu vivant. Chaque fois que René reculait le moment de la voir, comme il avait fait ce jour-là, et tardait — car six heures étaient passées, et six heures et demie — O était ainsi cernée par la folie et par le désespoir, vainement. La folie pour rien, le désespoir pour rien, rien n'était vrai. René arrivait, il était là, il n'avait pas changé, il l'aimait, mais un conseil d'administration l'avait retenu ou un travail supplémentaire, il n'avait pas eu le temps de prévenir. O, d'un seul coup, émergeait de sa chambre d'asphyxiée, et cependant chacun de ces accès de terreur laissait au fond d'elle une prémonition sourde, un avertissement de malheur : car aussi bien René oubliait de prévenir, et un jeu de golf ou un bridge le retenait, et peut-être un autre visage, car il aimait O, mais il était libre, lui, sûr d'elle et léger, léger. Un jour de mort et de cendres, un jour entre les jours ne viendrait-il pas qui donnerait raison à la folie, où la chambre à gaz ne se rouvrirait pas ? Ah ! que le miracle dure, que ne s'efface pas la grâce, René ne me quitte pas ! O ne voyait pas, et refusait de voir chaque jour plus loin que le lendemain et le surlendemain, chaque semaine plus loin que la semaine suivante. Et chaque nuit pour elle avec René était une nuit pour toujours.

René arriva enfin à sept heures, si joyeux de la retrouver qu'il l'embrassa devant l'électricien qui réparait un phare, devant le petit mannequin roux qui sortait du cabinet de maquillage, et devant Jacqueline, que personne n'attendait, brusquement entrée sur ses talons. « C'est ravissant, dit Jacqueline à O, je passais, je venais vous demander mes derniers clichés, mais je crois que ce n'est pas le moment, je m'en vais. — Mademoiselle, je vous en supplie, cria

René sans lâcher O qu'il tenait par la taille, Mademoiselle, ne vous en allez pas ! » O nomma René à Jacqueline et Jacqueline à René. Le mannequin roux, dépité, était rentré dans sa boîte, l'électricien faisait semblant d'être occupé. O regardait Jacqueline, et sentait René qui suivait son regard. Jacqueline avait une tenue de ski comme seules en portent les stars qui ne font pas de ski. Son chandail noir marquait ses seins petits et très écartés, le pantalon en fuseau ses jambes longues de fille des neiges. Tout en elle sentait la neige : le reflet bleuté de sa veste de phoque gris, c'était la neige à l'ombre, le reflet givré de ses cheveux et de ses cils : la neige au soleil. Elle avait aux lèvres un rouge qui tirait au capucine, et quand elle sourit, et leva les yeux sur O, O se dit que personne ne pourrait résister à l'envie de boire à cette eau verte et mouvante sous les cils de givre, et d'arracher le chandail pour poser les mains sur les seins trop petits. Voilà : René n'était pas plutôt revenu que dans la certitude de sa présence elle retrouvait le goût des autres et d'elle-même, et le monde. Ils descendirent tous trois. Rue Royale, la neige qui était tombée à gros flocons deux heures durant ne tourbillonnait plus qu'en minces petites mouches blanches qui les piquaient au visage. Le sel répandu sur le trottoir crissait sous les semelles et décomposait la neige, et O sentit le souffle glacé qu'il dégageait monter le long de ses jambes et saisir ses cuisses nues.

Ce qu'elle cherchait dans les jeunes femmes qu'elle poursuivait, O s'en faisait une idée assez claire. Ce n'était pas qu'elle voulût se donner l'impression qu'elle rivalisait avec les hommes, ni compenser, par une conduite masculine, une infériorité féminine qu'elle n'éprouvait aucunement. Il est vrai qu'elle s'était surprise, à vingt ans, quand elle faisait la cour à la plus jolie de ses camarades, retirant son béret pour lui dire bonjour, s'effaçant pour la laisser passer, et lui offrant la main pour descendre d'un taxi. De même, elle ne tolérait pas de ne pas payer quand elles prenaient ensemble le thé dans une pâtisserie. Elle lui baisait la main, et au besoin la bouche, si possible en pleine rue. Mais c'était là autant de manières qu'elle affichait pour faire scandale, par enfantillage beaucoup plus que par conviction. Au contraire, le goût qu'elle avait pour la douceur de très douces lèvres peintes cédant sous les siennes, pour l'éclat d'émail ou de perle des yeux qui se ferment à demi dans la pénombre des divans, à cinq heures d'après-midi, quand on a tiré les rideaux et allumé la lampe sur la cheminée, pour les voix qui disent : encore, ah ! je t'en prie, encore, pour la tenace odeur marine qui lui restait aux doigts, ce goût-là était réel et profond. Aussi vive était la joie que lui donnait la chasse. Probablement non pour la chasse en elle-même, si amusante ou passionnante qu'elle fût, mais pour la liberté parfaite qu'elle y goûtait. Elle menait, elle, et elle seule, le jeu (ce qu'avec un homme elle ne faisait jamais, autrement que par le biais). C'était elle qui avait l'initiative des paroles, des rendez-vous, des baisers, au point qu'elle préférait qu'on ne l'embrassât pas la première, et depuis qu'elle avait des amants, ne tolérait à peu près jamais que la fille qu'elle caressait la caressât à son tour. Autant elle avait de hâte à tenir son amie nue sous ses yeux, sous ses mains, autant il lui semblait vain de se déshabiller. Souvent, elle cherchait des prétextes pour l'éviter, disait qu'elle avait froid, qu'elle était dans un mauvais jour. D'ailleurs, il était peu de femmes chez lesquelles elle ne trouvât quelque beauté ; elle se souvenait, à peine sortie du lycée, avoir voulu séduire une petite fille laide et déplaisante, toujours de mauvaise humeur, uniquement parce qu'elle avait une forêt de cheveux blonds qui faisait ombre et lumière en mèches mal taillées sur une peau pourtant terne, mais dont le grain était doux, serré, fin, absolument mat. Mais la petite fille l'avait chassée, et si le plaisir avait quelque jour éclairé l'ingrat visage, ce n'avait pas été pour O. Car O aimait, avec passion, voir se répandre sur les visages cette buée qui les rend si lisses et si jeunes; d'une jeunesse hors du temps, qui ne ramène pas à l'enfance, mais gonfle les lèvres, agrandit les yeux comme un fard, et fait les iris scintillants et clairs. L'admiration y avait plus de part que l'amour-propre, car ce n'était pas son ouvrage dont elle était émue : elle avait à Roissy éprouvé le même trouble devant le visage transfiguré d'une fille possédée par un inconnu. La nudité, l'abandon des corps, la bouleversaient, et il lui semblait que ses amies lui faisaient un cadeau dont elle ne pourrait jamais offrir l'équivalent quand elles consentaient seulement à se montrer nues dans une chambre fermée. Car la nudité des vacances, au soleil et sur les plages, la laissait insensible — nullement parce qu'elle était publique, mais parce que d'être publique et de n'être pas absolue, elle était en quelque mesure protégée. La beauté des autres femmes, qu'avec une constante générosité elle était encline à trouver supérieure à la sienne, la rassurait cependant sur sa propre beauté, où elle voyait, s'apercevant dans des glaces inhabituelles, comme un reflet de la leur. Le pouvoir qu'elle reconnaissait à ses amies sur elle lui était en même temps garant de son pouvoir à elle sur les hommes. Et ce qu'elle demandait aux femmes (et ne leur rendait pas, ou si peu), elle était heureuse et trouvait naturel que les hommes fussent acharnés à le lui demander. Ainsi était-elle à la fois et constamment complice des unes et des autres, et gagnait sur les deux tableaux. Il y avait des parties difficiles. Qu'O fût amoureuse de Jacqueline, ni moins ni plus qu'elle l'avait été de beaucoup d'autres, et en admettant que le terme d'amoureuse (c'était beaucoup dire) fût celui qui convînt, aucun doute. Mais pourquoi n'en montrait-elle rien ?

Quand les bourgeons éclatèrent sur les peupliers des quais, et que le jour, plus lent à mourir, permit aux amoureux de s'asseoir dans les jardins, à la sortie des bureaux, elle crut avoir enfin le courage d'affronter Jacqueline. L'hiver, elle lui avait paru trop triomphante sous ses fraîches fourrures, trop irisée, intouchable, inaccessible. Et le savait. Le printemps la rendait aux tailleurs, aux talons plats, aux chandails. Elle ressemblait enfin, avec ses cheveux courts coupés droit, aux lycéennes insolentes qu'à seize ans O, lycéenne aussi, saisissait par les poignets et tirait en silence dans un vestiaire vide, et poussait contre les manteaux accrochés. Les manteaux tombaient des patères, O se prenait de fou rire. Elles portaient les blouses d'uniforme, en cotonnade grège, leurs initiales brodées de coton rouge sur la poitrine. A trois ans d'intervalle, à trois kilomètres de distance, Jacqueline avait, dans un autre lycée, porté les mêmes blouses. O l'apprit par hasard, un jour que Jacqueline posa pour des robes de maison, en soupirant que tout de même, si on en avait eu d'aussi jolies au lycée, on aurait été plus heureuse. Ou bien si on avait su porter, sans rien dessous, celles qu'on vous imposait. « Comment sans rien ? dit O. — Sans robe, voyons », répondit Jacqueline. Sur quoi O se mit à rougir. Elle ne s'habituait pas à être nue sous sa robe, et toute parole ambiguë lui semblait une allusion à sa condition. En vain se répétait-elle que l'on est toujours nue sous un vêtement. Non, elle se sentait nue comme cette Italienne de Vérone qui allait s'offrir au chef des assiégeants pour délivrer sa ville : nue sous un manteau qu'il suffisait d'entrouvrir. Il lui semblait aussi que c'était pour racheter quelque chose, comme l'Italienne, mais quoi ? Que Jacqueline était sûre d'elle, elle n'avait rien à racheter; elle n'avait pas besoin d'être rassurée, il lui suffisait d'un miroir. O la regardait avec humilité, et songeait qu'on ne pouvait lui apporter, si l'on ne voulait pas en avoir honte, que des fleurs de magnolia, parce que leurs pétales épais et mats virent tout doucement au bistre quand ils se fanent, ou bien des camélias, parce qu'une lueur rose se mêle quelquefois dans leur cire à la blancheur. A mesure que l'hiver s'éloignait, le hâle léger qui dorait la peau de Jacqueline s'effaçait avec le souvenir de la neige. Bientôt, il ne lui faudrait plus que des camélias. Mais O craignit de se faire moquer d'elle, avec ses fleurs de mélodrame. Elle apporta un jour un gros bouquet de jacinthes bleues, dont l'odeur est comme celle des tubéreuses, et fait tourner la tête : huileuse, violente, tenace, tout à fait celle que devraient avoir les camélias, et qu'ils n'ont pas. Jacqueline enfouit dans les fleurs raides et fraîches son nez mongol, ses lèvres depuis quinze jours fardées de rose, et non plus de rouge. Elle dit : « C'est pour moi ? » comme font les femmes à qui tout le monde fait tout le temps des cadeaux. Puis elle dit merci, puis elle demanda si René viendrait chercher O. Oui, il viendrait, dit O. Il viendrait, se répétait-elle, et ce serait pour lui que Jacqueline, faussement immobile, faussement muette, lèverait une seconde ses yeux d'eau froide qui ne regardaient pas en face. A elle, personne n'aurait besoin de rien apprendre : ni à se taire, ni à laisser ses mains ouvertes le long d'elle, ni à renverser la tête à demi. O mourait d'envie de prendre à poignée sur la nuque les cheveux trop clairs, de renverser tout à fait la tête docile, de suivre au moins du doigt la ligne des sourcils. Mais René en aurait envie aussi. Elle savait bien pourquoi jadis intrépide elle était devenue si timorée, pourquoi depuis deux mois elle désirait Jacqueline sans se permettre un mot ni un geste qui le lui avouât, et se donnait de mauvaises raisons pour expliquer sa réserve. Ce n'était pas vrai que Jacqueline fût intangible. L'obstacle n'était pas en Jacqueline, il était au cœur même d'O, et tel qu'elle n'en avait jamais rencontré de semblable. C'est que René la laissait libre, et qu'elle détestait sa liberté. Sa liberté était pire que n'importe quelle chaîne. Sa liberté la séparait de René. Dix fois elle aurait pu, sans même parler, prendre Jacqueline par les épaules, la clouer des deux mains contre le mur comme on fait d'un papillon avec une épingle ; Jacqueline n'aurait pas bougé, ni sans doute seulement souri. Mais O désormais était comme les bêtes sauvages, qui ont été faites captives, et qui servent d'appeau au chasseur, ou qui rabattent pour lui, et ne bondissent que sur son ordre. C'est elle qui parfois pâle et tremblante, s'appuyait au mur obstinément clouée par son silence, attachée par son silence, et si heureuse de se taire. Elle attendait mieux qu'une permission, puisque la permission elle l'avait. Elle attendait un ordre. Il ne lui vint pas de René, mais de Sir Stephen.

A mesure que les mois passaient, depuis que René l'avait donnée à Sir Stephen, O s'apercevait avec effroi de l'importance grandissante que prenait celui-ci aux yeux de son amant. D'ailleurs elle concevait en même temps que peut-être, là-dessus, elle se trompait, imaginant une progression dans le fait ou dans le sentiment là où il n'y avait de progression que dans la reconnaissance de ce fait ou l'aveu de ce sentiment. Toujours est-il qu'elle avait vite remarqué que désormais René choisissait pour passer la nuit avec elle les nuits, et celles-là seulement, qui faisaient suite aux soirées où Sir Stephen la faisait venir (Sir Stephen ne la gardant jusqu'au matin que lorsque René était absent de Paris). Elle avait remarqué aussi que lorsqu'il restait présent à une de ces soirées, il ne touchait jamais O, sinon pour la mieux offrir à Sir Stephen et la maintenir à la disposition de celui-ci, si elle se débattait. C'était très rare qu'il restât, et il ne restait jamais qu'à la demande expresse de Sir Stephen. Il demeurait alors habillé, comme il avait fait la première fois, silencieux, allumant une cigarette à l'autre, ajoutant du bois au feu, servant à boire à Sir Stephen — mais lui-même ne buvait pas. O sentait qu'il la surveillait comme un dompteur surveille la bête qu'il a dressée, attentif à ce qu'elle lui fasse honneur par sa parfaite obéissance, mais bien plus encore comme auprès d'un prince un garde du corps, auprès d'un chef de bande un homme de main surveille la prostituée qu'il est allé lui chercher dans la rue. La preuve qu'il cédait bien là à une vocation de serviteur, ou d'acolyte, c'est qu'il guettait plus le visage de Sir Stephen que le sien — et O se sentait sous ses yeux dépossédée de la volupté même où ses traits se noyaient : il en reportait l'hommage, et l'admiration, et même la gratitude, à Sir Stephen qui l'avait fait naître, heureux qu'il consentît à prendre plaisir à quelque chose qu'il lui avait donné. Sans doute, tout aurait été plus simple si Sir Stephen avait aimé les garçons, et O ne doutait pas que René, qui ne les aimait pas, eût cependant accordé avec passion à Sir Stephen et les moindres et les plus exigeantes de ses demandes. Mais Sir Stephen n'aimait que les femmes. Elle se rendait compte que sous les espèces de son corps entre eux partagé, ils atteignaient à quelque chose de plus mystérieux et peut-être de plus aigu qu'une communion amoureuse, à une union dont la conception même lui était malaisée, mais dont elle ne pouvait nier la réalité et la force. Cependant, pourquoi ce partage était-il en quelque sorte abstrait? A Roissy, O avait appartenu, dans le même instant, dans le même milieu, à René et à d'autres hommes. Pourquoi René, en présence de Sir Stephen, s'abstenait-il non seulement de la prendre, mais de lui donner des ordres? (Il ne faisait jamais que transmettre ceux de Sir Stephen.) Elle lui posa la question, sûre par avance de la réponse. « Par respect, répondit René. — Mais je suis à toi, dit O. — Tu es à Sir Stephen *d'abord.* » Et c'était vrai, en ce sens tout au moins que l'abandon que René avait fait d'elle à son ami était absolu, que les moindres désirs de Sir Stephen la concernant passaient avant les décisions de René, ou avant ses demandes à elle. René avait-il décidé qu'ils dîneraient tous deux, et iraient au théâtre, si Sir Stephen lui téléphonait une heure avant pour réclamer O, René venait la chercher au studio comme ils en étaient convenus, mais pour la conduire jusqu'à la porte de Sir Stephen, et l'y laisser. Une fois, une seule, O avait demandé à René de prier Sir Stephen de changer de jour, tant elle désirait accompagner René à une soirée où ils devaient aller ensemble. René avait refusé. « Mon pauvre petit, avait-il dit, n'as-tu pas encore compris que tu ne t'appartiens plus, et que le maître qui dispose de toi ce n'est plus moi? » Non seulement il avait refusé, mais il avait averti Sir Stephen de la demande d'O, et devant elle, l'avait prié de l'en punir assez cruellement pour qu'elle n'osât plus seulement concevoir qu'elle pût se dérober. « Certainement », avait répondu Sir Stephen. C'était dans la petite pièce ovale, au plancher de marqueterie, et dont le seul meuble était un guéridon noir incrusté de nacre, qui ouvrait sur le grand salon jaune et gris. René n'y resta que les trois minutes nécessaires pour trahir O et entendre la réponse de Sir Stephen. Puis il salua celui-ci de la main, sourit à O et partit. Par la fenêtre elle le vit traverser la cour ; il ne se retourna pas ; elle entendit claquer la portière de la voiture, le moteur ronfler, et aperçut, dans une petite glace encastrée dans le mur, sa propre image : elle était blanche de désespoir et de peur. Puis machinalement, au moment de passer devant Sir Stephen, qui ouvrait pour elle la porte sur le salon et s'effaçait, elle le regarda : il était aussi pâle qu'elle. Comme dans un éclair, elle fut traversée par la certitude, mais aussitôt évanouie, qu'il l'aimait. Bien qu'elle n'y crût pas, et se moquât en elle-même d'y avoir songé, elle en fut réconfortée et se déshabilla docilement, sur son seul geste. Alors, et pour la première fois depuis qu'il la faisait venir deux ou trois fois par semaine, et usait d'elle lentement, la faisant attendre nue parfois une heure avant de l'approcher, écoutant sans jamais lui répondre ses supplications, car elle suppliait parfois, répétant les mêmes injonctions aux mêmes moments, comme dans un rituel, si bien qu'elle savait quand sa bouche le devait caresser, et quand à genoux, la tête enfouie dans la soie du sofa, elle ne devait lui offrir que ses reins, dont il s'emparait désormais sans la blesser, tant elle s'était ouverte à lui, pour la première fois, malgré la peur qui la décomposait — ou peut-être à cause de cette peur, malgré le désespoir où l'avait jetée la trahison de René, mais peut-être aussi à cause de ce désespoir — elle s'abandonna tout à fait. Et pour la première fois, si doux étaient ses yeux consentants lorsqu'ils rencontrèrent les clairs yeux brûlants de Sir Stephen, que celui-ci lui parla soudain en français et la tutoya : « O, je vais te mettre un bâillon, parce que je voudrais te fouetter jusqu'au sang, lui dit-il. Me le permets-tu ? — Je suis à vous », dit O. Elle était debout au milieu du salon, et ses bras levés et joints, que les bracelets de Roissy maintenaient par une chaînette à l'anneau du plafond d'où jadis pendait un lustre, faisaient saillir ses seins. Sir Stephen les caressa, puis les baisa, puis lui baisa la bouche, une fois, dix fois. (Jamais il ne l'avait embrassée.) Et quand il lui eut mis le bâillon, qui lui remplit la bouche de son goût de toile mouillée, et lui repoussa la langue au fond de la gorge, et sur lequel à peine ses dents pouvaient mordre, il la prit doucement aux cheveux. Balancée par la chaîne, elle chancelait sur ses pieds nus. « O, pardonne-moi », murmura-t-il (jamais il ne lui avait demandé pardon), puis il la lâcha, et frappa.

Quand René revint chez O, à minuit passé, après être allé seul à la soirée où ils devaient aller ensemble, il la trouva couchée, frissonnante dans le nylon blanc de sa longue chemise de nuit. Sir Stephen l'avait ramenée et couchée lui-même, et encore embrassée. Elle le lui dit. Elle lui dit aussi qu'elle n'avait plus envie de ne pas obéir à Sir Stephen, comprenant bien que René en conclurait qu'il lui était nécessaire, et doux, d'être battue, ce qui était vrai (mais ce n'était pas la seule raison). Ce dont elle était en outre certaine, c'est qu'il était également nécessaire à René qu'elle le fût. Autant il avait horreur de la frapper, au point qu'il n'avait jamais pu se résoudre à le faire, autant il aimait la voir se débattre et l'entendre crier. Une seule fois devant lui Sir Stephen avait employé sur elle la cravache. René avait courbé O contre la table, et l'avait maintenue immobile. Sa jupe avait glissé : il l'avait relevée. Peut-être avait-il même encore davantage besoin de l'idée que pendant qu'il n'était pas avec elle, pendant qu'il se promenait, ou travaillait, O se tordait, gémissait et pleurait sous le fouet, demandait sa grâce et ne l'obtenait pas — et savait que cette douleur et cette humiliation lui étaient infligées par la volonté de l'amant qu'elle aimait, et pour son plaisir. A Roissy, il l'avait fait fouetter par les valets. En Sir Stephen, il avait trouvé le maître rigoureux que lui-même ne savait pas être. Le fait que l'homme qu'il admirait le plus au monde se plût à elle, et prît la peine de se la rendre docile, accroissait, O le voyait bien, la passion de René pour elle. Toutes les bouches qui avaient fouillé sa bouche, toutes les mains qui lui avaient saisi les seins et le ventre, tous les sexes qui s'étaient enfoncés en elle, et qui avaient si parfaitement fait la preuve qu'elle était prostituée, l'avaient en même temps et en quelque sorte consacrée. Mais ce n'était rien, aux yeux de René, à côté de la preuve qu'apportait Sir Stephen. Chaque fois qu'elle sortait d'entre ses bras, René cherchait sur elle la marque d'un dieu. O savait bien que s'il l'avait trahie quelques heures plus tôt, c'était pour provoquer des marques nouvelles, et plus cruelles. Elle savait aussi que les raisons de les provoquer pouvaient disparaître, Sir Stephen ne reviendrait pas en arrière. Tant pis. (Mais c'est tant mieux qu'elle pensait.) René, bouleversé, regarda longuement le corps mince où d'épaisses balafres violettes faisaient comme des cordes en travers des épaules, du dos, des reins, du ventre et des seins, et parfois s'entrecroisaient. De place en place un peu de sang perlait. « Ah ! je t'aime », murmura-t-il. Il se déshabilla avec des mains tremblantes, ferma la lumière et s'étendit contre O. Elle gémit dans le noir, tout le temps qu'il la posséda.

Les balafres, sur le corps d'O, mirent près d'un mois à s'effacer. Encore lui resta-t-il, aux endroits où la peau avait éclaté, une ligne un peu blanche, comme une très ancienne cicatrice. Mais aurait-elle pu en perdre le souvenir, qu'il lui aurait été rappelé par l'attitude de René et de Sir Stephen. Bien entendu, René avait une clef de l'appartement d'O. Il n'avait pas songé à en donner une à Sir Stephen, probablement parce que jusqu'ici jamais Sir Stephen n'avait marqué le désir de venir chez O. Mais le fait qu'il l'eût ramenée, ce soir-là, fit soudain comprendre à René que peut-être cette porte, que seuls pouvaient ouvrir O et lui, serait considérée par Sir Stephen comme un obstacle, comme une barrière, ou comme une restriction voulue par René, et qu'il était dérisoire de lui donner O s'il ne lui donnait en même temps la liberté d'entrer chez elle à tout moment. Bref, il fit faire une clef, la remit à Sir Stephen, et n'avertit O que lorsque Sir Stephen l'eut acceptée. Elle ne songea pas à protester, et s'aperçut bientôt qu'elle trouvait, dans l'attente où elle était de la venue de Sir Stephen, une sérénité incompréhensible. Elle attendit longtemps, se demandant s'il la surprendrait en pleine nuit, s'il profiterait d'une absence de René, s'il viendrait seul, si même seulement il viendrait. Elle n'osait en parler à René. Un matin où par hasard sa femme de ménage n'était pas là et où elle s'était levée plus tôt que de coutume, et à dix heures, déjà habillée, s'apprêtait à sortir, elle entendit une clef tourner dans la serrure, et s'élança en criant : « René » (car René venait ainsi quelquefois, et elle n'avait plus songé qu'à lui). C'était Sir Stephen, qui sourit, et lui dit : « Eh bien, appelons René. » Mais René, retenu à son bureau par un rendez-vous d'affaires, ne serait là que dans une heure. O, le cœur battant à grands coups dans la poitrine (et se demandant pourquoi), regarda Sir Stephen reposer le récepteur. Il la fit asseoir sur le lit, lui prit la tête entre les deux mains et lui entrouvrit la bouche pour l'embrasser. Si fort elle suffoqua qu'elle aurait glissé s'il ne l'eût retenue. Mais il la retint, et la redressa. Elle ne comprenait pas pourquoi un tel trouble, une telle angoisse lui serraient la gorge, car enfin, que pouvait-elle avoir à redouter de Sir Stephen qu'elle n'eût déjà éprouvé ? Il la pria de se mettre nue, et la regarda sans un mot lui obéir. N'avait-elle pas l'habitude, justement, d'être nue sous son regard, comme elle avait l'habitude de son silence, comme elle avait l'habitude d'attendre les décisions de son plaisir ? Elle dut reconnaître en elle-même qu'elle se faisait illusion, et que si elle était bouleversée par le lieu et par l'heure, par le fait que dans cette chambre elle n'avait jamais été nue que pour René, la raison essentielle de son trouble était bien toujours la même : la dépossession où elle était d'elle-même. La seule différence est que cette dépossession lui était rendue plus sensible par le fait qu'elle n'avait plus lieu dans un endroit où elle allait en quelque manière pour la subir, ni la nuit, participant par là du rêve, ou d'une existence clandestine, par rapport à la durée du jour comme Roissy avait été par rapport à la durée de sa vie avec René. La grande lumière d'un matin de mai rendait le clandestin au public : désormais la réalité de la nuit et la réalité du jour seraient la même réalité. Désormais — et O pensait : enfin. Voilà sans doute d'où naissait l'étrange sécurité, mêlée d'épouvante, à quoi elle sentait qu'elle s'abandonnait, et qu'elle avait pressentie sans la comprendre. Désormais, il n'y aurait plus d'hiatus, de temps mort, de rémission. Celui qu'on attend, parce qu'on l'attend, est déjà présent, déjà maître. Sir Stephen était un maître autrement exigeant mais autrement sûr, que René. Et si passionnément qu'O aimât René, et lui elle, il y avait entre eux comme une égalité (quand ce n'aurait été que l'égalité d'âge), qui annulait en elle le sentiment de l'obéissance, la conscience de sa soumission. Ce qu'il lui demandait, elle le voulait aussitôt, uniquement parce qu'il le lui demandait. Mais on eût dit qu'il lui avait communiqué, à l'égard de Sir Stephen, sa propre admiration, son propre respect. Elle obéissait aux ordres de Sir Stephen comme à des ordres en tant que tels, et lui était reconnaissante qu'il les lui donnât. Qu'il lui parlât français ou anglais, la tutoyât ou lui dît vous, elle ne l'appelait jamais que Sir Stephen, comme une étrangère, ou comme une servante. Elle se disait que le mot « Seigneur » eût mieux convenu, si elle avait osé le prononcer, comme lui convenait à elle, en face de lui, le mot d'esclave. Elle se disait aussi que tout était bien, puisque René était heureux d'aimer en elle l'esclave de Sir Stephen. Donc, ses vêtements posés au pied du lit, ayant remis ses mules à hauts talons, elle attendit les yeux baissés, face à Sir Stephen, qui était appuyé contre la fenêtre. Le grand soleil traversait les rideaux de mousseline à pois, et déjà chaud, lui tiédissait la hanche. O ne cherchait pas une contenance, mais songeait, très vite, qu'elle aurait dû se parfumer davantage, qu'elle ne s'était pas fardé la pointe des seins, et qu'heureusement elle avait ses mules, parce que le vernis de ses ongles commençait à s'écailler. Puis elle prit conscience soudain que ce qu'en fait elle attendait, dans ce silence, dans cette lumière, et ne s'avouait pas, c'est que Sir Stephen lui fît signe ou lui ordonnât de se mettre à genoux devant lui, de le défaire et de le caresser. Mais non. D'être seule à y avoir pensé, elle devint pourpre, et en même temps qu'elle rougissait, se jugeait ridicule de rougir : tant de pudeur chez une prostituée! A cet instant, Sir Stephen pria O de s'asseoir devant sa coiffeuse et de l'écouter. La coiffeuse n'était pas une coiffeuse à proprement parler, mais à côté d'une tablette basse dans le mur sur laquelle étaient posés brosses et flacons, une grande psyché Restauration où O, assise dans le petit fauteuil crapaud, pouvait se voir tout entière. Sir Stephen, en lui parlant, allait et venait derrière elle; son reflet traversait de temps en temps la glace, derrière l'image d'O, mais un reflet qui semblait lointain, parce que l'eau du miroir était verte, et un peu trouble. O, mains desserrées et genoux disjoints, aurait voulu saisir le reflet, et l'arrêter, pour répondre plus facilement. Car Sir Stephen, dans un anglais précis, posait question sur question, les dernières qu'O eût pu imaginer qu'il poserait jamais, à supposer qu'il en posât. A peine avait-il commencé, cependant, qu'il s'interrompit pour renverser O dans le fauteuil, en la faisant glisser en avant; sa jambe gauche relevée sur le bras du fauteuil, et l'autre légèrement repliée, O en pleine lumière s'offrit alors dans la glace à ses propres regards et aux regards de Sir Stephen aussi parfaitement ouverte que si un amant invisible s'était retiré d'elle pour la laisser entrebâillée. Sir Stephen reprit ses questions, avec une fermeté de juge, une adresse de confesseur. O ne le voyait pas parler, et se voyait répondre. Si elle avait, depuis qu'elle était revenue de Roissy, appartenu à d'autres hommes que René et lui ? Non. Si elle avait désiré appartenir à d'autres qu'elle eût rencontrés ? Non. Si elle se caressait la nuit, quand elle était seule ? Non. Si elle avait des amies dont elle se laissât caresser ou qu'elle caressât ? Non (le non était plus hésitant). Mais des amies qu'elle désirât ? Eh bien Jacqueline, sauf qu'amie était trop dire. Camarade serait plus juste, ou encore compagne, comme les filles bien élevées se désignent l'une l'autre dans les pensionnats de bon ton. Là-dessus Sir Stephen lui demanda si elle avait des photos de Jacqueline, et l'aida à se lever, pour qu'elle allât les chercher. Ce fut dans le salon que René, entrant hors d'haleine, car il avait monté les quatre étages en courant, les trouva : O était debout devant la grande table où brillaient, noires et blanches, comme des flaques d'eau dans la nuit, toutes les images de Jacqueline. Sir Stephen, à demi assis sur la table, les prenait une à une à mesure qu'O les lui tendait, et les reposait sur la table ; de l'autre main, il tenait O au ventre. De cet instant Sir Stephen qui avait sans la lâcher dit bonjour à René — elle sentait même qu'il enfonçait en elle sa main plus avant — ne s'adressa plus à elle mais à René. La raison lui en parut claire : René présent, l'accord entre Sir Stephen et lui s'établissait à propos d'elle, mais à part d'elle, elle n'en était que l'occasion ou l'objet, on n'avait plus à la questionner, elle n'avait plus à répondre, ce qu'elle devait faire, et même ce qu'elle devait être, se décidait en dehors d'elle. Midi approchait. Le soleil, tombant d'aplomb sur la table, roulait l'extrémité des photos. O voulut les déplacer, et les aplatir, pour éviter qu'elles ne fussent abîmées, incertaine de ses gestes, près de gémir, tant la main de Sir Stephen la brûlait. Elle n'y parvint pas, gémit en effet, et se retrouva couchée sur le dos par le travers de la table, au milieu des photos, où Sir Stephen, la quittant, l'avait brusquement jetée, les jambes écartées et pendantes. Ses pieds ne touchaient pas terre, une de ses mules lui échappa, glissa sans bruit sur le tapis blanc. Son visage était en plein dans le soleil : elle ferma les yeux.

Elle devait se souvenir, mais beaucoup plus tard, et sur le moment elle n'en fut pas frappée, qu'elle assista alors au dialogue entre Sir Stephen et René, ainsi gisante, comme s'il ne la concernait pas, et en même temps comme un événement déjà vécu. Et c'était vrai qu'elle avait déjà vécu une scène analogue ; puisque la première fois où René l'avait amenée chez Sir Stephen, ils avaient discuté d'elle de la même manière. Mais cette première fois, elle était inconnue à Sir Stephen, et des deux, René parlait le plus. Sir Stephen depuis l'avait pliée à toutes ses fantaisies, l'avait façonnée à sa mesure, avait exigé et obtenu d'elle comme allant de soi les plus outrageantes complaisances. Elle n'avait plus rien à livrer qu'il ne possédât déjà. Du moins elle le croyait. Il parlait, lui, généralement silencieux devant elle, et ses propos, comme ceux de René quand René répondait, montraient qu'ils reprenaient une conversation souvent engagée entre eux, dont elle était le sujet. Il s'agissait du meilleur parti qu'on pourrait tirer d'elle, et de mettre en commun ce que l'usage qu'ils faisaient d'elle avait appris à chacun. Sir Stephen reconnut volontiers qu'O était infiniment plus émouvante lorsque son corps portait des marques, quelles qu'elles fussent, ne serait-ce que parce que ces marques faisaient qu'elle ne pouvait tricher, et indiquaient aussitôt qu'on les voyait que tout était permis à son égard. Car le savoir était une chose ; en voir la preuve, et la preuve constamment renouvelée, une autre. René, dit Sir Stephen, avait eu raison de désirer qu'elle fût fouettée. Ils décidèrent qu'elle le serait, en dehors même du plaisir qu'on pouvait prendre à ses cris et à ses larmes, aussi souvent qu'il serait nécessaire pour que quelque trace en subsistât toujours sur elle. O écoutait, toujours renversée et brûlante et immobile, et il lui semblait que Sir Stephen, par une étrange substitution, parlait pour elle, et à sa place. Comme s'il avait été, lui, dans son propre corps, et qu'il eût éprouvé l'inquiétude, l'angoisse, la honte, mais aussi le secret orgueil et le plaisir déchirant qu'elle éprouvait, particulièrement lorsqu'elle était seule au milieu de passants, dans la rue, ou qu'elle montait dans un autobus, ou lorsqu'elle se trouvait au studio, avec les mannequins et les machinistes, à se dire que n'importe lequel des êtres devant qui elle était, s'il lui arrivait quelque accident, et qu'on dût l'étendre à terre ou appeler quelque médecin, garderait, même évanoui et nu, son secret, mais elle non : son secret ne tenait pas à son seul silence, ne dépendait pas d'elle seule. Elle ne pouvait, en aurait-elle eu envie, se permettre le moindre caprice — et c'était bien le sens d'une des questions de Sir Stephen — sans s'avouer elle-même aussitôt, elle ne pouvait se permettre les actes les plus innocents, jouer au tennis, ou nager. Il lui était doux que ce lui fût interdit, matériellement, comme la grille du couvent interdit matériellement aux filles cloîtrées de s'appartenir, et de s'échapper. Pour cette raison encore, comment courir la chance que Jacqueline ne la repoussât pas, sans courir en même temps le risque d'avoir à expliquer à Jacqueline, sinon la vérité, du moins une partie de la vérité ?

Le soleil avait tourné et quitté son visage. Ses épaules collaient au glacis des photos au travers desquelles elle était couchée, et elle sentait contre son genou le rebord rugueux de la veste de Sir Stephen qui s'était approché d'elle. René et lui la prirent chacun par une main et la remirent debout. René ramassa sa mule. Il fallait s'habiller. Ce fut pendant le déjeuner qui suivit à Saint-Cloud, au bord de la Seine, que Sir Stephen, demeuré seul avec elle, recommença à l'interroger. Au pied d'une haie de troènes, qui délimitait l'esplanade ombragée où les tables du restaurant étaient groupées, couvertes de nappes blanches, courait une plate-bande de pivoines rouge sombre; à peine ouvertes. O mit longtemps à réchauffer, de ses cuisses nues, la chaise de fer où elle s'était assise obéissante, relevant ses jupes avant même que Sir Stephen lui fît signe. On entendait le bruissement de l'eau contre les barques accrochées à une plate-forme de planches, au bout de l'esplanade. Sir Stephen faisait face à O, qui parlait lentement, décidée à ne pas dire un mot qui ne fût vrai. Ce que voulait savoir Sir Stephen, c'était pourquoi Jacqueline lui plaisait. Ah! ce n'était pas difficile : c'est qu'elle était trop belle pour O, comme les poupées, aussi grandes qu'eux, qu'on donne aux enfants pauvres, et auxquelles ils n'osent jamais toucher. Et en même temps elle savait bien que si elle ne lui parlait pas, et ne l'approchait pas, c'est qu'elle n'en avait pas vraiment envie. Là, elle leva les yeux qu'elle avait tenus baissés vers les pivoines, et se rendit compte que Sir Stephen fixait ses lèvres. L'écoutait-il, ou s'il était seulement attentif au son de sa voix, au mouvement de ses lèvres? Elle se tut brusquement, et le regard de Sir Stephen remonta et croisa son propre regard. Ce qu'elle y lut était cette fois si clair, et il était si clair pour lui qu'elle avait bien lu, que ce fut son tour de pâlir. S'il l'aimait, lui pardonnerait-il de s'en être aperçue? Elle ne pouvait ni détourner les yeux, ni sourire, ni parler. S'il l'aimait, qu'y aurait-il de changé ? On l'aurait menacée de mort, elle serait restée pareillement incapable d'un geste, incapable de fuir, ses genoux ne l'auraient pas portée. Sans doute ne voudrait-il jamais rien d'elle que la soumission à son désir, tant que son désir durerait. Mais était-ce bien le désir qui, depuis le jour où René la lui avait remise, suffisait à expliquer qu'il la réclamât et la retînt de plus en plus souvent, et quelquefois pour sa seule présence, et sans rien lui demander ? Il était devant elle, muet et immobile comme elle ; des hommes d'affaires, à la table voisine, discutaient en buvant un café si noir et si fort que le parfum en venait jusqu'à leur propre table ; deux Américaines, méprisantes et soignées, au milieu de leur repas allumaient déjà des cigarettes ; le gravier crissait sous le pas des garçons — l'un d'eux avança pour remplir le verre de Sir Stephen, aux trois quarts vide, mais pourquoi verser à boire à une statue, à un somnambule ? Il n'insista pas. O sentit avec délices que si le regard gris et brûlant quittait ses yeux, c'était pour s'attacher à ses mains, à ses seins, pour revenir à ses yeux. Elle vit naître enfin une ombre de sourire, auquel elle osa répondre. Mais prononcer un seul mot, impossible. A peine si elle respirait. « O… », dit Sir Stephen. « Oui », dit O, toute faible. « O, ce dont je vais vous parler, j'en ai décidé avec René. Mais aussi, je… » Il s'interrompit. O ne sut jamais si c'était parce qu'elle avait fermé les yeux de saisissement, ou parce qu'à lui aussi, le souffle manquait. Il attendit, le garçon changeait les assiettes, apportait à O le menu pour qu'elle choisît le dessert. O le tendit à Sir Stephen. Un soufflé ? Oui, un soufflé. C'est vingt minutes. Bon, vingt minutes. Le garçon partit. « Il me faut plus de vingt minutes », dit Sir Stephen. Et il continua d'une voix égale, et ce qu'il dit eut vite fait de prouver à O qu'au moins une chose était sûre, c'est que s'il l'aimait, rien n'en serait changé, à moins de compter pour changement ce curieux respect, cette ardeur avec lesquels il lui disait : « Je serais heureux si vous vouliez bien... » au lieu de simplement la prier d'accéder à ses demandes. Il ne s'agissait pourtant que d'ordres auxquels il n'était pas question qu'O pût se soustraire. Elle le fit remarquer à Sir Stephen. Il le reconnut. « Répondez tout de même », dit-il. « Je ferai ce que vous voudrez », répondit O, et l'écho de ce qu'elle disait la frappa en retour : « Je ferai ce que tu voudras », disait-elle à René. Elle murmura : « René... » Sir Stephen l'entendit. « René sait ce que je veux de vous. Ecoutez-moi. » Il parlait en anglais, mais d'une voix basse et sourde, qu'on ne pouvait percevoir aux tables voisines. Quand les garçons s'approchaient, il cessait, recommençait au milieu de la phrase quand ils s'éloignaient. Ce qu'il disait semblait insolite dans ce lieu public et paisible, et pourtant le plus insolite était sans doute qu'il pût le dire, et O l'écouter, avec autant de naturel. Il lui rappela tout d'abord que le premier soir où elle était venue chez lui, il lui avait donné un ordre auquel elle n'avait pas obéi, et lui fit remarquer que bien qu'il l'eût alors giflée, il n'avait jamais depuis renouvelé son ordre. Lui accorderait-elle désormais ce qu'elle lui avait alors refusé ? O comprit qu'il ne fallait pas seulement acquiescer, mais qu'il voulait entendre de sa bouche, en propres termes, que oui, elle se caresserait, chaque fois qu'il le lui demanderait. Elle le dit, et revit le salon jaune et gris, le départ de René, sa révolte du premier soir, le feu qui brillait entre ses genoux desserrés, quand elle était couchée nue sur le tapis. Ce soir, dans ce même salon... Mais non, Sir Stephen ne précisait pas, et continuait. Il lui fit remarquer aussi qu'elle n'avait jamais été, en sa présence, possédée par René (ni par personne d'autre) comme elle l'avait été en présence de René par lui (et à Roissy, par bien d'autres hommes). Elle n'en devait pas conclure que de René seul lui viendrait l'humiliation de se livrer à un homme qui ne l'aimait pas — et peut-être d'y prendre plaisir — devant un homme qui l'aimait. (Il insistait, si longuement, si brutalement : elle ouvrirait bientôt son ventre et ses reins, et sa bouche à ceux de ses amis qui auraient envie d'elle, quand ils l'auraient rencontrée — qu'O douta si cette brutalité ne s'adressait pas à lui autant qu'à elle, et elle ne retint que la fin de la phrase : un homme qui l'aimait. Quel autre aveu voulait-elle ?) D'ailleurs, il la ramènerait lui-même à Roissy, dans le cours de l'été. Ne s'était-elle jamais étonnée de l'isolement où René d'abord, et lui ensuite, la maintenaient ? Elle les voyait seuls, soit ensemble, soit tour à tour. Lorsque Sir Stephen recevait dans sa maison de la rue de Poitiers, il n'invitait pas O. Jamais elle n'avait déjeuné ou dîné chez lui. Jamais non plus René ne lui avait, en dehors de Sir Stephen, présenté ses amis. Il continuerait sans doute à la tenir à l'écart, car Sir Stephen détenait désormais le privilège de disposer d'elle. Qu'elle ne crût pas que d'être à lui, elle serait moins en charte privée; au contraire. (Mais ce qui frappait O en plein cœur, c'est que Sir Stephen allait être avec elle comme était René, exactement, identiquement.) L'anneau de fer et d'or qu'elle portait à la main gauche — et se souvenait-elle qu'il lui avait été choisi si étroit qu'il avait fallu forcer pour y faire entrer son annulaire ? elle ne pouvait pas l'ôter — était signe qu'elle était esclave, mais esclave commune. Le hasard avait voulu qu'elle n'eût pas rencontré, depuis l'automne, d'affiliés de Roissy, qui eussent remarqué ses fers, ou manifesté qu'ils les remarquaient. Le mot de fers, employé au pluriel, où elle avait vu une équivoque lorsque Sir Stephen lui avait dit que les fers lui allaient bien, n'était nullement une équivoque, mais une formule de reconnaissance. Sir Stephen n'avait pas eu à utiliser la seconde formule : à savoir, à qui étaient les fers qu'elle portait. Mais si la question était aujourd'hui posée à O, que répondrait-elle ? O hésita. « A René et à vous, dit-elle. — Non, dit Sir Stephen, à moi. René désire que vous releviez d'abord de moi. » O le savait bien, pourquoi trichait-elle ? D'ici quelque temps, et en tout cas avant qu'elle ne retourne à Roissy, elle aurait à accepter une marque définitive, qui ne la dispenserait pas d'être esclave commune, mais la désignerait, en outre, comme esclave particulière, la sienne, et auprès de laquelle les traces sur son corps de coups de fouet ou de cravache, fussent-elles renouvelées, seraient discrètes et futiles. (Mais quelle marque, en quoi consisterait-elle, comment serait-elle définitive ? O terrifiée, fascinée, mourait du besoin de savoir, et de savoir tout de suite. Mais évidemment Sir Stephen ne s'expliquerait pas encore. Et c'était vrai qu'il lui faudrait accepter, consentir au vrai sens du mot, car rien ne lui serait infligé de force, à quoi elle n'eût consenti d'abord, elle pouvait refuser, rien ne la retenait dans son esclavage, que son amour et son esclavage mêmes. Qu'est-ce qui l'empêchait de partir ?) Cependant, avant que cette marque ne lui fût imposée, avant même que Sir Stephen ne prît l'habitude, comme il en avait été décidé avec René, de la fouetter de telle manière que les traces en soient constamment visibles, il lui serait laissé un sursis — le temps qu'il faudrait pour qu'elle amenât Jacqueline à lui céder. Ici, O stupéfaite releva la tête et regarda Sir Stephen. Pourquoi ? Pourquoi Jacqueline ? Et si Jacqueline intéressait Sir Stephen, pourquoi était-ce par rapport à O ? « Il y a deux raisons, dit Sir Stephen. La première, et la moins importante, est que je désire vous voir embrasser et caresser une femme. — Mais comment voulez-vous, s'écria O, que j'obtienne, en admettant qu'elle veuille bien de moi, son consentement à votre présence ? — Ce n'est que peu de chose, dit Sir Stephen, par trahison au besoin, et je compte que vous obtiendrez bien davantage, car la seconde raison pourquoi je désire qu'elle soit à vous, c'est qu'il vous faudra l'emmener à Roissy. » O reposa la tasse de café qu'elle tenait à la main, tremblant si fort qu'elle renversa sur la nappe le fond mêlé de marc et de sucre qui y restait encore. Comme une devineresse, elle voyait dans la tache brune qui s'élargissait des images insoutenables : les yeux glacés de Jacqueline devant le valet Pierre, ses hanches, sans doute aussi dorées que ses seins, et qu'O ne connaissait pas, offertes dans sa grande robe de velours rouge retroussée, sur le duvet de ses joues des larmes et sa bouche fardée ouverte et criant, et ses cheveux droits comme paille fauchée sur son front, non c'était impossible, non pas elle, pas Jacqueline. « Ce n'est pas possible, dit-elle. — Si, répliqua Sir Stephen. Et comment croyez-vous que se recrutent les filles pour Roissy ? Une fois que vous l'aurez amenée, rien ne vous regardera plus et d'ailleurs, si elle veut partir, elle partira. Venez. » Il s'était levé brusquement, laissant sur la table l'argent de l'addition. O le suivit jusqu'à la voiture, monta, s'assit. A peine eurent-ils pénétré dans le Bois qu'il fit un détour pour se ranger dans une petite contre-allée, et la prit dans ses bras.

III

ANNE-MARIE ET LES ANNEAUX

O avait cru, ou voulu croire, pour se donner des excuses, que Jacqueline serait farouche. Elle fut détrompée aussitôt qu'elle voulut l'être. Les airs pudiques que prenait Jacqueline, fermant la porte de la petite pièce au miroir où elle mettait et enlevait ses robes, étaient précisément destinés à aguicher O, à lui donner envie de forcer une porte que, grande ouverte, elle ne se décidait pas à franchir. Que la décision d'O vînt finalement d'une autorité en dehors d'elle, et ne fût pas le résultat de cette élémentaire stratégie, Jacqueline était à mille lieues d'y penser. O s'en amusa d'abord. Elle éprouvait un surprenant plaisir, alors qu'elle aidait Jacqueline à se recoiffer, par exemple, lorsque Jacqueline, ayant quitté les vêtements dans lesquels elle avait posé, mettait son chandail serré au cou, et le collier de turquoises pareilles à ses yeux, à l'idée que le même soir Sir Stephen saurait chacun des gestes de Jacqueline, si elle avait laissé O saisir ses deux seins écartés et petits, à travers le chandail noir, si ses paupières avaient abaissé sur sa joue ses cils plus clairs que sa peau, si elle avait gémi. Quand O l'embrassait, elle devenait toute lourde, immobile et comme attentive dans ses bras, laissait entrouvrir sa bouche et tirer à la renverse ses cheveux. Il fallait toujours qu'O prît garde de l'appuyer au chambranle d'une porte, ou contre une table, et de la tenir aux épaules. Autrement elle aurait glissé sur le sol, les yeux fermés, sans une plainte. Sitôt qu'O la lâchait, elle redevenait de givre et de glace, riante et étrangère, disait : « Vous m'avez mis du rouge » et s'essuyait la bouche. C'est cette étrangère qu'O aimait trahir en prenant si soigneusement garde — pour n'en oublier rien de tout redire — à la lente rougeur de ses joues, à l'odeur de sauge de sa sueur. On ne pouvait pas dire que Jacqueline se défendît, ni se méfiât. Quand elle cédait aux baisers — et elle n'avait encore accordé à O que des baisers, qu'elle laissait prendre et ne rendait pas —, elle cédait brusquement, et l'on aurait dit entièrement, devenant soudain quelqu'un d'autre, pendant dix secondes, pendant cinq minutes. Le reste du temps, elle était à la fois provocante et fuyante, d'une incroyable habileté à l'esquive, s'arrangeant sans jamais une faute pour ne donner prise ni à un geste, ni à un mot, ni même à un regard qui permît de faire coïncider cette triomphante avec cette vaincue, et de faire croire qu'il était si facile de forcer sa bouche. Le seul indice par quoi l'on pût se guider, et soupçonner peut-être le trouble proche sous l'eau de son regard, était parfois comme l'ombre involontaire d'un sourire, semblable sur son visage triangulaire à un sourire de chat, également indécis et fugace, également inquiétant. O cependant ne fut pas longue à remarquer que deux choses le faisaient naître, sans que Jacqueline en eût conscience. La première était les cadeaux qu'on lui faisait, la seconde l'évidence du désir qu'elle inspirait — à condition toutefois que ce désir vînt de quelqu'un qui pût lui être utile ou la flattât. A quoi donc O lui était-elle utile ? Ou si par exception Jacqueline prenait simplement plaisir à être désirée d'elle, à la fois parce que l'admiration que lui portait O lui était un réconfort, et aussi parce que le désir d'une femme est sans danger et sans conséquences ? O était toutefois persuadée que si elle avait offert à Jacqueline, au lieu de lui apporter un clip de nacre ou le dernier foulard d'Hermès, où « Je vous aime » était imprimé dans toutes les langues de l'univers, du japonais à l'iroquois, les dix ou vingt mille francs qui semblaient constamment lui manquer, Jacqueline aurait cessé de n'avoir autant dire jamais le temps de venir déjeuner ou goûter chez O, ou cessé d'esquiver ses caresses. Mais O n'en eut jamais la preuve. A peine en avait-elle parlé à Sir Stephen, qui lui reprochait sa lenteur, que René intervint. Les cinq ou six fois où René était venu chercher O, et où Jacqueline s'était trouvée là, tous trois étaient allés ensemble soit au Weber, soit dans un des bars anglais qui avoisinent la Madeleine ; René regardait Jacqueline avec exactement le mélange d'intérêt, d'assurance et d'insolence avec lequel il regardait à Roissy les filles qui étaient à sa disposition. Sur la brillante et solide armure de Jacqueline, l'insolence glissait sans rien entamer, Jacqueline ne la percevait même pas. Par une curieuse contradiction, O en fut atteinte, trouvant insultante envers Jacqueline une attitude qu'elle trouvait juste et naturelle envers elle-même. Voulait-elle prendre la défense de Jacqueline, ou désirait-elle être seule à la posséder ? Il lui eût été bien difficile de le dire, et d'autant plus qu'elle ne la possédait pas — pas encore. Mais si elle y parvint, il faut bien reconnaître que ce fut grâce à René. A trois reprises, sortant du bar, où il avait fait boire à Jacqueline beaucoup plus de whisky qu'elle n'aurait dû — ses pommettes devenaient roses et luisantes, et ses yeux durs —, il l'avait reconduite chez elle, avant d'aller avec O chez Sir Stephen. Jacqueline habitait une de ces sombres pensions de famille de Passy où s'étaient entassés les Russes blancs aux premiers jours de l'émigration, et dont ils n'avaient plus jamais bougé. Le vestibule était peint en simili-chêne, les balustres de l'escalier, dans leurs creux, étaient couverts de poussière, et de grandes marques blanches d'usure marquaient les moquettes vertes. Chaque fois René — qui n'avait jamais franchi la porte — voulait entrer, chaque fois Jacqueline criait non, criait merci beaucoup, et sautait à bas de la voiture, et claquait la porte derrière elle comme si quelque langue de flamme eût dû soudain l'atteindre et la brûler. Et c'est vrai, se disait O, qu'elle était poursuivie par le feu. Il était admirable qu'elle le devinât, quand rien encore ne l'en avait instruite. Au moins savait-elle qu'il lui fallait prendre garde à René, si insensible qu'elle parût être à son détachement (mais l'était-elle ? et pour ce qui était de paraître insensible, ils étaient deux de jeu, car il la valait bien). O avait compris la seule fois où Jacqueline l'avait laissée entrer dans sa maison, et la suivre dans sa chambre, pourquoi elle refusait si farouchement à René la permission d'y pénétrer. Que serait devenu son prestige, sa légende noire et blanche sur les pages vernies des luxueuses revues de mode, si quelqu'un d'autre qu'une femme comme elle avait vu de quelle sordide tanière sortait chaque jour la bête lustrée ? Le lit n'était jamais fait, à peine était-il recouvert, et le drap qu'on apercevait était gris et gras, parce que Jacqueline ne se couchait jamais sans masser son visage de crème, et s'endormait trop vite pour penser à l'essuyer. Un rideau devait masquer jadis le cabinet de toilette, il restait deux anneaux sur la tringle, d'où pendaient quelques brins de fil. Rien n'avait plus de couleur, ni le tapis, ni le papier dont les fleurs roses et grises grimpaient comme une végétation devenue folle et pétrifiée sur un faux treillage blanc. Il aurait fallu tout arracher, mettre les murs à nu, jeter les tapis, décaper le plancher. En tout cas, tout de suite, enlever les lignes de crasse qui, comme des strates, rayaient l'émail du lavabo, tout de suite essuyer et ranger en ordre les flacons de démaquillant et les boîtes de crème, essuyer le poudrier, essuyer la coiffeuse, jeter les cotons sales, ouvrir les fenêtres. Mais droite et fraîche et propre et sentant la citronnelle et les fleurs sauvages, impeccable, insalissable, Jacqueline se moquait bien de son taudis. Par contre, ce dont elle ne se moquait pas, et qui lui pesait, c'était sa famille. Ce fut à cause du taudis, dont O avait eu la candeur de parler, que René suggéra à O la proposition qui devait changer leur vie, mais à cause de sa famille que Jacqueline l'accepta. C'était que Jacqueline vînt habiter chez O. Une famille, c'était peu dire, une tribu, ou plutôt une horde. Grand-mère, tante, mère, et même une servante, quatre femmes entre soixante-dix et cinquante ans, fardées, criantes, étouffées sous les soies noires et le jais, sanglotant à quatre heures du matin dans la fumée des cigarettes à la petite lueur rouge des icônes, quatre femmes dans le cliquetis des verres de thé et le chuintement rocailleux d'une langue que Jacqueline aurait donné la moitié de sa vie pour oublier, elle devenait folle d'avoir à leur obéir, à les entendre, et seulement à les voir. Quand elle voyait sa mère porter un morceau de sucre à sa bouche pour boire son thé, elle reposait son propre verre, elle regagnait sa bauge poussiéreuse et sèche, et les laissait toutes les trois, sa grand-mère, sa mère, la sueur de sa mère, toutes les trois noires de cheveux teints et de sourcils rapprochés, avec de grands yeux de biche réprobateurs, dans la chambre de sa mère qui servait de salon, et où la servante finissait par leur ressembler. Elle fuyait, claquait les portes derrière elle, et on criait après elle « Choura, Choura, petite colombe », comme dans les romans de Tolstoï, car elle ne s'appelait pas Jacqueline. Jacqueline était un nom pour son métier, un nom pour oublier son vrai nom, et avec son vrai nom le gynécée sordide et tendre, pour s'établir au jour français, dans un monde solide où il existe des hommes qui vous épousent, et qui ne disparaissent pas dans de mystérieuses expéditions comme son père qu'elle n'avait jamais connu, marin balte perdu dans les glaces du pôle. A lui seul elle ressemblait, se disait-elle avec rage et délices, à lui dont elle avait les cheveux et les pommettes, et la peau bise et les yeux tirés vers les tempes. La seule reconnaissance qu'elle se sentît envers sa mère était de lui avoir donné pour père ce démon clair, que la neige avait repris comme la terre reprend les autres hommes. Mais elle lui en voulait de l'avoir assez oublié pour qu'un beau jour soit née, d'une brève liaison, une petite fille noiraude, une demi-sœur déclarée de père inconnu, qui s'appelait Natalie, et avait maintenant quinze ans. On ne voyait Natalie qu'aux vacances. Son père, jamais. Mais il payait la pension de Natalie dans un lycée voisin de Paris, et à la mère de Natalie une rente de quoi vivaient médiocrement, dans une oisiveté qui leur était un paradis, les trois femmes et la servante — et même Jacqueline, jusqu'à ce jour. Ce que Jacqueline gagnait, à son métier de mannequin, ou comme on disait à l'américaine, de modèle, lorsqu'elle ne le dépensait pas en fards ou en lingerie, ou en chaussures de grand bottier, ou costumes de grand couturier — à prix de faveur, mais c'était encore très cher — s'engouffrait dans la bourse familiale, et disparaissait on ne savait à quoi. Assurément, Jacqueline aurait pu se faire entretenir, et l'occasion ne lui avait pas manqué. Elle avait accepté un ou deux amants, moins parce qu'ils lui plaisaient — ils ne lui déplaisaient pas —, que pour se prouver qu'elle était capable d'inspirer le désir et l'amour. Le seul des deux — le second — qui fût riche lui avait fait cadeau d'une très belle perle un peu rose qu'elle portait à la main gauche, mais elle avait refusé d'habiter avec lui, et comme lui refusait de l'épouser, elle l'avait quitté, sans beaucoup de regrets, et soulagée de n'être pas enceinte (elle avait cru l'être, pendant quelques jours avait vécu dans l'épouvante). Non, habiter avec un amant, c'était perdre la face, perdre ses chances d'avenir, c'était faire ce que sa mère avait fait avec le père de Natalie, c'était impossible. Mais avec O, tout changeait. Une fiction polie permettrait de laisser croire que Jacqueline s'installait simplement avec une camarade, et partageait avec elle. O servirait deux buts à la fois, jouerait auprès de Jacqueline le rôle de l'amant qui fait vivre ou aide à vivre la fille qu'il aime, et le rôle en principe opposé de caution morale. La présence de René n'était pas assez officielle pour que la fiction risquât d'être compromise. Mais à l'arrière-plan de la décision de Jacqueline, qui dira si cette même présence n'avait pas été le vrai mobile de son acceptation ? Toujours est-il qu'il appartint à O, et à O seule, de faire auprès de la mère de Jacqueline une démarche. Jamais O n'eut aussi vivement le sentiment d'être le traître, l'espion, l'envoyé d'une organisation criminelle, que lorsqu'elle se trouva devant cette femme qui la remerciait de son amitié pour sa fille. En même temps, au fond de son cœur, elle niait sa mission, et la raison de sa présence. Oui, Jacqueline viendrait chez elle, mais jamais O ne pourrait, jamais, obéir assez bien à Sir Stephen pour entraîner Jacqueline. Et pourtant... Car à peine Jacqueline fut-elle installée chez O, où elle se vit attribuer — et sur la demande de René — la chambre que celui-ci faisait parfois semblant d'occuper (semblant, étant donné qu'il dormait toujours dans le grand lit d'O), qu'O se trouva contre toute attente surprise par le violent désir de posséder Jacqueline coûte que coûte, et dût-elle pour y parvenir, la livrer. Après tout, se disait-elle, la beauté de Jacqueline suffit bien à la protéger, qu'ai-je à m'en mêler, et si elle doit être réduite où j'en suis réduite, est-ce un si grand mal? — s'avouant à peine, et pourtant bouleversée d'imaginer quelle douceur il y aurait à voir Jacqueline nue et sans défense auprès d'elle, et comme elle.

La semaine où Jacqueline s'installa, toute permission ayant été donnée par sa mère, René se montra fort empressé, invitant un jour sur deux les jeunes filles à dîner, et les emmenant voir des films, qu'il choisissait curieusement parmi les films policiers, histoires de trafiquants de drogue, ou de traite des blanches. Il s'asseyait entre elles deux, prenait doucement la main à chacune, et ne disait mot. Mais O le voyait à chaque scène de violence, guetter une émotion sur le visage de Jacqueline. On n'y lisait qu'un peu de dégoût, qui abaissait les coins de sa bouche. Puis il les reconduisait, et dans la voiture découverte, vitres baissées, le vent de la nuit et la vitesse rabattaient sur les joues dures et sur le petit front, et jusque dans les yeux de Jacqueline, ses cheveux clairs et touffus. Elle secouait la tête pour les remettre en place, y passait la main comme font les garçons. Une fois admis qu'elle était chez O, et qu'O était la maîtresse de René, Jacqueline semblait trouver de ce fait naturelles les familiarités de René. Elle admettait sans broncher que René pénétrât dans sa chambre, sous prétexte qu'il y avait oublié quelque document, ce qui n'était pas vrai, O le savait, elle avait elle-même vidé les tiroirs du grand secrétaire hollandais, fleuri de marqueterie, à l'abattant doublé de cuir toujours ouvert, et qui allait si mal avec René. Pourquoi l'avait-il ? De qui le tenait-il ? Sa lourde élégance, ses bois clairs, étaient le seul luxe de la pièce un peu sombre, qui ouvrait au nord, sur la cour, et dont les murs gris couleur d'acier, et le plancher bien ciré et froid faisaient contraste avec les pièces souriantes sur le quai. C'était très bien, Jacqueline ne s'y plairait pas. Elle accepterait d'autant plus facilement de partager avec O les deux pièces de devant, de dormir avec O, comme elle avait accepté du premier jour de partager la salle de bains et la cuisine, les fards, les parfums, les repas. En quoi O se trompait. Jacqueline était passionnément attachée à ce qui lui appartenait — à sa perle rose, par exemple — mais d'une indifférence absolue à ce qui ne lui appartenait pas. Logée dans un palais, elle ne s'y serait intéressée que si on lui eût dit : le palais est à vous, et qu'on le lui eût prouvé, par acte notarié. Que la chambre grise fût plaisante ou non lui était bien égal, et ce ne fut pas pour y échapper qu'elle vint coucher dans le lit d'O. Pas davantage pour prouver à O une reconnaissance qu'elle n'éprouvait pas — et que cependant O lui prêta, heureuse en même temps d'en abuser, à ce qu'elle croyait. Jacqueline aimait le plaisir, et trouvait agréable et pratique de le recevoir d'une femme, entre les mains de qui elle ne risquait rien.

Cinq jours après avoir défait ses valises, dont O l'avait aidée à ranger le contenu, quand René les eut pour la première fois ramenées, vers les dix heures, après avoir dîné avec elles, et fut parti — car il partit comme les deux autres fois —, elle apparut simplement, nue et encore moite de son bain, dans l'encadrement de la porte de la chambre d'O, dit à O : « Il ne revient pas, vous êtes sûre ? » et, sans même attendre la réponse, se glissa dans le grand lit. Elle se laissa embrasser et caresser, les yeux fermés, sans répondre par une seule caresse, gémit d'abord à peine, puis plus fort, puis encore plus fort, et enfin cria. Elle s'endormit dans la pleine lumière de la lampe rose, en travers du lit, genoux retombés et disjoints, le buste un peu de côté, les mains ouvertes. On voyait briller la sueur entre ses seins. O la recouvrit, éteignit. Deux heures plus tard, quand elle la reprit, dans le noir, Jacqueline se laissa faire, mais murmura : « Ne me fatigue pas trop, je me lève tôt demain. »

Ce fut le temps où Jacqueline, outre son métier intermittent de modèle, commença d'exercer un métier non moins irrégulier, mais plus absorbant : elle fut engagée pour tourner de petits rôles. Il était difficile de savoir si elle en était fière ou non, si elle y voyait ou non le premier pas dans une carrière où elle eût désiré devenir célèbre. Elle s'arrachait du lit le matin, avec plus de rage que d'élan, se douchait et se fardait à la hâte, n'acceptait que la grande tasse de café noir qu'O avait eu juste le temps de lui préparer, et se laissait baiser le bout des doigts, avec un sourire machinal et un regard plein de rancune : O était douce et tiède dans sa robe de chambre de vigogne blanche, les cheveux brossés, le visage lavé, l'air de quelqu'un qui va dormir encore. Pourtant ce n'était pas vrai. O n'avait pas encore osé expliquer pourquoi à Jacqueline. La vérité était que chacun des jours où Jacqueline partait, à l'heure où les enfants vont en classe et les petits employés à leur bureau, pour le studio de Boulogne où elle tournait, O qui jadis en effet demeurait chez elle presque toute la matinée s'habillait à son tour : « Je vous envoie ma voiture, avait dit Sir Stephen, elle emmènera Jacqueline à Boulogne, puis reviendra vous chercher. » Si bien qu'O se trouva se rendre chaque matin chez Sir Stephen, quand le soleil sur sa route ne frappait encore que l'est des façades ; les autres murs étaient frais, mais dans les jardins l'ombre se raccourcissait sous les arbres. Rue de Poitiers, le ménage n'était pas fini. Norah la mulâtresse conduisait O dans la chambre où le premier soir Sir Stephen l'avait laissée dormir et pleurer seule, attendait qu'O eût déposé ses gants, son sac et ses vêtements, sur le lit pour les prendre et les ranger devant O dans un placard dont elle gardait la clef, puis ayant donné à O des mules à hauts talons, vernies, qui claquaient quand elle marchait, la précédait, ouvrant les portes devant elle, jusqu'à la porte du bureau de Sir Stephen, où elle s'effaçait pour la faire passer. O ne s'habitua jamais à ses préparatifs, et se mettre nue devant cette vieille femme patiente qui ne lui parlait pas et la regardait à peine, lui semblait aussi redoutable que d'être nue à Roissy sous les regards des valets. Sur des chaussons de feutre, comme une religieuse, la vieille mulâtresse glissait en silence. O ne pouvait quitter des yeux, tout le temps qu'elle la suivait, les deux pointes de son madras, et chaque fois qu'elle ouvrait une porte, sur la poignée de porcelaine sa main bistre et maigre, qui semblait dure comme du vieux bois. En même temps, par un sentiment absolument opposé à l'effroi qu'elle lui inspirait — et dont O ne s'expliquait pas la contradiction —, O éprouvait une sorte de fierté à ce que cette servante de Sir Stephen (qu'était-elle à Sir Stephen, et pourquoi lui confiait-il ce rôle d'appareilleuse qu'elle semblait si mal faite pour remplir ?) fût témoin qu'elle aussi — comme d'autres peut-être, de la même manière amenées par elle, qui sait ? — méritait d'être utilisée par Sir Stephen. Car Sir Stephen l'aimait peut-être, l'aimait sans doute, et O sentait que le moment n'était pas éloigné où il allait non plus le lui laisser entendre, mais le lui dire — mais dans la mesure même où son amour pour elle, et son désir d'elle, allaient croissant, il était avec elle plus longuement, plus lentement, plus minutieusement exigeant. Ainsi gardée auprès de lui les matinées entières, où parfois il la touchait à peine, voulant seulement être caressé d'elle, elle se prêtait à ce qu'il lui demandait avec ce qu'il faut bien appeler de la reconnaissance, plus grande encore lorsque la demande prenait la forme d'un ordre. Chaque abandon lui était le gage qu'un autre abandon serait exigé d'elle, de chacun elle s'acquittait comme d'un dû ; il était étrange qu'elle en fût comblée : cependant elle l'était. Le bureau de Sir Stephen, situé au-dessus du salon jaune et gris où il se tenait le soir, était plus étroit, et plus bas de plafond. Il n'y avait ni canapé ni divan, mais seulement deux fauteuils Régence couverts de tapisserie à fleurs. O s'y asseyait parfois, mais Sir Stephen préférait généralement la tenir plus près de lui, à portée de la main et pendant qu'il ne s'occupait pas d'elle, l'avoir pourtant assise sur son bureau, à sa gauche. Le bureau était placé perpendiculairement au mur, O pouvait s'accoter aux rayonnages qui portaient quelques dictionnaires et des annuaires reliés. Le téléphone était contre sa cuisse gauche, et elle tressaillait à chaque fois que la sonnerie retentissait. C'est elle qui décrochait, et répondait, disait : « De la part de qui ? », répétait le nom tout haut et ou bien passait la communication à Sir Stephen, ou bien l'excusait, suivant le signe qu'il lui faisait. Quand il avait à recevoir quelqu'un, la vieille Norah l'annonçait, Sir Stephen faisait attendre, le temps pour Norah de remmener O dans la chambre où elle s'était déshabillée et, où Norah venait la rechercher quand Sir Stephen, son visiteur étant parti, sonnait. Comme Norah entrait et sortait du bureau plusieurs fois tous les matins, soit pour apporter à Sir Stephen du café, ou le courrier, soit pour ouvrir ou tirer les persiennes, ou vider les cendriers, qu'elle était seule à avoir le droit d'entrer, mais avait aussi l'ordre de ne jamais frapper, et enfin qu'elle attendait toujours en silence, quand elle avait quelque chose à dire, que Sir Stephen lui adressât la parole, il arriva qu'une fois O se trouva courbée sur le bureau, la tête et les bras appuyés contre le cuir, la croupe offerte, attendant que Sir Stephen la pénétrât, au moment où Norah entrait. Elle leva la tête. Norah ne l'eût pas regardée, comme elle faisait toujours, elle n'eût pas autrement bougé. Mais cette fois, il était clair que Norah voulait rencontrer le regard d'O. Ces yeux noirs brillants et durs fixés sur les siens, dont on ne savait s'ils étaient ou non indifférents, dans un visage raviné et immobile, troublèrent si bien O qu'elle eut un mouvement pour échapper à Sir Stephen. Il comprit; lui appuya d'une main la taille contre la table pour qu'elle ne pût glisser, l'entrouvrant de l'autre. Elle qui se prêtait toujours de son mieux était malgré elle contractée et jointe, et Sir Stephen dut la forcer. Même lorsqu'il l'eut fait, elle sentait que l'anneau de ses reins se serrait autour de lui, et il eut de la peine à s'enfoncer en elle complètement. Il ne se retira d'elle que lorsqu'il put aller et venir en elle sans difficulté. Alors au moment de la reprendre, il dit à Norah d'attendre, et qu'elle pourrait faire rhabiller O quand il en aurait fini. Cependant, avant de la renvoyer, il embrassa O sur la bouche avec tendresse. Ce fut dans ce baiser qu'elle trouva quelques jours plus tard le courage de lui dire que Norah lui faisait peur. « J'espère bien, lui dit-il. Et lorsque vous porterez, comme vous ferez bientôt — si vous y consentez — ma marque et mes fers, vous aurez beaucoup plus de raison de la craindre. — Pourquoi ? dit O, et quelle marque, et quels fers ? Je porte déjà cet anneau... — Cela regarde Anne-Marie, à qui j'ai promis de vous montrer. Nous allons chez elle après le déjeuner. Vous le voulez bien ? C'est une de mes amies, et vous remarquerez que jusqu'ici je ne vous ai jamais fait rencontrer de mes amis. Lorsque vous sortirez de ses mains, je vous donnerai de véritables motifs d'avoir peur de Norah. » O n'osa pas insister. Cette Anne-Marie dont on la menaçait l'intriguait plus que Norah. C'est elle dont Sir Stephen lui avait déjà parlé quand ils avaient déjeuné à Saint-Cloud. Et il était bien vrai qu'O ne connaissait aucun des amis, aucune des relations de Sir Stephen. Elle vivait en somme dans Paris, enfermée dans son secret, comme si elle eût été enfermée dans une maison close ; les seuls êtres qui avaient droit à son secret, René et Sir Stephen, avaient en même temps droit à son corps. Elle songeait que le mot s'ouvrir à quelqu'un, qui veut dire se confier, n'avait pour elle qu'un seul sens, littéral, physique, et d'ailleurs absolu, car elle s'ouvrait en effet de toutes les parts de son corps qui pouvaient l'être. Il semblait aussi que ce fût sa raison d'être, et que Sir Stephen, comme René, l'entendait bien ainsi, puisque lorsqu'il parlait de ses amis, comme il avait fait à Saint-Cloud, c'était pour lui dire que ceux qu'il lui ferait connaître, il allait de soi qu'elle serait à leur disposition, s'ils avaient envie d'elle. Mais pour imaginer Anne-Marie, et ce que Sir Stephen, pour elle, attendait d'Anne-Marie, O n'avait rien qui la renseignât, pas même son expérience de Roissy. Sir Stephen lui avait dit aussi qu'il voulait la voir caresser une femme, était-ce cela ? (Mais il avait précisé qu'il s'agissait de Jacqueline...) Non, ce n'était pas cela. « Vous montrer », venait-il de dire. En effet. Mais quand elle quitta Anne-Marie, O n'en savait pas davantage.

Anne-Marie habitait près de l'Observatoire, dans un appartement flanqué d'une sorte de grand atelier, en haut d'un immeuble neuf, qui dominait la cime des arbres. C'était une femme mince, de l'âge de Sir Stephen, et dont les cheveux noirs étaient mêlés de mèches grises. Ses yeux bleus étaient si foncés qu'on les croyait noirs. Elle offrit à boire à Sir Stephen et à O, un café très noir dans de toutes petites tasses, brûlant et amer, qui réconforta O. Quand elle eut fini de boire, et qu'elle se fut levée de son fauteuil pour poser sa tasse vide sur un guéridon, Anne-Marie la saisit par le poignet, et se tournant vers Sir Stephen, lui dit : « Vous permettez ? — Je vous en prie », dit Sir Stephen. Alors Anne-Marie, qui jusqu'ici, même pour lui dire bonjour, même lorsque Sir Stephen l'avait présentée à Anne-Marie, ne lui avait ni adressé la parole, ni souri, dit doucement à O, avec un si tendre sourire qu'on eût dit qu'elle lui faisait un cadeau : « Viens que je voie ton ventre, petite, et tes fesses. Mais mets-toi toute nue, ce sera mieux. » Pendant qu'O obéissait, elle allumait une cigarette. Sir Stephen n'avait pas quitté O des yeux. Tous deux la laissèrent debout, peut-être cinq minutes. Il n'y avait pas de glace dans la pièce, mais O apercevait un vague reflet d'elle-même dans la laque noire d'un paravent. « Enlève aussi tes bas », dit soudain Anne-Marie. « Tu vois, reprit-elle, tu ne dois pas porter de jarretières, tu te déformeras les cuisses. » Et elle désigna à O, du bout du doigt, le très léger creux qui marquait, au-dessus du genou, l'endroit où O roulait son bas à plat autour de la large jarretière élastique. « Qui t'a fait faire cela ? » Avant qu'O eût répondu : « C'est le garçon qui me l'a donnée, vous le connaissez, dit Sir Stephen, René. » Et il ajouta : « Mais il se rangera sûrement à votre avis. — Bon, dit Anne-Marie. Je vais te faire donner des bas très longs et foncés, O, et un porte-jarretelles pour les tenir, mais un porte-jarretelles baleiné, qui te marque la taille. » Quand Anne-Marie eut sonné et qu'une jeune fille blonde et muette eut apporté des bas très fins et noirs et une guêpière de taffetas de nylon noir, tenue rigide par de larges baleines très rapprochées, courbées vers l'intérieur au ventre et au-dessus des hanches, O, toujours debout et en équilibre d'un pied sur l'autre, enfila les bas, qui lui montaient tout en haut des cuisses. La jeune fille blonde lui mit la guêpière, qu'un busc, sur un côté derrière, permettait de boucler et de déboucler. Par-derrière aussi, comme aux corsets de Roissy, un large laçage se serrait ou se desserrait à volonté. O accrocha ses bas, devant et sur les côtés, aux quatre jarretelles, puis la jeune fille se mit en devoir de la lacer aussi étroitement qu'elle put. O sentit sa taille et son ventre se creuser sous la pression des baleines, qui sur le ventre descendaient presque jusqu'au pubis qu'elles dégageaient, ainsi que les hanches. La guêpière était plus courte par-derrière et laissait la croupe entièrement libre. « Elle sera beaucoup mieux, dit Anne-Marie, en s'adressant à Sir Stephen, quand elle aura la taille tout à fait réduite; d'ailleurs, si vous n'avez pas le temps de la faire déshabiller, vous verrez que la guêpière ne gêne pas. Approche-toi maintenant, O. » La jeune fille sortit, O s'approcha d'Anne-Marie, qui était assise dans un fauteuil bas, un fauteuil crapaud couvert de velours cerise. Anne-Marie lui passa doucement la main sur les fesses, puis la faisant basculer sur un pouf pareil au fauteuil, lui releva et lui ouvrit les jambes, et lui ordonnant de ne pas bouger, lui saisit les deux lèvres du ventre. On soulève ainsi au marché, se dit O, les ouïes des poissons, sur les champs de foire les babines des chevaux. Elle se rappela aussi que le valet Pierre, le premier soir de Roissy, après qu'il l'eut enchaînée, avait fait de même. Après tout, elle n'était plus à elle, et ce qui d'elle était le moins à elle était certainement cette moitié de son corps qui pouvait si bien servir pour ainsi dire en dehors d'elle. Pourquoi, à chaque fois qu'elle le constatait, en était-elle, non pas surprise, mais comme persuadée à nouveau, avec à chaque fois aussi fort le même trouble qui l'immobilisait, et qui la livrait beaucoup moins à celui aux mains de qui elle était qu'à celui qui l'avait remise entre les mains étrangères, qui à Roissy la livraient à René quand d'autres la possédaient, et ici à qui? A René ou à Sir Stephen? Ah! elle ne savait plus. Mais c'est qu'elle ne voulait plus savoir, car c'était bien à Sir Stephen qu'elle était depuis, depuis quand?... Anne-Marie la fit se remettre debout, se rhabiller. « Vous pouvez me l'amener quand vous voudrez, dit-elle à Sir Stephen, je serai à Sannois (Sannois... O avait attendu : Roissy, eh bien non, il ne s'agissait pas de Roissy, alors de quoi s'agissait-il?) dans deux jours. Ça ira très bien. » (Qu'est-ce qui irait bien?) « Dans dix jours si vous voulez, répondit Sir Stephen, au début de juillet. »

Dans la voiture qui reconduisait O chez elle, Sir Stephen étant resté chez Anne-Marie, elle se souvint de la statue qu'elle avait vue enfant au Luxembourg : une femme dont la taille avait été ainsi étranglée, et semblait si mince entre les seins lourds et les reins charnus — elle était penchée en avant pour se mirer dans une source, en marbre aussi, soigneusement figurée à ses pieds — qu'on avait peur que le marbre ne cassât. Si Sir Stephen le désirait... Pour ce qui était de Jacqueline, il était bien facile de lui dire que c'était un caprice de René. Sur quoi O fut ramenée à une préoccupation qu'elle essayait de fuir chaque fois qu'elle lui revenait, et dont elle s'étonnait pourtant qu'elle ne fût pas plus lancinante : pourquoi René, depuis que Jacqueline était là, prenait-il soin non pas tellement de la laisser seule avec Jacqueline, ce qui se comprenait, mais de ne plus rester, lui, seul avec O ? Juillet approchait, où il allait partir, il ne viendrait pas la voir chez cette Anne-Marie où Sir Stephen l'enverrait, et fallait-il donc qu'elle se résignât à ne plus le rencontrer que le soir quand il lui plaisait de les inviter Jacqueline et elle, ou bien — et elle ne savait ce qui lui était désormais le plus déroutant (puisqu'il n'y avait plus entre eux que ces relations essentiellement fausses, du fait qu'elles étaient ainsi limitées) — ou bien le matin parfois, lorsqu'elle était chez Sir Stephen, et que Norah l'introduisait après l'avoir annoncé ? Sir Stephen le recevait toujours, toujours René embrassait O, lui caressait la pointe des seins, faisait avec Sir Stephen des projets pour le lendemain, où il n'était pas question d'elle, et s'en allait. L'avait-il si bien donnée à Sir Stephen qu'il en était venu à ne plus l'aimer ? Qu'allait-il se passer s'il ne l'aimait plus ? O fut tellement saisie de panique, qu'elle descendit machinalement sur le quai devant sa maison, au lieu de garder la voiture, et se mit aussitôt à courir pour arrêter un taxi. On trouve peu de taxis sur le quai de Béthune. O courut jusqu'au boulevard Saint-Germain, et dut encore attendre. Elle était en sueur, et haletante, parce que sa guêpière lui coupait la respiration, lorsque enfin un taxi ralentit à l'angle de la rue du Cardinal-Lemoine. Elle lui fit signe, donna l'adresse du bureau où René travaillait, et monta, sans savoir si René y serait, s'il la recevrait s'il y était. Jamais elle n'y était allée. Elle ne fut surprise ni par le grand immeuble dans une rue perpendiculaire aux Champs-Elysées, ni par les bureaux à l'américaine, mais l'attitude de René, qui pourtant la reçut aussitôt, la déconcerta. Non qu'il fût agressif, ou plein de reproches. Elle aurait préféré des reproches, car enfin il ne lui avait pas permis de venir le déranger, et peut-être le dérangeait-elle beaucoup. Il renvoya sa secrétaire, la pria de ne lui annoncer personne, et de ne lui passer aucun coup de téléphone. Puis il demanda à O ce qu'il y avait. « J'ai eu peur que tu ne m'aimes plus », dit O. Il rit : « Tout d'un coup, comme ça ? — Oui, dans la voiture en revenant de... — En revenant de chez qui ? » O se tut, René rit encore : « Mais je sais, que tu es sotte. De chez Anne-Marie. Et tu vas à Sannois dans dix jours. Sir Stephen vient de me téléphoner. » René était assis dans le seul fauteuil confortable de son bureau, face à la table, et O s'était blottie dans ses bras. « Ce qu'ils feront de moi m'est égal, murmura-t-elle, mais dis-moi si tu m'aimes encore. — Mon petit cœur, je t'aime, dit René, mais je veux que tu m'obéisses, et tu m'obéis bien mal. Tu as dit à Jacqueline que tu appartenais à Sir Stephen, tu lui as parlé de Roissy ? » O assura que non. Jacqueline acceptait ses caresses, mais du jour où elle saurait qu'O... René ne la laissa pas achever, la releva, l'accota contre le fauteuil qu'il venait de quitter, et lui retroussa sa jupe. « Ah ! voilà la guêpière, dit-il. C'est vrai que tu seras beaucoup plus agréable quand tu auras la taille très mince. » Puis il la prit, et il parut à O qu'il y avait si longtemps qu'il ne l'avait fait qu'elle s'aperçut qu'au fond elle avait douté si même il avait encore envie d'elle, et qu'elle y vit naïvement une preuve d'amour. « Tu sais, lui dit-il ensuite, tu es stupide de ne pas parler à Jacqueline. Il nous la faut à Roissy, ce serait plus commode que ce soit toi qui l'amènes. D'ailleurs, quand tu reviendras de chez Anne-Marie, tu ne pourras plus lui cacher ta véritable condition. » O demanda pourquoi. « Tu verras, reprit René. Tu as encore cinq jours, et seulement cinq jours, parce que Sir Stephen a l'intention, cinq jours avant de t'envoyer chez Anne-Marie, de recommencer à te fouetter tous les jours, tu en porteras sûrement des traces, et comment les expliqueras-tu à Jacqueline ? » O ne répondit pas. Ce que René ne savait pas, c'est que Jacqueline ne s'intéressait à O que pour la passion qu'O lui témoignait, et ne la regardait jamais. Fût-elle couverte de balafres de fouet, il suffisait qu'elle prît soin de ne pas se baigner devant Jacqueline, et de mettre une chemise de nuit. Jacqueline ne verrait rien. Elle n'avait pas remarqué qu'O ne portait pas de slip, elle ne remarquait rien : O ne l'intéressait pas. « Ecoute, reprit René, il y a une chose en tout cas que tu vas lui dire, et lui dire tout de suite : c'est que je suis amoureux d'elle. — Et c'est vrai ? dit O. — Je veux l'avoir, dit René, et puisque toi tu ne peux ou ne veux rien faire, moi je ferai ce qu'il faudra. — Elle ne voudra jamais, pour Roissy, dit O. — Ah non ? Eh bien, reprit René, on la forcera. »

Le soir, à la nuit close, quand Jacqueline fut couchée, et qu'O eut rejeté le drap pour la regarder à la lumière de la lampe, après lui avoir dit « René est amoureux de toi », car elle le lui dit, et le lui dit aussitôt, O, qui à l'idée de voir ce corps si fragile et si mince labouré par le fouet, ce ventre étroit écartelé, la bouche pure hurlante, et le duvet des joues collé par les larmes, avait été un mois plus tôt soulevée d'horreur, se répéta la dernière parole de René, et en fut heureuse.

Jacqueline partie, pour ne revenir sans doute qu'au début d'août, si le film qu'elle tournait était fini, plus rien ne retenait O à Paris. Juillet approchait, tous les jardins éclataient de géraniums cramoisis, tous les stores au midi étaient baissés, René soupirait qu'il lui fallait se rendre en Ecosse. O espéra un instant qu'il l'emmènerait. Mais outre qu'il ne l'emmenait jamais dans sa famille, elle savait qu'il la céderait à Sir Stephen, si celui-ci la réclamait. Sir Stephen déclara que le jour où René prendrait l'avion pour Londres, il viendrait chercher O. Elle était en vacances. « Nous allons chez Anne-Marie, dit-il, elle vous attend. N'emportez aucune valise, vous n'aurez besoin de rien. » Ce n'était pas à l'appartement de l'Observatoire où, pour la première fois, O avait rencontré Anne-Marie, mais dans une maison basse au fond d'un grand jardin, en lisière de la forêt de Fontainebleau. O portait depuis ce jour-là la guêpière baleinée qui avait paru si nécessaire à Anne-Marie : elle la serrait chaque jour davantage, on pouvait presque maintenant lui prendre la taille entre les deux mains, Anne-Marie serait contente. Quand ils arrivèrent, il était deux heures de l'après-midi, la maison dormait, et le chien aboya faiblement au coup de sonnette : un grand bouvier des Flandres à poil rugueux, qui renifla les genoux d'O sous sa robe. Anne-Marie était sous un hêtre pourpre, au bout de la pelouse qui, dans un angle du jardin, faisait face aux fenêtres de sa chambre. Elle ne se leva pas. « Voici O, dit Sir Stephen, vous savez ce qu'il faut lui faire, quand sera-t-elle prête ? » Anne-Marie regarda O. « Vous ne l'avez pas prévenue ? Eh bien, je commencerai tout de suite. Il faut compter sans doute dix jours ensuite. Je suppose que vous voulez poser les anneaux et le chiffre vous-même ? Revenez dans quinze jours. Ensuite tout devrait être fini au bout de quinze autres jours. » O voulut parler, poser une question. « Un instant, O, dit Anne-Marie, va dans la chambre qui est devant, déshabille-toi, ne garde que tes sandales, et reviens. » La chambre était vide, une grande chambre blanche aux rideaux de toile de Jouy violette. O posa son sac, ses gants, ses vêtements, sur une petite chaise près d'une porte de placard. Il n'y avait pas de glace. Elle ressortit lentement, éblouie par le soleil, avant de regagner l'ombre du hêtre. Sir Stephen était toujours debout devant Anne-Marie, le chien à ses pieds. Les cheveux noirs et gris d'Anne-Marie brillaient comme s'ils étaient huilés, ses yeux bleus paraissaient noirs. Elle était vêtue de blanc, une ceinture vernie à la taille, et portait des sandales vernies qui laissaient voir la laque rouge de ses ongles, sur ses pieds nus, pareille à la laque rouge des ongles de ses mains. « O, dit-elle, mets-toi à genoux devant Sir Stephen. » O s'agenouilla, les bras croisés derrière le dos, la pointe des seins frémissante. Le chien fit mine de s'élancer sur elle. « Ici, Turc, dit Anne-Marie. Consens-tu, O, à porter les anneaux et le chiffre dont Sir Stephen désire que tu sois marquée, sans savoir comment ils te seront imposés ? — Oui, dit O. — Alors je reconduis Sir Stephen, reste là. » Sir Stephen se pencha, et prit O par les seins, pendant qu'Anne-Marie se levait de sa chaise longue. Il l'embrassa sur la bouche, murmura : « Tu es à moi, O, vraiment tu es à moi ? » puis la quitta pour suivre Anne-Marie. Le portail claqua, Anne-Marie revenait. O, les genoux pliés, était assise sur ses talons et avait posé ses bras sur ses genoux, comme une statue d'Egypte.

Trois autres filles habitaient la maison, elles avaient chacune une chambre au premier étage ; on donna à O une petite chambre au rez-de-chaussée, voisine de celle d'Anne-Marie. Anne-Marie les appela, leur criant de descendre dans le jardin. Toutes trois, comme O, étaient nues. Seules dans ce gynécée, soigneusement caché par les hauts murs du parc et les volets fermés sur une ruelle poussiéreuse, Anne-Marie et les domestiques étaient vêtues ; une cuisinière et deux femmes de chambre, plus âgées qu'Anne-Marie, sévères dans de grandes jupes d'alpaga noir et des tabliers empesés. « Elle s'appelle O, dit Anne-Marie, qui s'était rassise. Amenez-la-moi, que je la revoie de près. » Deux des filles mirent O debout, toutes deux brunes, les cheveux aussi noirs que leur toison, le bout des seins long et presque violet. L'autre était petite, ronde et rousse, et sur la peau crayeuse de sa poitrine on voyait un effrayant réseau de veines vertes. Les deux filles poussèrent O tout contre Anne-Marie, qui désigna du doigt les trois zébrures noires qui rayaient le devant de ses cuisses, et se répétaient sur les reins. « Qui t'a fouettée, dit-elle, Sir Stephen ? — Oui, dit O. — Avec quoi, et quand ? — Il y a trois jours, à la cravache. — Pendant un mois à partir de demain, tu ne seras pas fouettée, mais tu le seras aujourd'hui, pour ton arrivée, quand j'aurai fini de t'examiner. Sir Stephen ne t'a jamais fouetté l'intérieur des cuisses, jambes grandes ouvertes ? Non ? Non, les hommes ne savent pas. Tout à l'heure, nous verrons. Montre ta taille. Ah! c'est mieux! » Anne-Marie tirait sur la taille lisse d'O, pour la faire encore plus mince. Puis elle envoya la petite rousse chercher une autre guêpière, et la lui fit mettre. Elle était aussi de nylon noir, si durement baleinée et si étroite qu'on aurait dit une très haute ceinture de cuir, et ne comportait pas de jarretelles. Une des filles brunes la laça, cependant qu'Anne-Marie lui ordonnait de serrer de toute sa force. « C'est terrible, dit O. — Justement, dit Anne-Marie, c'est pour cela que tu es bien plus belle, mais tu ne serrais pas assez, tu la porteras ainsi tous les jours. Dis-moi maintenant comment Sir Stephen préférait se servir de toi. J'ai besoin de le savoir. » Elle tenait O au ventre, à pleine main, et O ne pouvait pas répondre. Deux des filles s'étaient assises par terre, la troisième, la brune, sur le pied de la chaise longue d'Anne-Marie. « Renversez-la, vous autres, dit Anne-Marie, que je voie ses reins. » O fut retournée et basculée, et les mains de deux jeunes filles l'entrouvrirent. « Bien sûr, reprit Anne-Marie, tu n'as pas besoin de répondre, c'est aux reins qu'il faudra te marquer. Relève-toi. On va te mettre tes bracelets. Colette va chercher la boîte, on va tirer au sort qui te fouettera, Colette apporte les jetons, puis on ira dans la salle de musique. » Colette était la plus grande des deux filles brunes, l'autre s'appelait Claire, la petite rousse Yvonne. O n'avait pas fait attention qu'elles portaient toutes, comme à Roissy, un collier de cuir et des bracelets aux poignets. En plus, elles portaient aux chevilles les mêmes bracelets. Quand Yvonne eut choisi et fixé sur O les bracelets qui lui allaient, Anne-Marie tendit à O quatre jetons, en la priant d'en donner un à chacune d'elles, sans regarder le chiffre qui y était inscrit. O distribua ses jetons. Les trois filles regardèrent chacune le leur et ne dirent rien, attendant qu'Anne-Marie parlât. « J'ai deux, dit Anne-Marie, qui a un ? » C'était Colette. « Emmène O, elle est à toi. » Colette saisit les bras d'O et, lui réunissant les mains derrière le dos, en attachant ensemble ses bracelets, la poussa devant elle. Au seuil d'une porte-fenêtre, qui ouvrait dans une petite aile perpendiculaire à la façade principale, Yvonne qui les précédait retira à O ses sandales. La porte-fenêtre éclairait une pièce dont le fond formait comme une rotonde surélevée ; le plafond en coupole à peine indiquée était soutenu au départ de la courbe par deux colonnes minces séparées de deux mètres. L'estrade, haute de près de quatre marches, se prolongeait, entre les deux colonnes, par une avancée arrondie. Le sol de la rotonde, comme celui du reste de la pièce, était recouvert d'un tapis de feutre rouge. Les murs étaient blancs, les rideaux des fenêtres rouges, les divans qui faisaient le tour de la rotonde de feutre rouge comme le tapis. Il y avait une cheminée dans la partie rectangulaire de la salle, qui était plus large que profonde, et en face de la cheminée un grand appareil de radio avec pick-up que flanquaient des rayonnages à disques. C'est pour cela qu'on l'appelait la salle de musique. Elle communiquait directement par une porte, près de la cheminée, avec la chambre d'Anne-Marie. La porte symétrique était une porte de placard. A part les divans et le phono, il n'y avait aucun meuble. Pendant que Colette faisait asseoir O sur le rebord de l'estrade, qui était à pic en son milieu, les marches étaient à droite et à gauche des colonnes, les deux autres filles fermaient la porte-fenêtre, après avoir tiré légèrement les persiennes. O surprise s'aperçut que c'était une double fenêtre et Anne-Marie, qui riait, dit : « C'est pour que l'on ne t'entende pas crier, les murs sont doublés de liège, on n'entend rien de ce qui se passe ici. Couche-toi. » Elle la prit aux épaules, la posa sur le feutre rouge, puis la tira un peu en avant; les mains d'O s'agrippaient au rebord de l'estrade, où Yvonne les assujettit à un anneau, et ses reins étaient dans le vide. Anne-Marie lui fit plier les genoux vers la poitrine, puis O sentit ses jambes, ainsi renversées, soudain tendues et tirées dans le même sens : des sangles passées dans les bracelets de ses chevilles les attachaient plus haut que sa tête aux colonnes au milieu desquelles, ainsi surélevée sur cette estrade, elle était exposée de telle manière que la seule chose d'elle qui fût visible était le creux de son ventre et de ses reins violemment écartelés. Anne-Marie lui caressa l'intérieur des cuisses. « C'est l'endroit du corps où la peau est la plus douce, dit-elle, il ne faudra pas l'abîmer. Va doucement, Colette. » Colette était debout au-dessus d'elle, un pied de part et d'autre de sa taille, et O voyait, dans le pont que formaient ses jambes brunes, les cordelettes du fouet qu'elle tenait à la main. Aux premiers coups qui la brûlèrent au ventre, O gémit. Colette passait de la droite à la gauche, s'arrêtait, reprenait. O se débattait de tout son pouvoir, elle crut que les sangles la déchireraient. Elle ne voulait pas supplier, elle ne voulait pas demander grâce. Mais Anne-Marie entendait l'amener à merci. « Plus vite, dit-elle à Colette, et plus fort. » O se raidit, mais en vain. Une minute plus tard, elle cédait aux cris et aux larmes, tandis qu'Anne-Marie lui caressait le visage. « Encore un instant, dit-elle, et puis c'est fini. Cinq minutes seulement. Tu peux bien crier pendant cinq minutes. Il est vingt-cinq. Colette tu arrêteras à trente, quand je te le dirai. » Mais O hurlait non, non par pitié, elle ne pouvait pas, non, elle ne pouvait pas une seconde de plus supporter le supplice. Elle le subit cependant jusqu'au bout, et Anne-Marie lui sourit quand Colette quitta l'estrade. « Remercie-moi », dit Anne-Marie à O, et O la remercia. Elle savait bien pourquoi Anne-Marie avait tenu, avant toute chose, à la faire fouetter. Qu'une femme fût aussi cruelle, et plus implacable qu'un homme, elle n'en avait jamais douté. Mais O pensait qu'Anne-Marie cherchait moins à manifester son pouvoir qu'à établir entre elle et O une complicité. O n'avait jamais compris, mais avait fini par reconnaître, pour une vérité indéniable, et importante, l'enchevêtrement contradictoire et constant de ses sentiments : elle aimait l'idée du supplice, quand elle le subissait elle aurait trahi le monde entier pour y échapper, quand il était fini elle était heureuse de l'avoir subi, d'autant plus heureuse qu'il avait été plus cruel et plus long. Anne-Marie ne s'était pas trompée à l'acquiescement ni à la révolte d'O, et savait bien que son merci n'était pas dérisoire. Il y avait cependant à son geste une troisième raison, qu'elle lui expliqua. Elle tenait à faire éprouver à toute fille qui entrait dans sa maison, et devait y vivre dans un univers uniquement féminin, que sa condition de femme n'y perdrait pas son importance du fait qu'elle n'aurait de contact qu'avec d'autres femmes, mais en serait au contraire rendue plus présente et plus aiguë. C'est pour cette raison qu'elle exigeait que les filles fussent constamment nues ; la façon dont O avait été fouettée, comme la posture où elle était liée n'avaient pas non plus d'autre but. Aujourd'hui, c'était O qui demeurerait le reste de l'après-midi — trois heures encore — jambes ouvertes et relevées, exposée sur l'estrade, face au jardin. Elle ne pourrait cesser de désirer refermer ses jambes. Demain, ce serait Claire ou Colette, ou Yvonne, qu'O regarderait à son tour.

C'était un procédé beaucoup trop lent et beaucoup trop minutieux (comme la manière d'appliquer le fouet) pour qu'il fût employé à Roissy. Mais O verrait combien il est efficace. Outre les anneaux et le chiffre qu'elle porterait à son départ, elle serait rendue à Sir Stephen plus ouvertement et plus profondément esclave qu'elle ne l'imaginait possible.

Le lendemain matin, après le petit-déjeuner, Anne-Marie dit à O et à Yvonne de la suivre dans sa chambre. Elle prit dans son secrétaire un coffret de cuir vert qu'elle posa sur son lit et l'ouvrit. Les deux filles s'assirent à ses pieds. « Yvonne ne t'a rien dit ? » demanda Anne-Marie à O. O fit non de la tête. Qu'avait Yvonne à lui dire ? « Sir Stephen non plus, je sais. Eh bien voici les anneaux qu'il désire te faire porter. » C'étaient des anneaux de fer mat inoxydable, comme le fer de la bague doublée d'or. La tige en était ronde, épaisse comme un gros crayon de couleur, et ils étaient oblongs : les maillons des grosses chaînes sont semblables. Anne-Marie montra à O que chacun était formé de deux U qui s'emboîtaient l'un dans l'autre. « Ce n'est que le modèle d'essai, dit-elle. On peut l'enlever. Le modèle définitif, tu vois, il y a un ressort intérieur sur lequel on doit forcer pour le faire pénétrer dans la rainure où il se bloque. Une fois posé, il est impossible de l'ôter, il faut limer. » Chaque anneau était long comme deux phalanges du petit doigt, qu'on y pouvait glisser. A chacun était suspendu, comme un nouveau maillon, ou comme au support d'une boucle d'oreille un anneau qui doit être dans le même plan que l'oreille et la prolonger, un disque de même métal aussi large que l'anneau était long. Sur une des faces, un triskel niellé d'or, sur l'autre, rien. « Sur l'autre, dit Anne-Marie, il y aura ton nom, le titre, le nom et le prénom de Sir Stephen, et au-dessous, un fouet et une cravache entrecroisés. Yvonne porte un disque analogue à son collier. Mais toi, tu le porteras à ton ventre. — Mais..., dit O. — Je sais, répondit Anne-Marie, c'est pour cela que j'ai emmené Yvonne. Montre ton ventre, Yvonne. » La fille rousse se leva, et se renversa sur le lit. Anne-Marie lui ouvrit les cuisses et fit voir à O qu'un des lobes de son ventre, dans le milieu de sa longueur et à sa base, était percé comme à l'emporte-pièce. L'anneau de fer y passerait juste. « Je te percerai dans un instant, O, dit Anne-Marie, ce n'est rien, le plus long est de poser les agrafes pour suturer ensemble l'épiderme du dessus et la muqueuse de dessous. C'est beaucoup moins dur que le fouet. — Mais vous n'endormez pas ? s'écria O tremblante. — Jamais de la vie, répondit Anne-Marie, tu seras attachée seulement un peu plus serré qu'hier, c'est bien suffisant. Viens. »

Huit jours plus tard, Anne-Marie ôtait à O les agrafes et lui passait l'anneau d'essai. Si léger qu'il fût — plus qu'il n'en avait l'air, mais il était creux — il pesait. Le dur métal, dont on voyait bien qu'il entrait dans la chair, semblait un instrument de supplice. Que serait-ce lorsque s'y ajouterait le second anneau, qui pèserait davantage ? Cet appareil barbare éclaterait au premier regard. « Bien entendu, dit Anne-Marie, lorsque O lui en fit la réflexion. Tu as tout de même bien compris ce que veut Sir Stephen ? Quiconque, à Roissy, ou ailleurs, lui ou n'importe qui d'autre, même toi devant la glace, quiconque relèvera ta jupe verra immédiatement ses anneaux à ton ventre, et si on le retourne, son chiffre sur tes reins. Tu pourras peut-être un jour faire limer les anneaux, mais le chiffre tu ne l'effaceras jamais. — Je croyais, dit Colette, qu'on effaçait très bien les tatouages. » (C'est elle qui sur la peau blanche d'Yvonne avait tatoué, au-dessus du triangle du ventre, en lettres bleues ornées comme des lettres de broderie, les initiales du maître d'Yvonne.) « O ne sera pas tatouée », répondit Anne-Marie, O regarda Anne-Marie. Colette et Yvonne se taisaient, interloquées. Anne-Marie hésitait à parler. « Allons, dites, dit O. — Mon pauvre petit, je n'osais pas t'en parler : tu seras marquée au fer. Sir Stephen me les a envoyés il y a deux jours. — Au fer ? cria Yvonne. — Au fer rouge. »

Du premier jour, O avait partagé la vie de la maison. L'oisiveté y était absolue, et délibérée, les distractions monotones. Les filles étaient libres de se promener dans le jardin, de lire, de dessiner, de jouer aux cartes, de faire des réussites. Elles pouvaient dormir dans leur chambre, ou s'étendre au soleil pour se brunir. Parfois elles parlaient ensemble, ou deux à deux, des heures entières, parfois elles restaient assises sans rien dire aux pieds d'Anne-Marie. Les heures des repas étaient toujours semblables, le dîner avait lieu aux bougies, le thé était pris dans le jardin, et il y avait quelque chose d'absurde dans le naturel des deux domestiques à servir ces filles nues, assises à une table de cérémonie. Le soir, Anne-Marie nommait l'une d'elles pour dormir avec elle, la même parfois plusieurs soirs de suite. Elle la caressait et se faisait caresser par elle le plus souvent vers l'aube, et se rendormait ensuite, après l'avoir renvoyée dans sa chambre. Les rideaux violets, à demi tirés seulement, coloraient de mauve le jour naissant, et Yvonne disait qu'Anne-Marie était aussi belle et hautaine dans le plaisir qu'elle recevait qu'inlassable dans ses exigences. Aucune d'elles ne l'avait vue tout à fait nue. Elle entrouvrait ou relevait sa chemise blanche en jersey de nylon, mais ne l'ôtait pas. Ni le plaisir qu'elle avait pu prendre la nuit ni le choix qu'elle avait fait la veille n'influaient sur la décision du lendemain après-midi, qui était toujours remise au sort. A trois heures, sous le hêtre pourpre où les fauteuils de jardin étaient groupés autour d'une table ronde en pierre blanche, Anne-Marie apportait la coupe aux jetons. Chacune en prenait un. Celle qui tirait le nombre le plus faible était alors conduite à la salle de musique et disposée sur l'estrade comme l'avait été O. Il lui restait (sauf O qui était hors de cause jusqu'à son départ) à désigner la main droite ou la main gauche d'Anne-Marie, qui tenait au hasard une boule blanche ou noire. Noire, la fille était fouettée, blanche, non. Anne-Marie ne trichait jamais, même si le sort condamnait ou épargnait la même fille plusieurs jours. Le supplice de la petite Yvonne, qui sanglotait et appelait son amant, fut ainsi renouvelé quatre jours. Ses cuisses veinées de vert comme sa poitrine s'écartaient sur une chair rose que l'épais anneau de fer, enfin posé, transperçait, d'autant plus saisissant qu'Yvonne était entièrement épilée. « Mais pourquoi, demanda O à Yvonne, et pourquoi l'anneau, si tu portes le disque à ton collier? — Il dit que je suis plus nue lorsque je suis épilée. L'anneau, je crois que c'est pour m'attacher. » Les yeux verts d'Yvonne et son petit visage triangulaire faisaient qu'O pensait à Jacqueline chaque fois qu'elle la regardait. Si Jacqueline allait à Roissy? Jacqueline, un jour ou l'autre, passerait ici, serait ici, renversée sur cette estrade. « Je ne veux pas, disait O, je ne veux pas, je ne ferai rien pour l'amener, je ne lui en ai que trop dit. Jacqueline n'est pas faite pour être frappée et marquée. » Mais que les coups et les fers allaient bien à Yvonne, que sa sueur et ses gémissements étaient doux, qu'il était doux de les lui arracher. Car Anne-Marie, à deux reprises, et jusqu'ici pour Yvonne seulement, avait tendu le fouet de cordes à O, en lui disant de frapper. La première fois, la première minute, elle avait hésité, au premier cri d'Yvonne elle avait reculé, mais dès qu'elle avait repris et qu'Yvonne avait crié de nouveau, plus fort, elle avait été saisie par un terrible plaisir, si aigu qu'elle se sentait rire de joie malgré elle, et devait se faire violence pour ralentir ses coups et ne pas frapper à toute volée. Ensuite, elle était restée près d'Yvonne tout le temps qu'Yvonne était demeurée liée, l'embrassant de temps en temps. Sans doute lui ressemblait-elle en quelque façon. Au moins le sentiment d'Anne-Marie paraissait le prouver. Etait-ce le silence d'O, sa docilité qui la tentaient? A peine les blessures d'O étaient-elles cicatrisées : « Que je regrette, disait Anne-Marie, de ne pouvoir te faire fouetter. Quand tu reviendras... Enfin, je vais en tout cas t'ouvrir tous les jours. » Et tous les jours, quand la fille qui était dans la salle de musique était détachée, O la remplaçait, jusqu'à l'heure où sonnait la cloche du dîner. Et Anne-Marie avait raison : c'était vrai qu'elle ne pouvait songer à rien d'autre, pendant ces deux heures, qu'au fait qu'elle était ouverte, à l'anneau qui pesait à son ventre, dès qu'on le lui eut mis, et qui pesa bien davantage lorsque le second anneau s'y ajouta. A rien d'autre qu'à son esclavage et aux marques de son esclavage. Un soir Claire était entrée avec Colette, venant du jardin, s'était approchée d'O et avait retourné les anneaux. Il n'y avait pas encore d'inscription. « Quand es-tu entrée à Roissy, dit-elle, c'est Anne-Marie qui t'a fait entrer? — Non, dit O. — Moi, c'est Anne-Marie, il y a deux ans. J'y retourne après-demain. — Mais tu n'appartiens à personne? » dit O. « Claire appartient à moi, dit Anne-Marie survenant. Ton maître arrive demain matin, O. Tu dormiras avec moi cette nuit. » La courte nuit d'été s'éclaircit lentement, et vers quatre heures du matin le jour noyait les dernières étoiles. O qui dormait les genoux joints fut tirée du sommeil par la main d'Anne-Marie entre ses cuisses. Mais Anne-Marie voulait seulement la réveiller, pour qu'O la caressât. Ses yeux brillaient dans la pénombre, et ses cheveux gris, mêlés de fils noirs, coupés court et retroussés par l'oreiller, à peine bouclés, lui donnaient un air de grand seigneur exilé, de libertin courageux. O effleura de ses lèvres la dure pointe des seins, de sa main le creux du ventre. Anne-Marie fut prompte à se rendre — mais ce n'était pas à O. Le plaisir sur lequel elle ouvrait grands les yeux face au jour était un plaisir anonyme et impersonnel, dont O n'était que l'instrument. Il était indifférent à Anne-Marie qu'O admirât son visage lissé et rajeuni, sa belle bouche haletante, indifférent qu'O l'entendît gémir quand elle saisit entre ses dents et ses lèvres la crête de chair cachée dans le sillon de son ventre. Simplement elle prit O par les cheveux pour l'appuyer plus fort contre elle, et ne la laissa aller que pour lui dire : « Recommence. » O avait pareillement aimé Jacqueline. Elle l'avait tenue abandonnée dans ses bras. Elle l'avait possédée, du moins elle le croyait. Mais l'identité des gestes ne signifie rien. O ne possédait pas Anne-Marie. Personne ne possédait Anne-Marie. Anne-Marie exigeait les caresses sans se soucier de ce qu'éprouvait qui les lui donnait, et elle se livrait avec une liberté insolente. Pourtant, elle fut tendre et douce avec O, lui embrassa la bouche et les seins, et la tint contre elle une heure encore avant de la renvoyer. Elle lui avait enlevé ses fers. « Ce sont les dernières heures, lui avait-elle dit, où tu vas dormir sans porter de fers. Ceux qu'on te mettra tout à l'heure ne pourront plus s'enlever. » Elle avait doucement et longuement passé sa main sur les reins d'O, puis l'avait emmenée dans la pièce où elle s'habillait, la seule de la maison où il y eût une glace à trois faces, toujours fermée. Elle avait ouvert la glace, pour qu'O pût se voir. « C'est la dernière fois que tu te vois intacte, lui dit-elle. C'est ici, où tu es si ronde et lisse, que l'on t'imprimera les initiales de Sir Stephen, de part et d'autre de la fente de tes reins. Je te ramènerai devant la glace la veille de ton départ, tu ne te reconnaîtras plus. Mais Sir Stephen a raison. Va dormir, O. » Mais l'angoisse tint O éveillée, et lorsque Colette vint la chercher, à dix heures, elle dut l'aider à se baigner, à se coiffer, et lui farder les lèvres, O tremblait de tous ses membres ; elle avait entendu le portail s'ouvrir : Sir Stephen était là. « Allons, viens O, dit Yvonne, il t'attend. »

Le soleil était déjà haut dans le ciel, pas un souffle d'air ne faisait bouger les feuilles du hêtre : on aurait dit un arbre de cuivre. Le chien accablé par la chaleur gisait au pied de l'arbre, et comme le soleil n'était pas encore derrière la plus grande masse du hêtre, il transperçait l'extrémité de la branche qui seule à cette heure-là faisait ombre sur la table : la pierre était semée de taches claires et tièdes. Sir Stephen était debout, immobile, à côté de la table, Anne-Marie assise auprès de lui. « Voilà, dit Anne-Marie quand Yvonne eut amené O devant lui, les anneaux peuvent être posés quand vous voudrez, elle est percée. » Sans répondre, Sir Stephen attira O dans ses bras, l'embrassa sur la bouche, et la soulevant tout à fait, la coucha sur la table, où il demeura penché sur elle. Puis il l'embrassa encore, lui caressa les sourcils et les cheveux, et se redressant, dit à Anne-Marie : « Tout de suite, si vous voulez bien. » Anne-Marie prit le coffret de cuir qu'elle avait apporté et mis sur un fauteuil, et tendit à Sir Stephen les anneaux disjoints qui portaient le nom d'O et le sien. « Faites », dit Sir Stephen. Yvonne releva les genoux d'O, et O sentit le froid du métal qu'Anne-Marie glissait dans sa chair. Au moment d'emboîter la seconde partie de l'anneau dans la première, Anne-Marie prit soin que la face niellée d'or fût contre la cuisse, et la face portant l'inscription vers l'intérieur. Mais le ressort était si dur que les tiges n'entraient pas à fond. Il fallut envoyer Yvonne chercher un marteau. Alors on redressa O, et la penchant jambes écartées, sur le rebord de la dalle de pierre qui faisait office d'enclume où appuyer alternativement l'extrémité des deux chaînons, on put, en frappant sur l'autre extrémité, les river. Sir Stephen regardait sans mot dire. Quand ce fut fini, il remercia Anne-Marie, et aida O à se mettre debout. Elle s'aperçut alors que ces nouveaux fers étaient beaucoup plus lourds que ceux qu'elle avait provisoirement portés les jours précédents. Mais ceux-ci étaient définitifs. « Votre chiffre maintenant, n'est-ce pas ? » dit Anne-Marie à Sir Stephen. Sir Stephen acquiesça d'un signe de tête, et soutint O qui chancelait, par la taille ; elle n'avait pas son corselet noir, mais il l'avait si bien cintrée qu'elle paraissait prête à se briser tant elle était mince. Ses hanches en semblaient plus rondes et ses seins plus lourds. Dans la salle de musique où, suivant Anne-Marie et Yvonne, Sir Stephen porta plus qu'il ne conduisit O, Colette et Claire étaient assises au pied de l'estrade. Elles se levèrent à leur entrée. Sur l'estrade, il y avait un gros réchaud rond à une bouche. Anne-Marie prit les sangles dans le placard et fit lier étroitement O à la taille et aux jarrets, le ventre contre une des colonnes. On lui lia aussi les mains et les pieds. Perdue dans son épouvante, elle sentit la main d'Anne-

Marie sur ses reins, qui indiquait où poser les fers, elle entendit le sifflement d'une flamme, et dans un total silence, la fenêtre qu'on fermait. Elle aurait pu tourner la tête, regarder. Elle n'en avait pas la force. Une seule abominable douleur la transperça, la jeta hurlante et raidie dans ses liens, et elle ne sut jamais qui avait enfoncé dans la chair de ses fesses les deux fers rouges à la fois, ni quelle voix avait compté lentement jusqu'à cinq, ni sur le geste de qui ils avaient été retirés. Quand on la détacha, elle glissa dans les bras d'Anne-Marie, et eut le temps, avant que tout eût tourné et noirci autour d'elle, et qu'enfin tout sentiment l'eût quittée, d'entrevoir, entre deux vagues de nuit, le visage livide de Sir Stephen.

Sir Stephen ramena O à Paris dix jours avant la fin de juillet. Les fers qui trouaient le lobe gauche de son ventre et portaient en toutes lettres qu'elle était la propriété de Sir Stephen, lui descendaient jusqu'au tiers de la cuisse, et à chacun de ses pas bougeaient entre ses jambes comme un battant de cloche, le disque gravé étant plus lourd et plus long que l'anneau auquel il pendait. Les marques imprimées par le fer rouge, hautes de trois doigts et larges de moitié leur hauteur, étaient creusées dans la chair comme par une gouge, à près d'un centimètre de profondeur. Rien que de les effleurer, on les percevait sous le doigt. De ces fers et de ces marques, O éprouvait une fierté insensée. Jacqueline eût été là, qu'au lieu de tenter de lui cacher qu'elle les portait, comme elle avait fait des traces de coups de cravache que Sir Stephen lui avait infligés les derniers jours d'avant son départ, elle aurait couru chercher Jacqueline pour les lui montrer. Mais Jacqueline ne reviendrait que huit jours plus tard. René n'était pas là. Durant ces huit jours, O, à la demande de Sir Stephen, se fit faire quelques robes pour le grand soleil et quelques robes du soir très légères. Il ne lui permit que des variantes de deux modèles, l'une qu'une fermeture Eclair ouvrait ou fermait de haut en bas (O en possédait déjà de semblables), l'autre composée d'une jupe éventail, qui se retrousse d'un geste, mais toujours à corselet montant jusque sous les seins, et portée avec un boléro fermé au cou. Il suffisait d'enlever le boléro pour que les épaules et les seins fussent nus, et sans même enlever le boléro, de l'ouvrir, si l'on désirait voir les seins. De maillot de bain, il n'était pas question, O ne pouvait en porter : les fers de son ventre auraient dépassé sous le maillot. Sir Stephen lui dit que cet été, elle se baignerait nue, quand elle se baignerait. O avait pu se rendre compte qu'il aimait à tout instant, quand elle était près de lui, même ne la désirant pas, et pour ainsi dire machinalement, la prendre au ventre, saisir et tirer à plein poing sa toison, l'ouvrir et la fouiller longuement de la main. Le plaisir qu'O prenait, elle, à tenir Jacqueline pareillement moite et brûlante resserrée sur sa main, lui était témoin et garant du plaisir de Sir Stephen. Elle comprenait qu'il ne voulût pas qu'il lui fût rendu moins facile.

Avec les twills rayés ou à pois, gris et blanc, bleu marine et blanc, qu'O choisit, à jupe plissée soleil et petit boléro ajusté et fermé, ou les robes plus sévères en cloqué de nylon noir, à peine fardée, sans chapeau, et les cheveux libres, elle avait l'air d'une jeune fille sage. Partout où Sir Stephen l'emmenait, on la prenait pour sa fille, ou pour sa nièce, d'autant plus que maintenant il la tutoyait, et qu'elle continuait à lui dire vous. Seuls tous deux dans Paris et se promenant dans les rues à regarder les boutiques, ou le long des quais où les pavés étaient poussiéreux tant il faisait sec, ils voyaient sans étonnement les passants leur sourire, comme on fait aux gens heureux. Il arrivait à Sir Stephen de la pousser dans une embrasure de porte cochère, ou sous une voûte d'immeuble, toujours un peu noire, par où montait une haleine de cave, et il l'embrassait et lui disait qu'il l'aimait. O accrochait ses hauts talons au bas de la porte cochère dans lequel la petite porte ordinaire est découpée. On apercevait un fond de cour où des linges séchaient aux fenêtres. Accoudée à un balcon, une fille blonde les regardait fixement, un chat leur filait entre les jambes. Ils se promenèrent ainsi aux Gobelins, à Saint-Marcel, rue Mouffetard, au Temple, à la Bastille. Une fois Sir Stephen fit brusquement entrer O dans un misérable hôtel de passe, où le tenancier voulut d'abord leur faire remplir des fiches, puis dit que ce n'était pas la peine, si c'était pour une heure. Le papier de la chambre était bleu avec d'énormes pivoines dorées, la fenêtre donnait sur un puits d'où montait l'odeur des boîtes à ordures. Si faible que fût l'ampoule à la tête du lit, on voyait sur le marbre de la cheminée de la poudre de riz renversée et des épingles neige. Au plafond, au-dessus du lit, il y avait un grand miroir.

Une seule fois, Sir Stephen invita avec O, à déjeuner, deux de ses compatriotes de passage. Il vint la chercher une heure avant qu'elle fût prête, quai de Béthune, au lieu de la faire venir chez lui. O était baignée, mais ni coiffée, ni maquillée, ni habillée. Elle vit avec surprise que Sir Stephen avait à la main une sacoche à clubs de golf. Mais son étonnement passa vite : Sir Stephen lui dit d'ouvrir la sacoche. Elle contenait plusieurs cravaches de cuir, deux de cuir rouge un peu épaisses, deux très minces et longues en cuir noir, un fouet de flagellant à très longues lanières de cuir vert, chacune repliée et formant boucle à son extrémité, un autre de cordelettes à nœuds, un fouet de chien fait d'une seule et épaisse lanière de cuir, dont le manche était de cuir tressé, enfin des bracelets de cuir comme ceux de Roissy, et des cordes. O rangea tout, côte à côte, sur le lit ouvert. Quelque habitude ou quelque résolution qu'elle eût, elle tremblait; Sir Stephen la prit dans ses bras. « Qu'est-ce que tu préfères, O? » lui dit-il. Mais elle pouvait à peine parler, et, d'avance, sentait la sueur lui couler des aisselles. « Qu'est-ce que tu préfères? » répéta-t-il. « Bon, dit-il devant son silence, tu vas d'abord m'aider. » Il lui réclama des clous, et ayant trouvé comment disposer, pour faire une manière de décoration, fouets et cravaches entrecroisés, montra à O qu'à droite de sa psyché, et face à son lit, un panneau de boiserie entre la psyché et la cheminée se prêtait à les recevoir. Il fixa les clous. Aux extrémités des manches des fouets et des cravaches, il y avait des anneaux que l'on pouvait accrocher aux crochets des clous X, ce qui permettait d'enlever et de reposer chaque fouet facilement; avec les bracelets et les cordes roulées, O aurait ainsi, face à son lit, la panoplie complète de ses instruments de supplice. C'était une jolie panoplie, aussi harmonieuse que la roue et les tenailles dans les tableaux qui représentent sainte Catherine martyre, que le marteau et les clous, la couronne d'épines, la lance et les verges dans les tableaux de la Passion. Lorsque Jacqueline reviendrait... mais il s'agissait bien de Jacqueline. Il fallait répondre à la question de Sir Stephen : O ne le pouvait pas, il choisit lui-même le fouet à chiens.

Chez La Pérouse, dans un minuscule cabinet particulier du deuxième étage, où des personnages à la Watteau, de couleurs claires un peu effacées, ressemblaient sur les murs sombres à des acteurs de théâtre de poupée, O fut installée seule sur le divan, un des amis de Sir Stephen à sa droite, l'autre à sa gauche, chacun dans un fauteuil, et Sir Stephen en face d'elle. Elle avait déjà vu l'un des hommes à Roissy, mais elle ne se souvenait pas lui avoir appartenu. L'autre était un grand garçon roux aux yeux gris, qui n'avait sûrement pas vingt-cinq ans. Sir Stephen leur dit en deux mots pourquoi il avait invité O, et ce qu'elle était. O s'étonna une fois de plus, en l'écoutant, de la brutalité de son langage. Mais aussi comment voulait-elle donc que fût qualifiée, sinon de putain, une fille qui consentait, devant trois hommes, sans compter les garçons du restaurant qui entraient et sortaient, le service n'étant pas fini, à ouvrir son corsage pour montrer ses seins, dont on voyait que la pointe était fardée, et dont on voyait aussi, par deux sillons violets en travers de la peau blanche, qu'ils avaient été cravachés? Le repas fut très long, et les deux Anglais burent beaucoup. Au café, quand les liqueurs eurent été apportées, Sir Stephen repoussa la table vers la paroi opposée, et après lui avoir relevé sa jupe pour que ses amis voient comment O était chiffrée et ferrée, la leur laissa. L'homme qu'elle avait rencontré à Roissy eut vite fait d'elle, exigeant aussitôt sans quitter son fauteuil ni la toucher du bout des doigts, qu'elle s'agenouillât devant lui, lui prît et lui caressât le sexe, jusqu'à ce qu'il pût se répandre dans sa bouche. Après quoi, il la fit le rajuster, et partit. Mais le garçon roux que la soumission d'O, ses fers, et ce qu'il avait aperçu des lacérations sur son corps bouleversaient, au lieu de se jeter sur elle comme O s'y attendait, la prit par la main, descendit avec elle l'escalier sans un regard aux sourires narquois des garçons, et ayant fait appeler un taxi, l'emmena dans sa chambre d'hôtel. Il ne la laissa s'en aller qu'à la nuit tombée, après lui avoir avec frénésie labouré le ventre et les reins, qu'il lui meurtrit, tant il était épais et roide, et rendu fou par la soudaine liberté où il était pour la première fois de pénétrer une femme doublement, comme de se faire embrasser par elle, de la même façon qu'il venait de voir qu'on pouvait l'exiger d'elle (ce qu'il n'avait jamais osé demander à personne). Le lendemain, lorsqu'à deux heures O arriva chez Sir Stephen qui l'avait fait appeler, elle le trouva le visage grave, et l'air vieilli. « Eric est tombé amoureux fou de toi, O, lui dit-il. Il est venu ce matin me supplier de te rendre ta liberté et me dire qu'il voulait t'épouser. Il veut te sauver. Tu vois ce que je fais de toi si tu es à moi, O, et si tu es à moi tu n'es pas libre de refuser, mais tu es toujours libre, tu le sais, de refuser d'être à moi. Je le lui ai dit. Il revient à trois heures. » O se mit à rire. « Est-ce que ce n'est pas un peu tard ? dit-elle. Vous êtes fous tous les deux. Si Eric n'était pas venu ce matin, qu'auriez-vous fait de moi cet après-midi ? On se serait promenés, et c'est tout ? Alors allons nous promener ; ou bien vous ne m'auriez pas appelée, peut-être ? Alors je m'en vais... — Non, reprit Sir Stephen, je t'aurais appelée, O, mais pas pour nous promener. Je voulais... — Dites. — Viens, ce sera plus simple. » Il se leva et ouvrit une porte sur la paroi face à la cheminée, symétrique de celle par où l'on entrait dans son bureau. O avait toujours cru que c'était une porte de placard, condamnée. Elle vit un très petit boudoir, peint à neuf, et tendu de soie rouge foncé, dont la moitié était occupée par une estrade arrondie, flanquée de deux colonnes, identiques à l'estrade de la salle de musique de Samois. « Les murs et le plafond sont doublés de liège, n'est-ce pas, dit O, et la porte capitonnée, et vous avez fait installer une double fenêtre ? » Sir

Stephen fit oui de la tête. « Mais depuis quand ? dit O. — Depuis ton retour. — Alors pourquoi ?... — Pourquoi j'ai attendu jusqu'à aujourd'hui ? Parce que j'ai attendu de te faire passer entre d'autres mains que les miennes. Je t'en punirai, maintenant. Je ne t'ai jamais punie, O. — Mais je suis à vous, dit O, punissez-moi. Quand Eric viendra... »

Une heure plus tard, mis en présence d'O grotesquement écartelée entre les deux colonnes, le garçon blêmit, balbutia et disparut. O pensait ne jamais le revoir. Elle le retrouva à Roissy, à la fin du mois de septembre, où il se la fit livrer trois jours de suite et la maltraita sauvagement.

IV
LA CHOUETTE

Qu'O ait pu hésiter à parler à Jacqueline de ce que René appelait à juste titre sa véritable condition, c'est ce qu'elle ne comprenait plus. Anne-Marie lui avait bien dit qu'elle serait changée quand elle sortirait de chez elle. Elle n'aurait jamais cru que ce pût être à ce point. Il lui parut naturel, Jacqueline revenue, plus radieuse et plus fraîche que jamais, de ne pas plus se cacher désormais pour se baigner ou s'habiller, qu'elle ne faisait quand elle était seule. Cependant Jacqueline prêtait si peu d'intérêt à ce qui n'était pas elle-même, qu'il fallut, le surlendemain de son retour, qu'elle entrât par hasard dans la salle de bains au moment où O, sortant de l'eau et enjambant le rebord de la baignoire, fit tinter contre l'émail les fers de son ventre pour que le bruit insolite attirât son attention. Elle tourna la tête et vit à la fois le disque qui pendait entre les jambes d'O, et les zébrures qui lui rayaient les cuisses et les seins. « Qu'est-ce que tu as ? dit-elle. — C'est Sir Stephen », répondit O. Et elle ajouta, comme une chose qui allait de soi : « René m'avait donnée à lui, et il m'a fait ferrer à son nom. Regarde. » Et tout en s'essuyant avec le peignoir de bain, elle s'approcha de Jacqueline qui, de saisissement, s'était assise sur le tabouret laqué, assez près pour qu'elle pût prendre à la main le disque et lire l'inscription; puis faisant glisser son peignoir se retourna, désigna de la main le S et l'H qui creusaient ses fesses, et dit : « Il m'a fait aussi marquer à son chiffre. Le reste, ce sont des coups de cravache. Il me fouette généralement lui-même, mais il me fait aussi fouetter par sa servante noire. » Jacqueline regarda O sans pouvoir prononcer une parole. O se mit à rire, puis voulut l'embrasser. Jacqueline épouvantée la repoussa et se sauva dans la chambre. O finit tranquillement de se sécher, se parfuma, se brossa les cheveux. Elle mit sa guêpière, ses bas, ses mules, et quand elle poussa la porte à son tour, rencontra dans la glace le regard de Jacqueline qui se peignait devant la psyché sans avoir conscience de ce qu'elle faisait. « Serre-moi ma guêpière, dit-elle. Tu fais bien l'étonnée. René est amoureux de toi, il ne t'a donc rien dit? — Je ne comprends pas », dit Jacqueline. Et avouant du premier coup ce qui la surprenait le plus : « Tu as l'air d'être fière, je ne comprends pas. — Quand René t'emmènera à Roissy, tu comprendras. Est-ce que tu as commencé à coucher avec lui? » Un flot de sang envahit le visage de Jacqueline qui fit non de la tête avec une telle mauvaise foi qu'O éclata encore de rire. « Tu mens, mon chéri, tu es stupide. Tu as bien le droit de coucher avec lui. Et ce n'est pas une raison pour me repousser. Laisse-moi te caresser, je te raconterai Roissy. » Jacqueline avait-elle craint une violente scène de jalousie d'O, et céda-t-elle par soulagement, ou par curiosité, pour obtenir d'O des explications, ou simplement parce qu'elle aimait la patience, la lenteur, la passion avec lesquelles O la caressait? Elle céda. « Raconte », dit-elle ensuite à O. « Oui, dit O. Mais embrasse-moi d'abord le bout des seins. Il est temps que tu t'habitues, si tu veux servir à quelque chose à René. » Jacqueline obéit, et si bien qu'elle fit gémir O. « Raconte », dit-elle encore.

Le récit d'O, pour fidèle et clair qu'il fût, et en dépit de la preuve matérielle, qu'elle-même constituait, parut à Jacqueline délirant. « Tu y retournes en septembre ? dit-elle. — Quand nous reviendrons du Midi, dit O. Je t'emmènerai ou René t'emmènera. — Voir, je voudrais bien, reprit Jacqueline, mais voir seulement. — Sûrement c'est possible », dit O, qui était convaincue du contraire, mais se disait que si elle pouvait, elle, persuader Jacqueline de franchir les grilles de Roissy, Sir Stephen lui en saurait gré — et qu'il y aurait ensuite assez de valets, de chaînes et de fouets pour apprendre à Jacqueline la complaisance. Elle savait déjà que dans la villa que Sir Stephen avait louée près de Cannes, où elle devait passer le mois d'août avec René, Jacqueline et lui, et la petite sœur de Jacqueline, que celle-ci avait demandé la permission d'emmener — non qu'elle y tînt, mais parce que sa mère la harcelait pour qu'elle y fît consentir O —, elle savait que la chambre qu'elle occuperait, et où Jacqueline ne pourrait guère refuser de faire au moins la sieste avec elle, quand René ne serait pas là, était séparée de la chambre de Stephen par une paroi qui semblait pleine mais ne l'était pas, et dont la décoration en trompe l'œil, à claire-voie sur un treillis, permettait, en relevant un store, de voir et d'entendre aussi bien que si l'on eût été debout à côté du lit. Jacqueline serait livrée aux regards de Sir Stephen, quand O la caresserait, et elle l'apprendrait trop tard pour s'en défendre. Il était doux à O de se dire que par trahison elle livrerait Jacqueline, parce qu'elle se sentait insultée de voir que Jacqueline méprisait cette condition d'esclave marquée et fouettée dont O était fière.

O n'était jamais allée dans le Midi. Le ciel bleu et fixe, la mer qui bougeait à peine, les pins immobiles sous le haut soleil, tout lui parut minéral et hostile. « Pas de vrais arbres », disait-elle tristement, devant les bois odorants pleins de cystes et d'arbousiers, où toutes les pierres, et jusqu'aux lichens, étaient tièdes sous la main. « La mer ne sent pas la mer », disait-elle encore. Elle lui reprochait de ne rejeter que de méchantes algues rares et jaunâtres qui ressemblaient à du crottin, d'être trop bleue, de lécher le rivage toujours à la même place. Mais dans le jardin de la villa, qui était une vieille ferme aménagée à neuf, on était loin de la mer. De grands murs à droite et à gauche protégeaient des voisins; l'aile des domestiques donnait dans la cour d'entrée, sur l'autre façade, et la façade sur le jardin, où la chambre d'O ouvrait de plain-pied sur une terrasse, au premier étage, était exposée à l'est. La cime de grands lauriers noirs affleurait les tuiles creuses achevalées qui servaient de parapet à la terrasse; un lattis de roseaux la protégeait du soleil de midi, le carrelage rouge qui en couvrait le sol était le même que celui de la chambre. La paroi qui séparait la chambre d'O de celle de Sir Stephen exceptée — et c'était la paroi d'une grande alcôve délimitée par une arche et séparée du reste de la chambre par une sorte de barrière semblable à la rampe d'un escalier, à balustres de bois tourné — les autres murs étaient chaulés de blanc. Les épais tapis blancs sur le carrelage étaient en coton, les rideaux en toile jaune et blanche. Il y avait deux fauteuils recouverts de même toile, et des matelas cambodgiens bleus, repliés en trois. Pour tout mobilier une très belle commode ventrue, en noyer, d'époque Régence, et une très longue et étroite table paysanne, blonde, cirée comme un miroir. O rangeait ses robes dans une penderie. Le dessus de la commode lui servait de coiffeuse. On avait logé la petite Natalie tout près de la chambre d'O, et le matin, quand elle savait qu'O prenait son bain de soleil sur la terrasse, elle venait la rejoindre et s'étendre auprès d'elle. C'était une petite fille très blanche, ronde et pourtant fine, les yeux tirés vers les tempes comme ceux de sa sœur, mais noirs et luisants, ce qui lui donnait l'air chinois. Ses cheveux noirs étaient coupés droit au-dessus des sourcils, en frange épaisse, et droit au-dessus de la nuque. Elle avait de petits seins fermes et frémissants, des hanches enfantines à peine renflées. Elle aussi avait vu O par surprise, en pénétrant en courant sur la terrasse où elle croyait trouver sa sœur, et où O était seule, couchée à plat ventre sur une cambodgienne. Mais ce qui avait révolté Jacqueline la bouleversa de désir et d'envie ; elle interrogea sa sœur. Les réponses par quoi Jacqueline crut la révolter aussi, en lui racontant ce qu'O elle-même lui avait raconté, ne changèrent rien à l'émotion de Natalie, au contraire. Elle était tombée amoureuse d'O. Elle parvint à s'en taire plus d'une semaine, puis une fin d'après-midi de dimanche, elle s'arrangea pour se trouver seule avec O.

Il avait fait moins chaud que de coutume. René, qui avait nagé une partie de la matinée, dormait sur le divan d'une pièce fraîche au rez-de-chaussée. Jacqueline, piquée de voir qu'il préférait dormir, avait rejoint O dans son alcôve. La mer et le soleil l'avaient déjà dorée davantage : ses cheveux, ses sourcils, ses cils, la toison de son ventre, ses aisselles semblaient poudrés d'argent, et comme elle n'était pas du tout fardée, sa bouche était du même rose que la chair rose au creux de son ventre. Pour que Sir Stephen

— dont O se disait qu'elle eût, à la place de Jacqueline, pressenti, deviné, perçu la présence invisible —, pût la voir en détail, O eut soin à plusieurs reprises de lui renverser les jambes en les lui maintenant ouvertes en pleine lumière : elle avait allumé la lampe de chevet. Les volets étaient tirés, la chambre presque obscure, malgré des rais de clarté à travers les bois mal jointés. Jacqueline gémit plus d'une heure sous les caresses d'O, et enfin les seins dressés, les bras rejetés en arrière, serrant à pleines mains les barreaux de bois qui formaient la tête de son lit à l'italienne, commença à crier lorsque O, tenant écartés les lobes ourlés de cheveux pâles, se mit à mordre lentement la crête de chair où se rejoignaient, entre les cuisses, les fines et souples petites lèvres. O la sentait brûlante et raidie sous sa langue, et la fit crier sans relâche, jusqu'à ce qu'elle se détendît d'un seul coup, ressorts cassés, moite de plaisir. Puis elle la renvoya dans sa chambre, où elle dormit ; elle était réveillée et prête quand à cinq heures René vint la chercher pour aller en mer, avec Natalie, sur un petit bateau à voiles, comme ils avaient pris l'habitude de faire ; en fin d'après-midi un peu de brise se levait. « Où est Natalie ? » dit René. Natalie n'était pas dans sa chambre, ni dans la maison. On l'appela dans le jardin. René alla jusqu'au petit bois de chênes-lièges qui faisait suite au jardin, personne ne répondit. « Elle est peut-être déjà à la crique, dit René, ou dans le bateau. » Ils partirent sans appeler davantage. Ce fut alors qu'O, étendue sur une cambodgienne, sur sa terrasse, aperçut à travers les tuiles de la balustrade Natalie qui courait vers la maison. Elle se leva, passa sa robe de chambre — elle était nue, tant il faisait encore chaud — et nouait la ceinture quand Natalie entra comme une furie et se jeta sur elle. « Elle est partie, enfin elle est partie, criait-elle. Je l'ai entendue, O, je vous ai entendues, j'ai écouté à la porte. Tu l'embrasses, tu la caresses. Pourquoi tu ne me caresses pas moi, pourquoi tu ne m'embrasses pas ? C'est parce que je suis noire, et pas jolie ? Elle ne t'aime pas, O, et moi je t'aime. » Et elle éclata en sanglots. « Allons bon », se dit O. Elle poussa la petite fille dans un fauteuil, prit un grand mouchoir dans sa commode (c'était un mouchoir de Sir Stephen) et quand les sanglots de Natalie furent un peu calmés, lui essuya le visage. Natalie lui demanda pardon, en lui baisant les mains. « Même si tu ne veux pas m'embrasser, O, garde-moi près de toi. Garde-moi près de toi tout le temps. Si tu avais un chien, tu le garderais bien. Si tu ne veux pas m'embrasser, mais que ça t'amuse de me battre, tu peux me battre, mais ne me renvoie pas. — Tais-toi, Natalie, tu ne sais pas ce que tu dis », murmura O tout bas. La petite, tout bas aussi, et glissant aux genoux d'O qu'elle enserra, répliqua : « Oh ! si, je sais bien. Je t'ai vue l'autre matin sur la terrasse. J'ai vu les initiales, et que tu avais de grandes marques bleues. Et Jacqueline m'a dit — T'a dit quoi ? — Où tu avais été, O, et ce qu'on te faisait. — Elle t'a parlé de Roissy ? — Elle m'a dit aussi que tu avais été, que tu étais... — Que j'étais ? — Que tu portes des anneaux de fer. — Oui, dit O, et puis ? — Et puis que Sir Stephen te fouette tous les jours. — Oui, dit encore O, et maintenant il va venir dans un instant. Va-t'en Natalie. » Natalie, sans bouger, leva la tête vers O, et O rencontra son regard plein d'adoration. « Apprends-moi, O, je t'en supplie, reprit-elle, je voudrais être comme toi. Je ferai tout ce que tu me diras. Promets-moi de m'emmener quand tu retourneras là où Jacqueline m'a dit. — Tu es trop petite, dit O. — Non, je ne suis pas trop petite, j'ai plus de quinze ans, criat-elle furieuse, je ne suis pas trop petite, demande à Sir Stephen », répéta-t-elle — car il entrait.

Natalie obtint de demeurer près d'O et la promesse qu'elle serait emmenée à Roissy. Mais Sir Stephen interdit à O de lui apprendre la moindre caresse, de l'embrasser fût-ce sur la bouche, et de se laisser embrasser par elle. Il entendait qu'elle arrivât à Roissy sans avoir été touchée par les mains ou les lèvres de qui que ce fût. Par contre il exigea, puisqu'elle voulait ne pas quitter O, qu'elle ne la quittât à aucun moment, qu'elle vît aussi bien O caresser Jacqueline, que le caresser et se livrer à lui, tout comme être fouettée par lui ou passée aux verges par la vieille Norah. Les baisers dont O couvrait sa sœur, la bouche d'O sur la bouche de sa sœur, firent trembler Natalie de jalousie et de haine. Mais blottie sur le tapis dans l'alcôve au pied du lit d'O comme la petite Dinarzade au pied du lit de Schéhérazade, elle regarda chaque fois O liée à la balustrade de bois se tordre sous la cravache, O à genoux recevoir humblement dans sa bouche l'épais sexe dressé de Sir Stephen, O prosternée écarter elle-même ses fesses à deux mains pour lui offrir le chemin de ses reins, sans autres sentiments que l'admiration, l'impatience et l'envie.

Peut-être O avait-elle trop compté sur l'indifférence à la fois et la sensualité de Jacqueline, peut-être Jacqueline estima-t-elle naïvement dangereux pour elle, par rapport à René, de se prêter tellement à O, toujours est-il qu'elle cessa tout d'un coup. Vers le même temps, il sembla qu'elle se mît à tenir René, avec qui elle passait presque toutes ses nuits et toutes ses journées, comme à distance. Jamais elle n'avait eu avec lui l'attitude d'une amoureuse. Elle le regardait froidement, et quand elle lui souriait, le sourire n'allait pas jusqu'à ses yeux. En admettant qu'elle fût avec lui aussi abandonnée qu'elle l'était avec O, ce qui était probable, O ne pouvait s'empêcher de croire que cet abandon n'engageait pas Jacqueline à grand-chose. Tandis qu'on sentait René perdu de désir devant elle, et paralysé par un amour inconnu de lui jusque-là, un amour inquiet, mal assuré de retour, et qui craint de déplaire. Il vivait, il dormait dans la même maison que Sir Stephen, dans la même maison qu'O, il déjeunait, dînait, il sortait et se promenait avec Sir Stephen, avec O, il leur parlait : il ne les voyait, pas, il ne les entendait pas. Il voyait, entendait, parlait à travers eux, au-delà d'eux, et sans cesse essayait d'atteindre, dans un effort muet et harassant, semblable aux efforts qu'on fait dans les rêves pour sauter dans le tram qui part, pour se rattraper au parapet du pont qui s'effondre, essayait d'atteindre la raison d'être, la vérité de Jacqueline qui devaient exister quelque part à l'intérieur de sa peau dorée, comme sous la porcelaine le mécanisme qui fait crier les poupées. « Le voilà donc, se disait O, le voilà venu le jour dont j'avais tellement peur, où je serais pour René une ombre dans une vie passée. Et je ne suis même pas triste, et il me fait seulement pitié, et je peux le voir chaque jour sans être offensée qu'il ne me désire plus, sans amertume, sans regret. Pourtant, il y a quelques semaines seulement, j'ai couru le supplier de me dire qu'il m'aimait. Etait-ce cela mon amour ? Si léger, si facilement consolé ? Consolé, même pas : je suis heureuse. Suffisait-il donc qu'il m'ait donnée à Sir Stephen pour que je me détache de lui, et qu'entre des bras nouveaux je naisse si facilement à un nouvel amour ? » Mais aussi, qu'était René auprès de Sir Stephen ? Corde de foin, amarre de paille, boulets de liège, voilà de quoi les liens véritables dont il l'avait fait attacher, pour si vite y renoncer, étaient le symbole. Mais quel repos, quel délice l'anneau de fer qui troue la chair et pèse pour toujours, la marque qui ne s'effacera jamais, la main d'un maître qui vous couche sur un lit de roc, l'amour d'un maître qui sait s'approprier sans pitié ce qu'il aime. Et O se disait que finalement elle n'avait aimé René que pour apprendre l'amour et mieux savoir se donner, esclave et comblée, à Sir Stephen. Mais de voir René, qui avec elle avait été si libre — et elle l'avait aimé de sa liberté — marcher comme entravé, comme les jambes prises dans l'eau et les roseaux d'un étang qui semble immobile, mais le courant est dans les couches profondes, soulevait O de haine contre Jacqueline. René le devina-t-il, O imprudente le laissa-t-elle voir ? Elle commit une faute. Elles étaient allées un après-midi à Cannes, ensemble, mais seules, chez le coiffeur, puis avaient pris des glaces à la terrasse de la Réserve. Jacqueline, en pantalon corsaire et chandail de lin noirs, éteignait autour d'elle jusqu'à l'éclat des enfants, si lisse, si dorée, si dure, et si claire dans le plein soleil, si insolente, si fermée. Elle dit à O qu'elle avait rendez-vous avec le metteur en scène qui l'avait fait tourner à Paris, pour tourner en extérieurs, probablement dans la montagne derrière Saint-Paul-de-Vence. Le garçon était là, droit et résolu. Il n'avait pas besoin de parler. Qu'il fût amoureux de Jacqueline allait sans dire. Il suffisait de le voir la regarder. Quoi de surprenant ? Ce qui l'était davantage, c'était Jacqueline. A demi étendue dans un des grands fauteuils basculants, Jacqueline l'écoutait, qui parlait de dates à fixer, et de rendez-vous à prendre, et de la difficulté de trouver assez d'argent pour terminer le film entrepris. Il tutoyait Jacqueline, qui répondait en faisant oui et non de la tête, et fermait à demi les yeux. O était assise en face, le garçon entre elles deux. Elle n'eut pas de peine à remarquer que Jacqueline, de ses yeux baissés, et à l'abri de ses paupières immobiles, guettait le désir du garçon, comme elle faisait toujours en croyant que personne ne s'en apercevait. Mais le plus étrange fut de l'en voir troublée, les mains défaites le long d'elle, sans une ombre de sourire, grave, et comme O ne l'avait jamais vue devant René. Un sourire d'une seconde à peine sur ses lèvres, quand O se pencha pour reposer sur la table son verre d'eau glacée, et que leurs regards se croisèrent, et O comprit que Jacqueline se rendait compte qu'elle était devinée. Elle n'en fut pas dérangée, ce fut O qui rougit. « Tu as trop chaud ? dit Jacqueline. On s'en va dans cinq minutes. Ça te va très bien d'ailleurs. » Puis elle sourit de nouveau, mais cette fois avec un si tendre abandon, en levant les yeux vers son interlocuteur, qu'il semblait impossible qu'il ne bondît pas pour l'embrasser. Mais non. Il était trop jeune pour savoir ce qu'il y a d'impudeur dans l'immobilité et le silence. Il laissa Jacqueline se lever, lui tendre la main, lui dire au revoir. Elle téléphonerait. Il dit encore au revoir à l'ombre que pour lui était O, et debout sur le trottoir, regarda la Buick noire filer sur l'avenue, entre les maisons que le soleil brûlait et la mer trop bleue. Les palmiers avaient l'air découpés dans la tôle, les promeneurs de mannequins de cire mal fondue, animés par une mécanique absurde. « Il te plaît tant que cela ? » dit O à Jacqueline, comme la voiture sortait de la ville et prenait la route de la haute corniche. « Ça te regarde ? » répondit Jacqueline. « Ça regarde René », répliqua O. « Ce qui regarde aussi René, et Sir Stephen, et si j'ai bien compris, un certain nombre d'autres, reprit Jacqueline, c'est que tu es bien mal assise. Tu vas froisser ta robe. » O ne bougea pas. « Et je croyais, dit encore Jacqueline, que tu devais aussi ne jamais croiser les genoux ? » Mais O n'écoutait plus. Que lui importaient les menaces de Jacqueline ? Si Jacqueline menaçait de dénoncer O, pour cette faute vénielle, s'imaginait-elle empêcher ainsi O de la dénoncer à René ? Ce n'était pas l'envie qui en manquait à O. Mais René ne supporterait pas d'apprendre que Jacqueline lui mentait, ni qu'elle désirait disposer d'elle en dehors de lui. Comment faire croire à Jacqueline que si O se taisait, ce serait pour ne pas voir René perdre la face, pâlir pour une autre qu'elle, et peut-être avoir la faiblesse de ne pas la punir ? Que ce serait, plus encore, par crainte de voir la colère de René se tourner vers elle, messagère de mauvaises nouvelles, dénonciatrice. Comment dire à Jacqueline qu'elle se tairait, sans avoir l'air de conclure avec elle un marché, donnant donnant ? Car Jacqueline s'imaginait qu'O avait une peur affreuse, une peur qui la glaçait, de ce qui lui serait infligé si Jacqueline parlait.

Quand elles descendirent de voiture, dans la cour de la vieille maison, elles ne s'étaient plus adressé la parole. Jacqueline, sans regarder O, cueillait une tige de géranium blanc dans la bordure de la façade. O la suivait d'assez près pour sentir l'odeur fine et forte de la feuille froissée entre ses mains. Croyait-elle ainsi masquer l'odeur de sa propre sueur, qui plaquait plus étroitement et faisait plus noir sous ses aisselles le lin de son chandail ? Dans la grande salle carrelée de rouge et chaulée de blanc, René était seul. « Vous êtes en retard », dit-il quand elles entrèrent. « Sir Stephen t'attend à côté, ajouta-t-il en s'adressant à O, il a besoin de toi, il n'est pas très content. » Jacqueline éclata de rire, et O la regarda et rougit. « Vous auriez pu trouver un autre moment », dit René, qui se trompa sur le rire de Jacqueline et sur le trouble d'O. « Ce n'est pas cela, dit Jacqueline, mais tu ne sais pas, René, votre belle obéissante, elle n'est pas si obéissante, quand vous n'êtes pas là. Regarde sa robe, comme elle est froissée. » O était debout, au milieu de la pièce, face à René. Il lui dit de se tourner, elle ne put bouger. « Elle croise aussi les genoux, dit encore Jacqueline, mais ça vous ne le verrez pas, bien sûr. Ni qu'elle raccroche les garçons. — Ce n'est pas vrai, cria O, c'est toi », et elle bondit sur Jacqueline. René la saisit comme elle allait frapper Jacqueline, et elle se débattait entre ses mains pour le plaisir de se sentir plus faible, et d'être à sa merci, quand, relevant la tête, elle aperçut Sir Stephen, dans l'embrasure de la porte, qui la regardait. Jacqueline s'était rejetée vers le divan, son petit visage durci par la peur et par la colère et O sentait que René, tout occupé qu'il fût de la maintenir immobile, n'avait d'attention que pour Jacqueline. Elle cessa de se raidir, et désespérée d'être en faute sous les yeux mêmes de Sir Stephen, répéta encore, cette fois à voix basse : « Ce n'est pas vrai, je vous jure que ce n'est pas vrai. » Sans un mot, et sans un regard à Jacqueline, Sir Stephen fit signe à René de lâcher O, à O de passer. Mais de l'autre côté de la porte, O, aussitôt pressée contre le mur, saisie au ventre et aux seins, la bouche entrouverte par la langue de Sir Stephen, gémit de bonheur et de délivrance. La pointe de ses seins se raidissait sous la main de Sir Stephen. De l'autre main il fouillait si rudement son ventre qu'elle crut s'évanouir. Oserait-elle jamais lui dire qu'aucun plaisir, aucune joie, aucune imagination n'approchait le bonheur qu'elle ressentait à la liberté avec laquelle il usait d'elle, à l'idée qu'il savait qu'il n'avait avec elle aucun ménagement à garder, aucune limite à la façon dont, sur son corps, il pouvait chercher son plaisir. La certitude où elle était que lorsqu'il la touchait, que ce fût pour la caresser ou la battre, que lorsqu'il ordonnait d'elle quelque chose c'était uniquement parce qu'il en avait envie, la certitude qu'il ne tenait compte que de son propre désir comblait O au point que chaque fois qu'elle en avait la preuve, et souvent même quand seulement elle y pensait, une chape de feu, une cuirasse brûlante qui allait des épaules aux genoux, s'abattait sur elle. Comme elle était là, debout contre le mur, les yeux fermés, murmurant je vous aime quand le souffle ne lui manquait pas, les mains de Sir Stephen pourtant fraîches comme source sur ce feu qui montait et descendait le long d'elle la faisaient brûler davantage encore. Il la quitta doucement, rabattant sa jupe sur ses cuisses moites, refermant son boléro sur ses seins dressés. « Viens, O, dit-il, j'ai besoin de toi. » Alors O, ouvrant les yeux, s'aperçut brusquement qu'il y avait là quelqu'un d'autre. La grande pièce nue et chaulée, toute pareille à la salle par laquelle on entrait, ouvrait de même par une grande porte sur le jardin, et sur la terrasse qui précédait le jardin, assis dans un fauteuil d'osier, une cigarette aux lèvres, une sorte de géant au crâne nu, un énorme ventre tendant sa chemise ouverte et son pantalon de toile, regardait O. Il se leva et vint au-devant de Sir Stephen qui poussait O devant lui. O vit alors sur lui, qui retombait au bout d'une chaînette de la poche où l'on met la montre, le disque de Roissy. Cependant Sir Stephen le présenta courtoisement à O, en disant « le Commandant » sans lui donner de nom, et pour la première fois depuis qu'elle avait affaire à des affiliés de Roissy (Sir Stephen excepté), elle eut la surprise de se voir baiser la main. Ils rentrèrent tous trois dans la pièce, laissant la fenêtre ouverte ; Sir Stephen alla vers la cheminée d'angle et sonna. O vit sur la table chinoise, à côté du divan, la bouteille de whisky, le siphon et les verres. Ce n'était donc pas pour demander à boire. Elle remarqua en même temps, posé par terre près de la cheminée, un grand cartonnage blanc. L'homme de Roissy s'était assis sur un fauteuil de paille, Sir Stephen, à demi sur la table ronde, une jambe ballante. O, à qui on avait montré le divan, avait docilement relevé sa jupe, et sentait contre ses cuisses le doux piqué de coton de la couverture provençale. Ce fut Norah qui entra. Sir Stephen lui dit de déshabiller O et d'emporter ses vêtements. O se laissa enlever son boléro, sa robe, la ceinture baleinée qui lui étranglait la taille, ses sandales. Sitôt qu'elle l'eut mise nue, Norah partit, et O, reprise par l'automatisme de la règle de Roissy, certaine que Sir Stephen ne désirait d'elle que sa parfaite docilité, demeura debout au milieu de la pièce, les yeux baissés, si bien qu'elle devina plutôt qu'elle ne vit Natalie se glisser par la fenêtre ouverte, vêtue de noir comme sa sœur, pieds nus et muette. Sans doute Sir Stephen s'était-il expliqué sur Natalie ; il se contenta de la nommer au visiteur, qui ne posa pas de question, et de la prier de verser à boire. Sitôt qu'elle eut donné du whisky, de l'eau de Seltz et de la glace (et dans le silence le seul tintement des cubes de glace heurtant les verres faisait un bruit déchirant), le Commandant, son verre à la main, se leva du fauteuil de paille où il était assis pendant qu'on déshabillait O, et s'approcha d'elle. O crut que de sa main libre, il allait lui prendre un sein ou la saisir au ventre. Mais il ne la toucha pas, se contentant de la regarder de tout près, de sa bouche entrouverte à ses genoux disjoints. Il tourna autour d'elle, attentif à ses seins, à ses cuisses, à ses reins, et cette attention sans un mot, la présence de ce corps gigantesque si proche bouleversait O au point qu'elle ne savait si elle désirait le fuir ou bien au contraire qu'il la renversât et l'écrasât. Elle était si troublée qu'elle perdit contenance et leva les yeux vers Sir Stephen pour chercher secours. Il comprit, sourit, vint près d'elle, et lui prenant les deux mains les lui réunit derrière le dos, dans une des siennes. Elle se laissa aller contre lui, les yeux fermés, et ce fut dans un rêve, ou tout au moins dans le crépuscule d'un demi-sommeil d'épuisement, comme elle avait entendu enfant, à moitié sortie seulement d'une anesthésie, les infirmières qui la croyaient encore endormie parler d'elle, de ses cheveux, de son teint pâle, de son ventre plat où le duvet poussait tout juste, qu'elle entendit l'étranger faire compliment d'elle à Sir Stephen insistant sur l'agrément des seins un peu lourds et de la taille étroite, des fers plus épais, plus longs et plus visibles qu'il n'était coutume. Elle apprit du même coup que sans doute Sir Stephen avait promis de la prêter la semaine suivante, puisqu'on l'en remerciait. Sur quoi Sir Stephen, la prenant par la nuque, lui dit doucement de se réveiller, et de monter l'attendre dans sa chambre avec Natalie.

Etait-ce la peine d'être si troublée, et que Natalie, enivrée de joie à l'idée de voir O ouverte par quelqu'un d'autre que Sir Stephen, dansât autour d'elle une sorte de danse de Peau-Rouge et criât : « Est-ce que tu crois qu'il t'entrera dans la bouche aussi, O ? Tu n'as pas vu comme il te regardait la bouche ? Ah ! que tu es heureuse qu'on ait envie de toi. Sûrement qu'il te fouettera : il est bien revenu trois fois aux marques où l'on voit que tu as été fouettée. Au moins, pendant ce temps-là, tu ne penseras pas à Jacqueline. — Mais je ne pense pas à Jacqueline tout le temps, répliqua O, tu es stupide. — Non ! je ne suis pas stupide, dit la petite, je sais bien qu'elle te manque. » C'était vrai, mais pas tout à fait. Ce qui manquait à O n'était pas à proprement parler Jacqueline, mais l'usage d'un corps de fille, dont elle pût faire ce qu'elle voulût. Natalie ne lui eût pas été interdite, elle aurait pris Natalie, et le seul motif qui l'empêchait de violer l'interdit était la certitude qu'on lui donnerait Natalie à Roissy dans quelques semaines, et que ce serait auparavant devant elle, et par elle, et grâce à elle, que Natalie serait livrée. La muraille d'air, d'espace, de vide pour tout dire, qui existait entre Natalie et elle, elle brûlait de l'anéantir, et elle goûtait en même temps l'attente où elle était contrainte. Elle le dit à Natalie, qui secoua la tête, et ne la crut pas. « Si Jacqueline était là, dit-elle, et voulait bien, tu la caresserais. — Bien sûr, dit O, en riant. — Tu vois bien… », reprit l'enfant. Comment lui faire comprendre, et cela valait-il la peine, que non, O n'était pas tellement amoureuse de Jacqueline, ni d'ailleurs de Natalie, ni d'aucune fille en particulier, mais seulement des filles en tant que telles, et comme on peut être amoureuse de sa propre image — trouvant toujours plus émouvantes et plus belles les autres qu'elle ne se trouvait elle-même. Le plaisir qu'elle prenait à voir haleter une fille sous ses caresses, et ses yeux se fermer, à faire dresser la pointe de ses seins sous ses lèvres et sous ses dents, à s'enfoncer en elle en lui fouillant le ventre et les reins de sa main — et la sentir se resserrer autour de ses doigts en l'entendant gémir lui tournait la tête —, ce plaisir n'était si aigu que parce qu'il lui rendait constamment présent et certain le plaisir qu'elle donnait à son tour, lorsqu'à son tour elle se resserrait sur qui la tenait, et gémissait, à cette différence qu'elle ne concevait pouvoir être ainsi donnée à une fille, comme celle-ci lui était donnée, mais seulement à un homme. Il lui semblait en outre que les filles qu'elle caressait appartenaient de droit à l'homme à qui elle-même appartenait, et qu'elle n'était là que par procuration. Sir Stephen fût-il entré quand elle caressait Jacqueline, ces jours précédents où Jacqueline venait à l'heure de la sieste auprès d'elle, elle eût de force, et sans le moindre remords, et bien au contraire avec un plaisir total, maintenu écartées pour lui, de ses deux mains, les cuisses de Jacqueline, s'il lui avait plu de la posséder, au lieu seulement de la regarder à travers la cloison à claire-voie, comme il avait fait. On pouvait la lancer à la chasse, elle était un oiseau de proie naturellement dressé, qui rabattrait et rapporterait sans faute le gibier. Et justement... Ici, et comme elle repensait, le cœur battant, aux lèvres délicates et si roses de Jacqueline sous la fourrure blonde de son ventre, à l'anneau plus délicat et rose encore entre ses fesses qu'elle n'avait osé forcer que trois fois, elle entendit Sir Stephen bouger dans sa chambre. Elle savait qu'il pouvait la voir, cependant qu'elle ne le voyait pas, et une fois de plus elle sentit qu'elle était heureuse de cette exposition constante, de cette constante prison de ses regards où elle était enfermée. La petite Natalie était assise sur le tapis blanc au milieu de la chambre, comme une mouche dans le lait, mais O debout devant la commode ventrue qui. lui servait de coiffeuse, et au-dessus de laquelle elle se voyait jusqu'à mi-corps, dans un miroir ancien, un peu verdie et tremblée comme dans un étang, faisait songer à ces gravures de la fin de l'autre siècle, où des femmes se promenaient nues dans la pénombre des appartements, au cœur de l'été. Quand Sir Stephen poussa la porte, elle se retourna si brusquement, en s'appuyant le dos à la commode, que les fers entre ses jambes heurtèrent une des poignées de bronze, et tintèrent. « Natalie, dit Sir Stephen, va chercher le carton blanc qui est resté en bas, dans la seconde salle. » Natalie revenue posa le carton sur le lit, l'ouvrit, et sortit un à un, en les développant de leur papier de soie, les objets qu'il contenait, et les tendit au fur et à mesure à Sir Stephen. C'étaient des masques. A la fois coiffures et masques, on voyait qu'ils étaient faits pour couvrir toute la tête, en ne laissant libres, outre la fente des yeux, que la bouche et le menton. Epervier, faucon, chouette, renard, lion, taureau, ce n'étaient que masques de bêtes, à mesure humaine, mais faits de la fourrure ou des plumes de la bête véritable, l'orbite de l'œil ombragée de cils quand la bête avait des cils (comme le lion) et le pelage ou la plume descendant assez bas pour atteindre les épaules de qui les porterait. Il suffisait de resserrer une sangle assez large, cachée sous cette manière de chape qui retombait par-derrière, pour que le masque s'appliquât étroitement au-dessus de la lèvre supérieure (un orifice étant ménagé pour chaque narine) et le long des joues. Une armature de carton modelé et durci en maintenait la forme rigide, entre le revêtement extérieur et la doublure de peau. Devant la grande glace où elle se voyait en pied, O essaya chacun des masques. Le plus singulier, et celui qui à la fois transformait le plus et lui semblait le plus naturel, était un des masques de la chouette chevêche (il y en avait deux), sans doute parce qu'il était de plumes fauves et beiges, dont la couleur se fondait avec la couleur de son hâle; la chape de plumes lui cachait presque complètement les épaules, descendant jusqu'à mi-dos, et par-devant jusqu'à la naissance des seins. Sir Stephen lui fit effacer le rouge de ses lèvres, puis lorsqu'elle retira le masque, lui dit : « Tu seras donc chevêche pour le Commandant. Mais O, je te demande pardon, tu seras menée en laisse. Natalie, va chercher dans le premier tiroir de mon secrétaire, tu trouveras une chaîne, et des pinces. » Natalie apporta la chaîne et les pinces, avec lesquelles Sir Stephen défit le dernier maillon, qu'il passa dans le second anneau qû'O portait au ventre, puis referma. La chaîne, pareille à celles avec lesquelles on attache les chiens — c'en était une — avait un mètre et demi de long, et se terminait par un mousqueton. Sir Stephen dit à Natalie, après qu'O eut remis le masque, d'en prendre l'extrémité, et de marcher dans la pièce, devant O. Natalie fit trois fois le tour de la pièce, tirant derrière elle, par le ventre, O nue et masquée. « Eh bien, dit Sir Stephen, le Commandant avait raison, il faut aussi te faire épiler complètement. Ce sera pour demain. Pour l'instant, garde ta chaîne. »

Le même soir, et pour la première fois en compagnie de Jacqueline et de Natalie, de René, de Sir Stephen, O dîna nue, sa chaîne passée entre ses jambes, remontée sur ses reins, et entourant sa taille. Norah servait seule, et O fuyait son regard : Sir Stephen, deux heures plus tôt, l'avait fait appeler.

Ce furent les lacérations toutes fraîches, plus encore que les fers et la marque sur les reins, qui bouleversèrent la jeune fille de l'Institut de Beauté où le lendemain O alla se faire épiler. O eut beau lui dire que cette épilation à la cire, où l'on arrache d'un coup la cire durcie où sont pris les poils, n'est pas moins cuisante qu'un coup de cravache, et lui répéter, et même essayer de lui expliquer, sinon quel était son sort, du moins qu'elle en était heureuse, il n'y eut pas moyen de calmer son scandale, ni son effroi. Le seul effet des apaisements d'O fut qu'au lieu d'être regardée avec pitié, comme elle l'avait été au premier instant, elle le fut avec horreur. Si gentiment qu'elle remerciât, une fois que ce fut fini, et qu'elle fut sur le point de quitter la cabine où elle avait été écartelée comme pour l'amour, si important que fût l'argent qu'elle laissait, elle sentit qu'on la chassait, plutôt qu'elle ne partait. Que lui importait ? Il était clair à ses yeux qu'il y avait quelque chose de choquant dans le contraste entre la fourrure de son ventre et les plumes de son masque, clair aussi que cet aspect de statue d'Egypte que lui conférait le masque, et que ses épaules larges, ses hanches minces et ses longues jambes accentuaient, exigeait que sa chair fût entièrement lisse. Mais seules les effigies de déesses sauvages offraient aussi haute et visible la fente du ventre entre les lèvres de laquelle apparaissait l'arête de lèvres plus fines. En vit-on jamais percées d'anneaux ? O se souvint de la fille rousse et ronde qui était chez Anne-Marie, et qui disait que son maître ne se servait de l'anneau de son ventre que pour l'attacher au pied de son lit, et aussi qu'il la voulait épilée parce que seulement ainsi elle était tout à fait nue. O craignit de déplaire à Sir Stephen, qui aimait tant la tirer à lui par sa toison, mais elle se trompait : Sir Stephen la trouva plus émouvante, et lorsqu'elle eut revêtu son masque, les lèvres également dépourvues de fard au visage et au ventre et si pâles, il la caressa presque timidement comme on fait d'une bête qu'on veut apprivoiser. Sur l'endroit où il voulait la conduire, il n'avait rien dit, ni sur l'heure où ils devaient partir ni qui seraient les invités du

Commandant. Mais tout le reste de l'après-midi il vint dormir auprès d'elle, et le soir se fit apporter pour elle et pour lui, à dîner dans sa chambre. Ils partirent une heure avant minuit, dans la Buick, O recouverte d'une grande cape brune de montagne, et des socques de bois aux pieds ; Natalie, en pantalon et chandail noirs, la tenait par sa chaîne, dont le mousqueton était accroché au bracelet qu'elle portait au poignet droit. Sir Stephen conduisait. La lune, près d'être pleine, était haute, et éclairait par grandes plaques neigeuses la route, les arbres et les maisons dans les villages que la route traversait, laissant noir comme de l'encre de Chine tout ce qu'elle n'éclairait pas. Il y avait encore quelques groupes au seuil des portes, où l'on sentait un mouvement de curiosité au passage de cette voiture fermée (Sir Stephen n'avait pas ouvert la capote). Des chiens aboyaient. Sur le côté où frappait la lumière, les oliviers ressemblaient à des nuages d'argent flottant à deux mètres du sol, les cyprès à des plumes noires. Rien n'était vrai dans ce pays, que la nuit rendait à l'imaginaire, sinon l'odeur des sauges et des lavandes. La route montait toujours, et cependant le même souffle chaud couvrait la terre. O fit tomber sa cape de ses épaules. On ne la verrait pas, il n'y avait plus personne. Dix minutes plus tard, après avoir longé un bois de chênes verts, en haut d'une côte, Sir Stephen ralentit devant un long mur percé d'une porte cochère, qui s'ouvrit à l'approche de la voiture. Il gara dans une avant-cour, cependant qu'on refermait la porte derrière lui, puis descendit, et fit descendre Natalie et O, qui sur son ordre laissa dans la voiture sa cape et ses socques. La porte qu'il poussa ouvrait sur un cloître à arcades Renaissance, dont trois côtés seulement subsistaient, la cour dallée prolongée au quatrième côté par une terrasse également dallée. Une dizaine de couples dansaient sur la terrasse et dans la cour, quelques femmes très décolletées et des hommes en spencer blanc étaient assis à de petites tables éclairées aux bougies, le pick-up était sous la galerie de gauche, un buffet sous la galerie de droite. Mais la lune donnait autant de clarté que les bougies et lorsqu'elle tomba droit sur O, que tirait en avant Natalie petite ombre noire, ceux qui l'aperçurent s'arrêtèrent de danser, et les hommes assis se levèrent. Le garçon près du pick-up, sentant qu'il se passait quelque chose, se retourna et saisi, stoppa le disque. O n'avançait plus, Sir Stephen immobile deux pas derrière elle attendait aussi. Le Commandant écarta ceux qui s'étaient groupés autour d'O, et déjà apportaient des flambeaux pour la voir de plus près. « Qui est-ce, disaient-ils, à qui est-elle ? — A vous si vous voulez », répondit-il, et il entraîna Natalie et O vers un angle de la terrasse où un banc de pierre recouvert d'une cambodgienne était adossé à un petit mur. Lorsque O fut assise, le dos appuyé au mur, les mains reposant sur les genoux, Natalie par terre à gauche à ses pieds tenant toujours la chaîne, il s'en retourna. O chercha des yeux Sir Stephen et ne le vit d'abord pas. Puis elle le devina, allongé sur une chaise longue à l'autre angle de la terrasse. Il pouvait la voir, elle fut rassurée. La musique avait repris, les danseurs dansaient de nouveau. Un ou deux couples se rapprochèrent d'abord d'elle comme par hasard, en continuant à danser, puis l'un d'eux franchement, la femme entraînant l'homme. O les fixait de ses yeux cernés de bistre sous la plume, larges ouverts comme les yeux de l'oiseau nocturne qu'elle figurait, et si forte était l'illusion que ce qui paraissait le plus naturel, qu'on l'interrogeât, personne n'y songeait, comme si elle eût été une vraie chevêche, sourde au langage humain, et muette. De minuit jusqu'à l'aube, qui commença de blanchir le ciel à l'est vers cinq heures, à mesure que la lune faiblissait en descendant vers l'ouest, on s'approcha d'elle plusieurs fois, jusqu'à la toucher, on fit cercle plusieurs fois autour d'elle, plusieurs fois on lui ouvrit les genoux, en soulevant sa chaîne, en apportant un des candélabres à deux branches en faïence provençale — et elle sentait la flamme des bougies lui chauffer l'intérieur des cuisses — pour voir comment sa chaîne lui était fixée ; il y eut même un Américain ivre qui la saisit en riant, mais lorsqu'il se rendit compte qu'il avait pris à pleine main la chair et le fer qui la traversait, il fut brusquement dégrisé, et O vit naître sur son visage l'horreur et le mépris qu'elle avait déjà lus sur le visage de la jeune fille qui l'avait épilée ; il partit ; il y eut encore une fille très jeune, les épaules nues et un tout petit collier de perles au cou, dans une robe blanche de premier bal pour jeune fille, deux roses-thé à la taille, et de petites sandales dorées aux pieds, qu'un garçon fit asseoir tout contre O, à sa droite ; puis il lui prit la main, la força à caresser les seins d'O, qui frémit sous la légère main fraîche, et de toucher le ventre d'O, et l'anneau, et le trou où passait l'anneau ; la petite obéissait en silence, et lorsque le garçon lui dit qu'il lui en ferait autant, elle n'eut pas un mouvement de recul. Mais même en disposant ainsi d'O, et même en la prenant ainsi comme modèle, ou comme objet de démonstration, pas une seule fois on lui adressa la parole. Etait-elle donc de pierre ou de cire, ou bien créature d'un autre monde et pensait-on qu'il était inutile de lui parler, ou bien si l'on n'osait pas ? Ce fut seulement le plein jour venu, tous les danseurs partis, que Sir Stephen et le Commandant réveillant Natalie qui dormait aux pieds d'O, firent lever O, l'amenèrent au milieu de la cour, lui défirent sa chaîne et son masque, et la renversant sur une table, la possédèrent tour à tour.

Dans un dernier chapitre, qui a été supprimé, O retournait à Roissy, où Sir Stephen l'abandonnait.

Il existe une seconde fin à l'histoire d'O. C'est que, se voyant sur le point d'être quittée par Sir Stephen, elle préféra mourir. Il y consentit.

UNE FILLE AMOUREUSE

Une fille amoureuse dit un jour à l'homme qu'elle aimait : moi aussi je pourrais écrire de ces histoires qui vous plaisent ... Vous croyez ? répondit-il. Ils se rencontraient deux ou trois fois la semaine, et jamais aux vacances, et jamais aux fins de semaine. Le temps qu'ils passaient ensemble, chacun le volait à la famille et au travail. Les après-midi de janvier ou de février, quand les jours allongent et que le soleil envoie de l'ouest des reflets rouges sur la Seine, ils se promenaient sur les berges, quai des Grands-Augustins, quai de la Tournelle, s'embrassaient sous l'ombre des ponts. Un clochard une fois leur a crié : Vous voulez qu'on vous paie une chambre ? Leurs refuges changeaient souvent. La vieille voiture, que la fille conduisait, les emmenait au Zoo voir les girafes, à Bagatelle regarder au printemps les iris et les clématites, ou les asters en automne. Elle notait les noms des asters, brouillard bleu, violet, rose pâle, et pourquoi ? puisque jamais elle n'a pu les planter (cependant nous retrouverons les asters). Mais Vincennes, ou le Bois, c'est loin. Au Bois, on rencontre des gens qui vous reconnaissent. Restaient les chambres en effet. La même plusieurs fois de suite. Ou d'autres, selon le hasard. Il y a d'étranges douceurs dans le maigre éclairage des chambres à louer dans les hôtels de gare ; le luxe modeste du grand lit, dont on abandonne en partant les draps défaits, a ses charmes. Et le temps vient où l'on ne peut plus séparer le bruit des paroles et des soupirs d'avec le bourdon continu des moteurs et le chuintement des pneus qui montent de la rue. Pendant plusieurs années, ces haltes furtives et tendres, dans le répit qui suit l'amour, jambes mêlées et bras défaits, avaient été bercées de ces racontages et si l'on peut dire de ces récitages, où les livres ont la première place. Les livres étaient leur seule entière liberté, leur commune patrie, leurs vrais voyages ; ils habitaient ensemble les livres qu'ils aimaient comme d'autres une demeure de famille ; ils avaient dans les livres leurs compatriotes et leurs frères ; les poètes avaient écrit pour eux, les lettres des amants d'autrefois leur parvenaient à travers l'obscurité des langages anciens, des mœurs et des modes révolues — et tout cela se lisait à voix sourde dans la chambre ignorée, sordide et miraculeux donjon où la houle du dehors, quelques heures, venait briser en vain. Ils n'avaient pas de nuit commune. Il fallait, tout d'un coup, à telle ou telle heure fixée d'avance — la montre ne quitte pas le poignet — repartir. Il fallait retrouver chacun sa rue, sa maison, sa chambre, son lit de tous les jours, retrouver ceux à qui vous liait une autre manière d'inexpiable amour, ceux que le hasard, la jeunesse ou vous-même vous étiez une fois pour toutes donnés, et qu'on ne peut ni quitter ni blesser quand on est au cœur de leur vie. Lui, dans sa chambre, n'était pas seul. Elle, était seule dans la sienne. Un soir, après ce « Vous croyez ? » de la première page, et sans avoir idée qu'elle trouverait un jour sur un cadastre le nom de Réage et se permettrait d'emprunter à deux célèbres dévergondées, Pauline Borghèse et Pauline Roland, leur prénom, un soir, celle pour qui je parle aujourd'hui, à bon droit, puisque si je n'ai rien d'elle, elle a tout de moi, et d'abord la voix, un soir cette fille, au lieu de prendre un livre avant de s'endormir, couchée en chien de fusil sur le côté gauche, un crayon bien noir dans la main droite, commença d'écrire l'histoire qu'elle avait promise.

Le printemps allait disparaître. Les cerisiers japonais des grands parcs parisiens, les arbres de Judée, les magnolias près des pièces d'eau, les sureaux en bordure des anciens remblais du chemin de fer de ceinture, étaient défleuris. Les journées n'en finissaient pas, et la lumière du matin perçait à des heures insolites jusqu'aux poussiéreux rideaux noirs de défense passive, derniers vestiges de la guerre. Mais sous le petit phare allumé au chevet du lit, la main qui tenait le crayon courait sur le papier sans souci de l'heure ni de la clarté. La fille écrivait comme on parle dans le noir à celui qu'on aime, lorsque les mots d'amour ont été retenus trop longtemps et ruissellent enfin. Pour la première fois de sa vie écrivait sans hésitation, sans répit, rature, ni rejet, écrivait comme on respire, comme on rêve. Le ronflement continu des voitures faiblissait, on n'entendait plus claquer de portières, Paris entrait dans le silence. Elle écrivait encore à l'heure des boueux, et de la petite aube. Première nuit passée tout entière comme sans doute passent les leurs les somnambules, arrachée à elle-même, ou qui sait ? rendue à elle-même. Au matin, elle rangea le bloc, qui contenait les deux commencements que vous connaissez, puisque si vous lisez ceci, c'est que vous avez pris déjà la peine de lire toute l'histoire, et que vous en savez donc aujourd'hui plus long qu'elle n'en savait à ce moment-là. Il fallait maintenant se lever, se laver, s'habiller, se coiffer, reprendre le harnais strict, le sourire de chaque jour, la muette douceur coutumière. Demain, non, après-demain, elle donnerait le carnet.

Elle le remit aussitôt qu'il entra dans la voiture, où elle l'attendait à quelques mètres d'un carrefour, dans une petite rue près d'un métro et d'un marché. (Ne cherchez pas, il y en a beaucoup de semblables, et peu importe laquelle.) Lire aussitôt, pas question. D'ailleurs ce rendez-vous se révéla être de ceux où l'on vient pour dire qu'on ne vient pas, lorsqu'on sait trop tard qu'il faut renoncer, et qu'on ne peut pas prévenir. C'était déjà beau qu'il ait pu s'échapper. Autrement elle aurait attendu une heure, et serait revenue le lendemain, à la même heure, au même endroit, selon les antiques règles des clandestins. Il disait s'échapper, car tous deux *employaient un vocabulaire de prisonniers que leur prison ne révolte pas, et peut-être se rendaient-ils compte que, s'ils la supportaient mal, ils auraient aussi mal supporté, se sentant alors coupables, d'en être relaxés. L'idée qu'il fallait rentrer donnait tout son prix au temps dérobé, qui s'établissait hors du temps véritable, dans une sorte de bizarre et éternel présent. Ils auraient dû, à mesure qu'elles passaient sans leur apporter plus de liberté, se sentir traqués par les années qui se rétrécissaient devant eux. Mais non. Les obstacles de chaque jour, de chaque semaine — affreux dimanches sans lettres, sans téléphone, sans un mot ni un regard possible, affreuses vacances aux quatre cent mille diables, et toujours quelqu'un pour demander : A quoi penses-tu ? — leur suffisaient pour se tourmenter, et craindre toujours que l'autre ait changé. Ils ne réclamaient pas d'être heureux, mais s'étant une fois* reconnus, *demandaient en tremblant que cela dure, mon Dieu, que cela dure… que soudain l'un n'apparaisse pas à l'autre étranger, que subsiste cette fraternité inespérée, plus rare que le désir, plus précieuse que l'amour — ou qui peut-être était enfin l'amour. Si bien que tout était risque : une rencontre, une robe nouvelle, un voyage, un poème inconnu. Mais rien n'empêcherait de prendre ces risques. Le plus grave à ce jour était pourtant le carnet. Et si les fantasmes qu'il révélait allaient indigner son amant, ou pire, l'ennuyer, ou pire encore, lui sembler ridicules ? Non pour ce qu'ils étaient, bien entendu, mais parce qu'ils venaient d'elle, et qu'on pardonne rarement à ceux qu'on aime les libertés qu'on accorde à tous les autres. Elle avait tort d'avoir peur : Ah, continuez, dit-il. Que se passe-t-il ensuite ? Le savez-vous ? Elle le savait. Elle le découvrait à mesure. Toute la fin de l'été, toute la durée de l'automne, de plage torride en morne ville d'eaux, et retour dans un Paris roux et brûlé, elle écrivit ce qu'elle savait. Par dix pages, cinq pages, chapitres ou fragments de chapitre, elle mettait sous enveloppe à l'adresse d'une poste restante ses feuillets de même format que le bloc original, écrits parfois au crayon, parfois à l'encre d'une pointe Bic ou d'un fin stylo. Ni double, ni brouillon, elle ne gardait rien. Mais la poste est fidèle. L'histoire n'était pas encore finie qu'aux rendez-vous repris dans le Paris d'automne l'homme en réclamait au fur et à mesure la lecture à voix haute ; et dans la voiture noire, en plein après-midi d'une rue passante et triste du treizième, vers la Butte-aux-Cailles, où l'on croit vivre encore dans les dernières années de l'autre siècle, ou bien au bord du canal Saint-Martin, où les ponts sont presque chinois, il fallait à la fille qui lisait s'interrompre, une fois ou l'autre, parce qu'il est possible en silence d'imaginer le pire et le plus brûlant détail, d'imaginer et d'écrire, mais non de lire à voix haute ce qui fut rêvé dans les interminables nuits.*

Un jour pourtant, le récit s'arrêta. Devant O, il n'y eut plus rien que cette mort vers laquelle obscurément elle courait de toutes ses forces, et qui lui est accordée en deux lignes. Quant à savoir comment le manuscrit de son histoire parvint entre les mains de Jean Paulhan, j'ai promis de ne pas le dire, comme de ne pas dire le vrai nom de Pauline Réage, me fiant à la courtoisie de ceux qui le connaissent pour qu'il continue de n'être pas répandu aussi longtemps qu'il me paraîtra impossible de rompre cette promesse. Au reste, rien n'est plus fallacieux et mouvant qu'une identité. Si l'on peut croire, comme le croient des centaines de millions d'hommes, que nous vivons plusieurs vies, pourquoi ne pas croire aussi que dans chacune de nos vies nous sommes le lieu de rencontre de plusieurs âmes ? Qui suis-je enfin, dit Pauline Réage, sinon la part longtemps silencieuse de quelqu'un, la part nocturne et secrète, qui ne s'est jamais publiquement trahie par un acte, par un geste, ni même par un mot, mais communique par les souterrains de l'imaginaire avec des rêves aussi vieux que le monde ? D'où me venaient ces rêveries répétées et si lentes, juste avant le sommeil, toujours les mêmes, où l'amour le plus pur et le plus farouche autorisait toujours ou plutôt exigeait toujours le plus atroce abandon, où d'enfantines images de chaînes et de fouets ajoutaient à la contrainte les symboles de la contrainte, je n'en sais rien. Je sais seulement qu'elles m'étaient bénéfiques, et me protégeaient mystérieusement — à l'inverse des rêveries raisonnables qui tournaient autour de la vie diurne, tentaient de l'organiser, de l'apprivoiser. Je n'ai jamais su apprivoiser ma vie. Cependant tout se passait comme si ces étranges songeries y aidaient, comme si quelque rançon était payée par les délires et les délices de l'impossible : les journées qui suivaient en étaient bizarrement allégées, alors que le sage ordonnancement de l'avenir et les prévisions de bon sens se voyaient chaque fois démentis par l'événement. J'appris ainsi très tôt qu'il ne fallait pas occuper les heures vides de la nuit à meubler d'idéales demeures, inexistantes mais possibles, mais réalisables, où parents et amis seraient heureux ensemble (ô chimère) — mais qu'on pouvait sans crainte aménager des châteaux clandestins, à condition de les peupler de filles amoureuses, prostituées par amour, et triomphantes dans leurs chaînes. Aussi les châteaux de Sade, découverts bien après qu'eurent été dans le silence édifiés les miens, ne m'ont-ils jamais surprise, non plus que ses Amis du Crime : j'avais déjà ma société secrète, autrement inoffensive et mineure. Mais il m'a fait comprendre que nous sommes tous des geôliers, et tous en prison, en ce sens qu'il y a toujours en nous quelqu'un que nous-mêmes nous enchaînons ; que nous enfermons, que nous faisons taire. Par un curieux choc en retour, il arrive que la prison même ouvre à la liberté. Les murs de pierre d'une cellule, la solitude, mais aussi la nuit, la solitude encore, la tiédeur des draps, le silence, délivrent cet inconnu à qui nous refusons le jour. Il nous échappe et s'échappe sans fin, à travers les murs, à travers les âges et les interdits. Il passe de l'un à l'autre, d'une époque, d'un pays à l'autre, il prend un nom ou l'autre. Ceux qui parlent pour lui ne sont que des traducteurs, à qui, sans qu'on sache pourquoi (pourquoi ceux-là, pourquoi ce jour-là), il a été permis, un instant, de saisir quelques fils de cet immémorial réseau des songes défendus. Aussi bien, voilà quinze ans, pourquoi pas moi ?

Ce qui le passionnait, lui pour qui j'écrivais cette histoire, dit-elle encore, c'était le rapport qu'elle se trouvait avoir avec ma propre vie. Se pouvait-il qu'elle en fût l'image déformée, inversée ? Qu'elle en fût l'ombre portée, méconnaissable, resserrée comme celle d'un promeneur au soleil de midi, ou méconnaissable encore, diaboliquement allongée comme devant celui qui revient de la mer atlantique, sur la plage vide, quand le soleil se couche en flammes derrière lui ? Je voyais entre ce que je croyais être et ce que je racontais et croyais inventer à la fois une distance si radicale et une si profonde parenté que je ne m'y reconnaissais pas moi-même. Sans doute n'acceptai-je ma vie avec tant de patience (ou de passivité, ou de faiblesse) que parce que je savais fidèlement retrouver à volonté cette autre vie obscure qui console de la vie, qui ne s'avoue pas, ne se partage pas — et voilà que grâce à lui que j'aimais je l'avouais, et désormais la partagerais avec qui voudrait, aussi parfaitement prostituée dans l'anonymat d'un livre que dans le livre cette fille sans visage, sans âge, sans nom, sans prénom même. Jamais, sur elle, il n'a posé de question. Il savait qu'elle était une idée, une fumée, une douleur, la négation d'un destin. Mais les autres ? René, Jacqueline, Sir Stephen, Anne-Marie ? Mais les lieux, les rues, les jardins, les maisons, Paris, Roissy ? Mais les circonstances ? Là, oui, je croyais savoir. René, par exemple (prénom nostalgique), était le souvenir, non, la trace d'un amour adolescent, plutôt d'un espoir d'amour qui n'avait jamais eu d'autre existence, et René n'avait jamais soupçonné que j'aurais pu l'aimer. Mais Jacqueline l'avait aimé. Et avant lui, moi. Elle avait été pourtant mon premier chagrin d'amour. Quinze ans, elle comme moi, et tout le temps de l'année scolaire elle m'avait poursuivie, se plai-

gnant de ma froideur. A peine les vacances l'avaient-elles fait disparaître, que je me réveillais de cette froideur. J'écrivais. Juillet, août, septembre, trois mois durant j'avais en vain guetté le facteur. J'écrivais quand même. Ces lettres-là avaient tout perdu. Les parents de Jacqueline lui interdirent de me voir, et c'est d'elle, inscrite dans une autre division, que j'appris que « c'était un péché ». Et quoi donc était un péché ? Que me reprochait-on ? Le jour n'est pas plus pur... J'avais réinventé Rosalinde et Célia, en toute innocence — qui ne dura pas. Reste que Jacqueline, cette vraie Jacqueline, ne figure dans l'histoire que par son prénom et ses cheveux clairs. Celle de l'histoire est plutôt une jeune actrice méprisante et pâle, avec qui j'avais un jour déjeuné rue de l'Eperon. Le vieil homme qui lui donnait ses bijoux, ses tailleurs, sa voiture, me prenait à témoin : « Elle est belle, n'est-ce pas ? » Oui, elle était belle. Je ne l'ai jamais revue. René est-il ce que j'aurais pu devenir, si j'avais été homme ? Dévoué à un autre, au point de tout lui céder, sans même trouver anachronique cette démarche de vassal à suzerain ? J'en ai peur. Alors que l'imaginaire Jacqueline était par excellence l'étrangère. Il me fallut longtemps pour me rendre compte pourtant que dans une autre vie une fille comme elle — et que j'admirais avec désespoir — m'avait enlevé mon amant. Et je me vengeais en l'envoyant à Roissy, moi qui prétendais dédaigner toute vengeance, je me vengeais, et n'étais pas même capable de m'en apercevoir. Inventer une histoire est un drôle de piège. Sir Stephen, lui, je l'ai vu, de mes yeux. Mon amant de ce temps-là, celui même dont je viens de parler, me l'a montré, un après-midi, dans un bar près des Champs-Elysées : à demi assis sur un tabouret contre le comptoir d'acajou, silencieux, calme, avec cet air de prince aux yeux gris qui fascine les jeunes gens et les femmes — il me l'a montré et m'a dit : « Je ne comprends pas que les femmes ne préfèrent pas ces hommes-là aux garçons de trente ans. » Lui n'avait pas trente ans. Je n'ai pas répondu : « Mais elles les préfèrent. » J'ai longtemps regardé l'inconnu, qui ne me regardait pas. Cinquante ans peut-être, Anglais sûrement. Et quoi d'autre ? Rien. Mais ce rapport muet, unilatéral, entre lui et mon compagnon, entre lui et moi, est reparu en éclair dix ans plus tard, au milieu de la nuit trouée par la lueur du phare à mon chevet, et la main sur le papier l'a fait renaître avec une signification neuve plus vite encore que la réflexion. Anne-Marie, je ne sais pas du tout. L'une de mes amies (que je respecte, et je n'ai pas le respect facile) serait bien Anne-Marie, si elle n'était la pureté et l'honneur même : je veux dire qu'Anne-Marie aurait pu tenir d'elle sa résolution et sa rigueur, et sa désinvolture, et sa manière nette et droite d'exercer son métier. A vrai dire les métiers en question (celui d'O, celui d'Anne-Marie, putain ou procureuse, s'il faut être claire), je ne les connais pas. Un grand écrivain scandalisé a beau voir dans mon récit les mémoires d'une Belle — avouant pour son excuse qu'il ne l'avait pas lu — il se trompe deux fois : ce ne sont pas des mémoires et je ne suis pas une Belle, si courtoise que soit l'expression. Disons pour lui faire plaisir que c'est sans doute une vocation manquée. Après la liste abrégée des personnages, comme au théâtre, y a-t-il intérêt à préciser les lieux de l'action ? Ils appartiennent à tout le monde. La rue de Poitiers et le cabinet particulier chez Lapérouse, la chambre d'hôtel de passe près de la Bastille, avec sa glace au plafond, les rues du quartier Saint-Germain, les quais ensoleillés de l'île Saint-Louis, la pierraille sèche et blanche de l'arrière-pays provençal, et ce Roissy-en-France aperçu au cours d'une brève randonnée de printemps, à peine autre chose qu'un nom sur une carte, bien sûr rien n'est inventé, et pas davantage les asters, dont je vous avais dit qu'on les retrouverait. Ne sont pas inventés non plus — volés plutôt, je lui en demande tardivement pardon, mais c'est un vol par admiration — les masques de Léonor Fini. J'ai, paraît-il, volé aussi le salon d'une dame, pour en faire un abominable usage : le salon de Sir Stephen, imaginez donc ! Elle me l'a dit à moi-même, ne sachant à qui elle parlait (on ne sait jamais à qui l'on parle). Jamais je ne suis entrée chez cette dame, jamais je n'ai vu ce salon. Jamais je n'avais vu (et ne savais pas qu'elle existait) la maison cachée dans un creux où depuis des années une fille que le hasard a fini par me faire rencontrer donnait à l'homme qu'elle aimait — et qui la surveillait par le moyen d'un faux miroir machiné dans le mur, et d'un micro — les spectacles que Sir Stephen exigeait d'O : l'abandon à des inconnus, recrutés par lui, imposés par lui. Non, je n'ai pas copié son histoire, non, elle ne s'est pas inspirée de celle que je raconte. Mais une fois la part faite au fantastique et au ressassement par quoi s'assouvissent les obsessions (la répétition sans fin des plaisirs et des sévices étant aussi nécessaire qu'elle est absurde et irréalisable), tout se recoupe fidèlement, vécu ou rêvé, tout se découvre communément partagé dans l'univers d'une même folie — et si l'on parvient à le regarder en face, horreurs, merveilles, songes et mensonges, tout y est conjuration et délivrance.

Pauline Réage.

*Les pages que voici sont une suite à l'*Histoire d'O. *Elles en proposent délibérément la dégradation, et ne pourront jamais y être intégrées.*

P.R.

RETOUR A ROISSY

Donc, tout semblait réglé : septembre approchait. A la mi-septembre, O devait retourner à Roissy, y amenant Natalie, et René, revenu d'un voyage en Afrique du Nord, y conduire Jacqueline — au moins le laissait-il entendre. Combien de temps Natalie y serait-elle gardée, combien de temps O, dépendrait sans doute, pour O, de la décision que prendrait Sir Stephen, pour Natalie, des maîtres ou du maître que le sort lui donnerait à Roissy. Mais dans ce calme des projets fixés et certains, O s'inquiétait, comme d'un présage dangereux, comme d'une provocation du destin, de cette certitude même où tous étaient autour d'elle qu'ils feraient comme il en avait été décidé. La joie de Natalie était à la mesure de son impatience, et il y avait dans cette joie quelque chose de la naïveté et de la confiance des enfants à l'égard des promesses des grandes personnes. Ce n'était pas le pouvoir qu'O reconnaissait à Sir Stephen sur elle qui aurait éveillé en Natalie la moindre ébauche de doute : la soumission où était O était si absolue et si constamment immédiate que Natalie était incapable d'imaginer, tant elle admirait O, que quelqu'un pût faire obstacle à Sir Stephen, puisque O s'agenouillait devant lui. Si heureuse que fût O, et précisément parce qu'elle était heureuse, elle n'osait y croire, et pas davantage tempérer l'impatience de Natalie, ni sa joie. De temps en temps cependant, quand Natalie chantonnait à mi-voix, elle la faisait taire, pour conjurer le sort. Elle prenait garde de ne jamais poser le pied sur les lignes de jointures des dalles, de ne jamais renverser le sel, ni croiser les couteaux, ni poser le pain à l'envers. Et ce que Natalie ne savait pas, et qu'elle n'osait pas lui dire, c'est que, si elle aimait tant être fouettée c'était, outre le plaisir qu'elle y prenait à un certain degré, parce que le bonheur qu'elle éprouvait à être abandonnée au-delà même de sa volonté, passé ce degré elle le payait en quelque sorte en douleur et en humiliation — humiliation parce qu'elle ne pouvait pas ne pas supplier, ne pas crier en même temps qu'elle l'éprouvait, et en garantissant peut-être ainsi superstitieusement la durée. Ah ! rester immobile pour que le temps s'arrête aussi ! O détestait l'aube et le crépuscule, où tout vire, quitte sa forme pour une autre forme, si traîtreusement, si tristement. Le fait que René l'eût donnée à Sir Stephen, en même temps que la facilité qu'elle-même après tout avait eue à changer, ne rendait-il pas tout aussi vraisemblable que Sir Stephen pût changer à son tour ? Debout et nue devant sa commode ventrue, dont les bronzes étaient faussement chinois, avec des personnages à chapeaux pointus comme les chapeaux de plage que portait Natalie, O s'avisa un jour de quelque chose de nouveau dans la conduite envers elle de Sir Stephen. D'abord, il exigeait d'elle désormais que dans sa chambre elle fût constamment nue. Même les mules ne lui étaient plus permises, ni les colliers, ni aucun bijou. Ce n'était rien. Si Sir Stephen, loin de Roissy, désirait une règle qui lui rappelât Roissy, était-ce à O de s'en étonner ? Il y avait plus grave. Certes, O s'attendait bien, la nuit du bal, à ce que Sir Stephen dût la livrer à son hôte. Certes, lui-même — en présence de René, par exemple, ou d'Anne-Marie, et certainement, depuis quelque temps, de Natalie — l'avait déjà possédée au grand jour. Mais avant cette nuit-là, il ne l'avait jamais, en sa propre présence, fait posséder par quelqu'un d'autre, ni partagée avec celui à qui il la livrait. Jamais non plus elle n'avait été livrée sans qu'il ne l'en ait châtiée ensuite, comme si l'objet même qu'il recherchait en la prostituant était un prétexte à la punir. Mais le lendemain du bal, non. La honte où O s'était abîmée d'appartenir, sous ses yeux, à quelqu'un d'autre que lui, lui apparaissait-elle un rachat suffisant? Ce qu'elle avait si bien accepté, quand c'était René, et non pas Sir Stephen. Ce qu'elle acceptait si bien, quand Sir Stephen n'était pas là, avait semblé à O abominable, lui présent. Deux jours se passèrent ensuite sans qu'il s'approchât d'elle. O voulut renvoyer Natalie dans sa chambre, Sir Stephen le lui interdit. O attendit donc que Natalie fût endormie pour pleurer sans être vue, et en silence. Le quatrième jour seulement Sir Stephen entra chez O à la fin de l'après-midi comme il en avait coutume, la prit et se fit caresser par elle. Quand enfin il gémit, et que dans son plaisir il cria son nom, elle se vit sauvée. Mais comme elle demandait à voix basse, allongée tout de son long, les yeux fermés, dorée et morte sur le tapis blanc, s'il l'aimait, il ne dit pas : « Je t'aime, O » mais seulement : « Bien sûr », et rit. Etait-ce si sûr? « Tu seras à Roissy le 15 septembre », avait-il dit. « Sans vous? » avait dit O. « Ah! je viendrai », avait-il répondu. On était aux derniers jours d'août; les figues, les raisins violets dans les corbeilles attiraient les guêpes, le soleil était moins blanc et faisait le soir des ombres plus longues. O était seule dans la grande maison sèche avec Natalie et Sir Stephen. René avait emmené Jacqueline.

Fallait-il qu'O comptât les jours qui la séparaient du 15 septembre, comme faisait Natalie : encore quatorze, encore douze, ou fallait-il redouter l'échéance ? Ces jours tellement comptés s'écoulaient dans le silence. Natalie et O enfermées comme par avance dans un gynécée dont elles ne désiraient pas sortir, où le seul bruit, tant les murs étouffaient bien les rires et les paroles, et les carreaux le glissement des pas, était les cris d'O quand elle était battue. Un dimanche soir où le ciel était noir d'orage, Sir Stephen la fit prier de s'habiller et de descendre. Elle avait entendu une portière de voiture claquer, et par la fenêtre de la salle de bain, qui donnait sur la cour, des bruits de voix. Puis plus rien. Natalie était montée en courant lui dire qu'elle avait aperçu les visiteurs : ils étaient trois, et l'un d'eux sans doute malais, le teint foncé, les yeux très noirs, grand, mince, et beau. Ils ne parlaient pas français, ni anglais, Natalie pensait que c'était de l'allemand. Allemand ou non, O ne comprit pas un mot à leur langage, et que comprendre à l'indifférence de Sir Stephen ? Ce n'est pas qu'il fît semblant de ne pas la regarder, au contraire ; il riait et sans doute plaisantait avec ses hôtes cependant qu'ils usaient d'elle, mais si parfaitement à l'aise, avec un détachement si visible, qu'O douta si elle n'eût pas préféré la rancune ou le mépris, à cet oubli où si soudain, devant elle, il était d'elle. C'est le mépris, et une curieuse pitié qui lui fut plus intolérable, qu'elle lut dans le regard du Malais, qui ne l'avait pas touchée, lorsqu'elle se releva d'entre les mains des deux autres hommes, défaite et haletante, sa jupe tachée. Il faut croire qu'elle leur plut, puisqu'ils revinrent seuls, le lendemain vers onze heures. Cette fois-là Sir Stephen les fit monter tout droit dans sa chambre, où elle était nue. Lorsqu'ils partirent, elle sanglotait. « Pourquoi, O? » dit Sir Stephen, mais il savait bien pourquoi, et comment effacer le désespoir où était O de s'être vue dans sa propre chambre et devant lui traitée comme il était rare qu'on osât traiter une fille de bordel, et surtout, comme s'il la prenait lui-même pour telle. Il lui dit qu'elle n'avait pas à choisir où, comment, et à qui elle devait servir, non plus qu'à juger de ses sentiments. Puis il la fit fouetter, si cruellement qu'elle en fut un instant consolée. Il n'empêche que passé les larmes et la cuisante douleur, elle retrouva le sentiment qui l'avait épouvantée : c'est qu'une raison autre que le plaisir qu'il y pouvait prendre — en prenait-il encore? — le faisait la prostituer, c'est qu'elle lui servait de monnaie d'échange, mais d'échange pour quoi? qu'avec son corps livré il payait, il achetait quelque chose, mais quoi? Une image atroce et grotesque lui traversa l'esprit : la cavalerie de Saint-Georges. Oui, peut-être en était-elle sans le savoir la figuration la plus basse, à genoux et appuyée sur ses coudes, chevauchée par des inconnus. Et s'il la faisait battre, ce n'était plus que pour la mieux dresser. Eh bien, de quoi se plaignait-elle, de quoi s'étonnait-elle? Encore liée à la balustrade près de son lit où il semblait que Sir Stephen eût décidé de la laisser, et où effectivement il la laissa près de trois heures, O entendait dans son souvenir sa voix, sa même voix qui l'avait tant troublée, lorsqu'il lui avait dit si lentement, le premier soir où il s'était emparé d'elle, l'avait giflée, lui avait déchiré les reins, lorsqu'il lui avait dit qu'il voulait obtenir et obtiendrait d'elle, par soumission et obéissance pures, ce qu'elle s'imaginait n'accorder que par amour. De qui était-ce la faute sinon d'elle-même, s'il suffisait qu'il la fît fouetter pour qu'elle fût à lui ? Si elle devait avoir horreur de quelqu'un, n'était-ce pas d'elle-même ? Et s'il usait d'elle pour d'autres fins que son plaisir, en quoi cela le concernait-il ? « Ah oui, je me fais horreur, se disait O. Aurai-je le front de me plaindre d'avoir été trompée, de n'avoir pas été avertie, cent fois, mille fois, ne sais-je donc pas pour quoi je suis faite ? » Mais elle ne savait plus si elle se faisait horreur d'être esclave — ou de ne pas l'être assez. Ce n'était ni l'un ni l'autre ; elle se faisait horreur de n'être plus aimée. Qu'avait-elle fait, qu'avait-elle omis de faire pour mériter de ne l'être plus ? Que tu es folle, O, comme s'il s'agissait de mérite, comme si tu y pouvais quelque chose. Les fers qui pesaient à son ventre, la marque qui creusait ses reins, elle en était, elle en avait été fière parce qu'ils proclamaient que celui qui les avait imposés l'aimait assez pour se l'approprier. Fallait-il qu'elle en eût honte maintenant où, s'il ne l'aimait plus, ils marquaient toujours qu'elle lui appartenait ? Car, enfin, il voulait bien encore qu'elle lui appartînt.

Le 15 septembre arriva ; O, Natalie et Sir Stephen étaient toujours là. Mais c'était au tour de Natalie d'être en larmes : sa mère la réclamait, et il lui faudrait retourner en pension à la fin du mois. Si O devait aller à Roissy, elle irait seule. Sir Stephen trouva O assise dans son fauteuil, la petite fille pleurant contre ses genoux. O lui tendit la lettre qu'elle avait reçue : Natalie devrait partir dans deux jours : « Vous aviez promis, dit l'enfant, vous aviez promis... » « Ce n'est pas possible, mon petit », dit Sir Stephen. « Si vous vouliez, ce serait possible », reprit Natalie. Il ne répondit pas. O caressait les cheveux lisses comme de la soie, qui balayaient ses genoux nus. Effectivement, si Sir Stephen l'eût vraiment voulu, il eût sans doute été possible à O d'obtenir de la mère de Natalie de la garder encore quinze jours avec elle, sous prétexte de l'emmener à la campagne aux environs de Paris. Il eût suffi d'une démarche, d'une visite. Et en quinze jours, Natalie... C'est donc que Sir Stephen avait changé d'avis. Il était debout devant la fenêtre, face au jardin. O se pencha sur la petite, lui releva la tête, embrassa ses yeux pleins de larmes. Elle jeta un bref regard : Sir Stephen ne bougeait pas. Elle prit la bouche de Natalie. Ce fut le gémissement de Natalie qui fit retourner Sir Stephen, mais O ne la lâcha pour autant, glissa le long d'elle, et l'étendit sur le tapis. En deux pas, Sir Stephen fut près d'elles. O entendit qu'il craquait une allumette, et sentit l'odeur de sa cigarette : il fumait du bleu, comme un Français. Natalie avait les yeux fermés. « Déshabille-la, O, et caresse-la, dit-il tout à coup. Ensuite tu me la donneras. Mais ouvre-la d'abord un peu; je ne veux pas lui faire trop mal. » Etait-ce donc cela? Ah! s'il ne fallait que lui donner Natalie! En était-il amoureux? Il semblait plutôt qu'il voulût, au moment où elle allait disparaître, mettre fin à quelque chose, détruire une chimère. Ronde et douce, Natalie était pourtant gracile, et plus petite qu'O. Sir Stephen semblait deux fois grand comme elle. Sans un mouvement, elle se laissa déshabiller par O, et étendre sur le lit, dont O avait défait les draps, sans un mouvement caresser, gémissant quand O l'effleurait, serrant les dents quand elle la blessait. Bientôt O eut la main pleine de sang. Mais Natalie ne cria que sous le poids de Sir Stephen. C'était la première fois qu'O voyait Sir Stephen prendre plaisir à quelqu'un d'autre qu'elle, et plus simplement qu'elle voyait le visage qu'il avait dans le plaisir. Comme il fuyait! Oui, il appuyait contre son ventre la tête de Natalie, prenant ses cheveux à plein poing comme il faisait pareillement des cheveux d'O; O se convainquit que c'était seulement pour mieux sentir la caresse de la bouche qui l'enserrait, jusqu'à l'instant de s'échapper en elle, mais n'importe quelle bouche, pourvu qu'elle fût assez docile et assez brûlante, l'eût pareillement délivré. Natalie ne comptait pas. O était-elle sûre de compter? « Je vous aime, répétait-elle tout bas, trop bas pour qu'il l'entendît, je vous aime » et n'osait pas lui dire tu, même en pensée. Dans son visage renversé, les yeux gris de Sir Stephen luisaient entre ses paupières presque fermées comme deux lames de lumière. Entre ses lèvres entrouvertes, ses dents brillaient aussi. Il parut désarmé un instant, le temps de sentir qu'O le regardait, et de quitter le fleuve où il glissait, où O croyait avoir si souvent glissé avec lui, allongée près de lui dans la barque qui emporte les amants. Mais ce n'était sans doute pas vrai. Ils avaient sans doute été seuls, chacun de leur côté, et peut-être n'était-ce pas un hasard si toujours quand il s'abîmait en elle son visage lui avait été caché; peut-être voulait-il être seul, et le hasard, c'était aujourd'hui. O y vit un signe funeste; le signe qu'elle lui était devenue assez indifférente pour qu'il ne prît même plus la peine de se détourner. Il était impossible en tout cas, de quelque façon qu'on l'interprétât, de n'y pas voir une assurance, une liberté qui auraient dû, si O n'eût douté d'être aimée, la rendre légère, fière, douce, heureuse. Elle se le dit. Quand Sir Stephen la quitta, lui laissant entre les bras la petite Natalie, pelotonnée contre elle, brûlante et murmurant d'orgueil, elle la regarda s'endormir, et tira sur elles deux le drap et la légère couverture. Non, il n'était pas amoureux de Natalie. Mais il était ailleurs, absent de lui-même autant peut-être qu'il était absent d'elle. Du métier de Sir Stephen, O ne s'était jamais inquiétée, René n'avait jamais parlé. Il était évident qu'il était riche, à la façon mystérieuse dont sont riches les aristocrates anglais, quand ils le sont encore ; d'où lui venaient ses revenus ? René travaillait pour une société d'importation et d'exportation, René disait : il faut que j'aille à Alger pour du jute, à Londres pour de la laine, pour des faïences, il faut que j'aille pour du cuivre en Espagne, René avait un bureau, des associés, des employés. Quelle était l'exacte importance de sa situation n'était pas clair, mais enfin cette situation existait, et les obligations qu'elle comportait étaient flagrantes. Sir Stephen en avait peut-être, qui peut-être motivaient son séjour à Paris, ses voyages, et, songeait O non sans effroi, son affiliation à Roissy (affiliation qui pour René lui paraissait simplement la conséquence d'un hasard — un ami que j'avais rencontré, qui m'a emmené, disait-il — et O le croyait). Que savait-elle de Sir Stephen ? Son appartenance au clan des Campbell, dont le tartan sombre, noir, bleu-noir et vert, est le plus beau tartan d'Ecosse, et le plus mal famé (les Campbell ont trahi les Stuarts, à l'époque du jeune Prétendant) ; le fait qu'il possédait, dans les Hautes Terres du Nord-Ouest, face à la mer d'Irlande, un château de granit, petit et compact, construit à la française par un ancêtre du XVIIIe siècle, et tout semblable à une malouinière. Mais quelle malouinière eut jamais pour cadre pareilles pelouses trempées d'eau, pour manteau pareille somptueuse vigne vierge ? « Je t'emmènerai l'année prochaine, avec Anne-Marie », avait dit Sir Stephen, en montrant un jour à O des photos. Mais qui habitait le château ? Quelle famille avait Sir Stephen ? O soupçonnait qu'il avait été, et peut-être était encore, officier de métier. Certains de ses compatriotes, plus jeunes que lui, lui disaient *Sir*, tout court, comme un subordonné à un supérieur. O savait assez qu'il existe encore, dans les Iles Britanniques, un préjugé, ou une coutume singulière : un homme se doit de ne parler à sa femme ni d'affaires, ni de métier, ni d'argent. Par respect, par mépris ? On l'ignore. Mais il est impossible d'en faire un grief. Aussi bien O ne le désirait-elle pas. Elle eût simplement voulu être certaine que le silence de Sir Stephen à son égard n'avait pas d'autre motif. Et en même temps eût souhaité qu'il le rompît, pour pouvoir l'assurer que, s'il avait quelque souci que ce fût, elle était prête à le servir, si elle en était en rien capable.

Le lendemain du départ de Natalie, à qui on avait retenu une couchette dans le Train Bleu, et deux jours avant le départ d'O et de Sir Stephen, qui remontaient par le même train, mais Sir Stephen avait insisté pour que ce fût précisément telle date, et non la date où Natalie voyageait, tout comme il avait insisté pour revenir par le train, et par ce train-là, et non pas en voiture, O finit par lui dire, alors que le déjeuner, qu'ils avaient pris seuls, s'achevait, et que la vieille Norah apportait le café, O, enhardie parce que lorsqu'elle s'était levée et était passée près de lui il lui avait, machinalement peut-être, comme on fait à un chat ou à un chien, caressé les reins, O finit par lui dire, à voix très basse, qu'elle craignait de lui déplaire, mais voulait l'assurer qu'elle le servirait en ce qu'il voudrait. Il la regarda d'abord tendrement, la fit mettre à genoux, et lui embrassa les seins, puis quand elle se releva ; et elle fut debout devant lui, son regard changea. « Je sais, dit-il. Les deux hommes de l'autre jour... — Les Allemands ? » interrompit O. « Ce ne sont pas des Allemands, dit Sir Stephen, mais n'importe. Je voulais simplement t'avertir que l'un d'eux voyage par le même train que nous. Nous dînerons ensemble au wagon-restaurant. Arrange-toi pour qu'il ait envie de toi, et qu'il te rejoigne dans ta cabine. — Bien », dit O, et ne demanda pas pour quelle raison, sûre qu'il y avait cependant, cette fois-ci, une raison — et désespérée de ne pouvoir chasser l'idée que si les autres fois Sir Stephen l'avait prostituée sans motif, et pour ainsi dire gratuitement, c'était moins encore pour l'y accoutumer que pour brouiller les traces, et faire d'elle l'instrument, mais l'instrument aveugle, d'autre chose que de son plaisir.

Ici s'insère une scène brève, vue comme une séquence de film : Au milieu de la nuit, le couloir des premières classes du Train Bleu. Un homme grand, lourd et rougeaud, qu'on voit seulement de dos, avance le long des cabines, frappe à la cabine 11. On entrouvre la porte, un visage très doux apparaît, et dans l'entrebâillement de la porte coulissante un corps nu dans un peignoir défait, cependant que la jeune femme dit : « C'est vous, mon cœur ? » et aussitôt, comprenant sa méprise : « Oh, pardon. » Mais l'homme tend une médaille dans sa main ouverte : figuré en acier sur un fond d'or, le triskel de Roissy; O le regarde sans ajouter une parole, et ouvre complètement sa porte. Dans le balancement du train, les sifflements de la vapeur et le tagada-tagada des boggies, O et Carl, debout dans la lumière de la veilleuse, se font face. Carl dit à voix basse : « C'était gentil, dites encore. — Je ne suis pas obligée » répond O. « Vous croyez ? » O fait non de la tête, les yeux baissés. « Allumez », dit Carl, et O étend la main pour éclairer le minuscule phare au-dessus de la couchette. Le rideau sur la vitre du compartiment n'est pas baissé, on aperçoit sous un ciel de pleine lune une campagne noire et blanche où le vent fait incliner les peupliers le long d'une rivière, et la lune qui court dans les nuages. Carl porte une épaisse et longue robe de chambre sombre, et des chaussons de cuir verni. Il détache sa ceinture et l'on sent qu'O fiait effort pour ne pas le regarder. Il le sent aussi, et dans l'étroit espace de la cabine, fait tomber le peignoir d'O, la fait virer de droite à gauche, face, profil, dos, avant de la basculer sur la couchette. On a le temps de la voir seins dressés, tête renversée, jambes ouvertes, l'une sur la couchette, l'autre le pied reposant sur le sol, et de voir le pubis bombé, absolument lisse, et l'anneau qui traverse l'une des lèvres, comme anciennement un anneau d'or au lobe d'une oreille. Carl se penche, sa main gauche s'approche de la hanche d'O, sa main droite qu'on ne voit pas écarte un peu plus sa robe de chambre. Faut-il en montrer davantage ?

Le Train Bleu arrivait à Paris vers neuf heures. A huit heures, O, à qui une sorte d'indifférence à laquelle elle ne comprenait rien faisait comme une cuirasse autour du cœur, avait suivi, ferme sur ses hauts talons, les couloirs qui séparaient sa cabine du wagon-restaurant, où elle avait pris le café trop amer, et les œufs au bacon du petit-déjeuner. Sir Stephen s'était assis en face d'elle. Les œufs étaient fades ; l'odeur des cigarettes, le mouvement du train, donnaient à O une légère nausée. Mais quand le pseudo-Allemand vint s'asseoir à côté de Sir Stephen, ni le regard qu'il attacha aux lèvres d'O, ni le souvenir de la docilité avec laquelle elle l'avait durant la nuit caressé, ne la troublèrent. Elle ne savait quoi la protégeait, la laissait libre de regarder glisser le long d'elle les bois et les prés, de guetter les noms des stations. Les arbres et la brume cachaient les maisons qui ne bordaient pas immédiatement la voie ; de grandes armatures de fer plantées dans des socles de ciment jalonnaient à neuf la campagne ; on voyait à peine les fils électriques qu'elles se passaient l'une à l'autre, de trois cents mètres en trois cents mètres, jusqu'à l'horizon. A Villeneuve-Saint-Georges Sir Stephen proposa à O de regagner leurs cabines. Son voisin, sautant sur ses pieds, claqua des talons en se cassant en deux pour saluer O. Une brusque secousse du train le fit basculer et rasseoir et O éclata de rire. Fut-elle étonnée lorsque Sir Stephen — à peine fut-elle entrée dans sa cabine, et alors qu'il ne s'était pas un instant depuis le départ soucié d'elle — la courba sur les valises qui encombraient la banquette, releva sa jupe plissée ? Elle fut émerveillée, et reconnaissante. A qui l'eût vue ainsi, à genoux sur la banquette, le buste écrasé sur les bagages, toute vêtue, et entre la veste de son tailleur et ses bas, et les jarretelles noires qui les tendaient, présentant ses fesses nues marquées comme un cuir de valise, elle ne pouvait paraître que ridicule, et elle le savait. Jamais elle n'oubliait, lorsqu'on la renversait ainsi, ce qu'il y a de trouble, mais aussi d'humiliant et qui prête à rire, dans l'expression « être troussée », de plus humiliant encore dans cette autre expression que Sir Stephen, comme naguère René, employait au moins à chaque fois qu'il la mettait à la disposition de quelqu'un. Cette humiliation que les paroles de Sir Stephen lui infligeaient, chaque fois qu'il les prononçait, lui était douce. Mais cette douceur n'était rien auprès du bonheur, mêlé de fierté, on pourrait presque dire de gloire, dont elle se sentait comblée lorsqu'il s'emparait d'elle, qu'il voulût bien trouver suffisamment à son goût et à son gré son corps pour entrer en lui et l'habiter un instant, il semblait à O qu'aucun abaissement, aucune humiliation, ne le paierait assez cher. Tout le temps qu'il la tint transpercée, balancée contre lui par le mouvement du train, elle gémit. Ce fut dans le dernier soubresaut et le dernier fracas des voitures entrechoquées par l'arrivée en gare de Lyon et le lent arrêt du convoi, qu'il glissa d'elle, et lui dit de se redresser.

A la sortie, sur le terre-plein d'où partent les grands escaliers, et où se rangent les voitures particulières, un garçon en uniforme de sous-officier de l'armée de l'air se détacha d'auprès d'une traction avant noire, fermée, aussitôt qu'il aperçut Sir Stephen. Il salua, ouvrit la portière, s'effaça. Quand O fut assise sur la banquette arrière, et ses bagages placés à l'avant, Sir Stephen se pencha juste le temps de lui baiser la main et de lui sourire une fois, puis referma la portière. Il ne lui avait rien dit, ni au revoir, ni à bientôt, ni adieu. O avait cru qu'il allait monter avec elle. La voiture démarra si vite qu'elle n'eut pas la présence d'esprit de l'appeler, et elle eut beau se jeter contre la vitre pour lui faire signe, c'était déjà trop tard : il parlait avec son porteur, et tournait le dos. D'un seul coup, comme si on lui avait arraché un pansement de sur une plaie, l'indifférence qui avait tout le long du voyage protégé O s'arracha d'elle et une seule phrase commença de tourner, tourner, tourner dans sa tête : Il ne m'a pas dit au revoir, il ne m'a pas regardée. La traction filait vers l'Ouest, sortait de Paris, O ne voyait rien. Elle pleurait. Elle avait encore le visage couvert de larmes lorsqu'une demi-heure plus tard la voiture, entrant dans un bois sur un bas-côté de la route, s'était garée dans un chemin forestier que de grands hêtres assombrissaient. Il pleuvait, une buée s'était formée à l'intérieur sur les vitres remontées, le chauffeur rabattit le dossier de son siège, l'enjamba, étendit O sur la banquette. La voiture était si basse que les pieds d'O heurtèrent le plafond quand il lui releva les jambes pour la pénétrer. Il passa près d'une heure à user d'elle, sans qu'une seconde elle tentât de se dérober, assurée qu'il en avait le droit, et le seul réconfort qu'elle trouva, dans l'angoisse où l'avait plongée le départ brutal de Sir Stephen, fut le silence absolu avec lequel le garçon, la prenant et la reprenant, et laissant à peine échapper une plainte aiguë au moment du plaisir, alla jusqu'à l'épuisement de ses forces. Il avait peut-être vingt-cinq ans, avec un visage maigre, dur et sensible, et des yeux noirs. Il avait, deux fois, essuyé d'un doigt la joue mouillée d'O, mais à aucun moment n'avait approché sa bouche de la sienne. Il était clair qu'il n'osait pas, alors qu'il osait parfaitement lui enfoncer jusqu'à la gorge un sexe si épais et si longuement dressé que chaque mouvement par lequel il heurtait de ce bélier le fond de son palais faisait jaillir d'O de nouvelles larmes. Quand il eut enfin terminé, O rabattit sa jupe, referma le chandail et la veste qu'elle avait déboutonnés pour qu'il pût lui prendre les seins; elle eut le temps de passer un peigne dans ses cheveux emmêlés, de se repoudrer, de se rougir les lèvres, pendant qu'il disparaissait dans le sous-bois. La pluie avait cessé, les troncs des hêtres brillaient dans le jour gris. Tout contre la gauche de la voiture, et coiffant un talus, des digitales rouges étaient si proches qu'O aurait pu les cueillir en passant le bras par la vitre baissée. Le garçon revenait, refermait la portière qu'il avait laissée ouverte, remettait la voiture en marche, et, la grande route rejointe, il ne fallut pas un quart d'heure pour atteindre et traverser un village qu'O ne reconnut pas, mais lorsque la traction ralentit après avoir longé l'interminable mur d'un grand parc pour s'arrêter devant une maison toute couverte de vigne vierge, elle comprit enfin : ce ne pouvait être que la petite entrée de Roissy. Elle descendit ; le garçon en uniforme sortit ses valises. La porte de bois plein, peinte en vert sombre et vernie, s'ouvrit sans qu'elle eût frappé ni sonné : on l'avait vue de l'intérieur. Elle franchit le seuil ; le vestibule dallé, tendu de percale glacée rouge et blanche, était vide. Juste en face d'elle, une glace qui tenait toute la largeur du mur la reflétait tout entière, mince et droite dans son tailleur gris, son manteau sur le bras, ses valises à ses pieds, la porte qui se refermait derrière elle, et ce brin de bruyère à la main, qu'elle avait machinalement accepté quand le garçon le lui avait tendu, enfantin et dérisoire *keepsake*, qu'elle n'osait jeter sur les dalles bien cirées, et qui la gênait sans qu'elle sût pourquoi. Mais si, elle savait : qui donc lui avait dit que la bruyère cueillie dans les forêts proches de Paris porte malheur ? Il eût encore mieux valu cueillir les digitales auxquelles sa grand-mère lui défendait de toucher, lorsqu'elle était enfant, parce qu'elles sont empoisonnées. Elle posa le brin de bruyère dans l'embrasure de la fenêtre qui éclairait le vestibule. Au même instant, Anne-Marie, suivie d'un homme vêtu d'un bleu de jardinier, entra. Le jardinier prit les valises d'O. « Ah ! te voilà tout de même, dit Anne-Marie. Il y a près de deux heures que Sir Stephen m'a téléphoné, la voiture devait t'amener directement. Qu'est-ce qui s'est passé? — C'est le chauffeur, dit O. Je croyais que... » Anne-Marie se mit à rire. « Ah! bien, dit-elle. Il t'a violée et tu t'es laissé faire? Non, ce n'était pas prévu, il n'avait pas du tout le droit. Mais ça ne fait rien, tu es là pour ça. » Et elle ajouta : « Tu commences bien, je vais le raconter à Sir Stephen, ça l'amusera. — Il va venir? » demanda O. « Il n'a pas dit quand, répondit Anne-Marie, mais je crois que oui. » L'angoisse qui serrait O à la gorge se dénoua, elle regarda Anne-Marie avec reconnaissance; comme elle était belle et éclatante avec ses cheveux mêlés de gris. Elle portait sur un pantalon et un chemisier noirs une veste de drap écarlate. Evidemment, la règle à laquelle les femmes étaient soumises à Roissy n'était pas faite pour elle. « Aujourd'hui, tu vas déjeuner chez moi, dit-elle à O, et tu t'apprêteras. Je te conduirai à la petite grille quand le gong de trois heures sonnera. » O suivit Anne-Marie sans mot dire, dansante comme sur l'air; Sir Stephen allait venir.

L'appartement d'Anne-Marie occupait une partie de l'aile en retour des communs qui prolongeaient en direction de la route les bâtiments du château proprement dit. Elle y avait un salon qui commandait une sorte de petit boudoir, une chambre et une salle de bain; la porte par où O était entrée donnait à Anne-Marie la liberté de ses allées et venues. Comme dans sa maison de Sannois sur le jardin, ici le salon et la chambre d'Anne-Marie ouvraient de plain-pied sur le parc. Il était frais et vide, avec de très grands arbres que l'automne approchant n'avait pas encore touchés, alors que la vigne vierge sur les murs commençait à tourner au rouge. O, debout au milieu du salon, regardait les boiseries blanches, les meubles de noyer clair de style Directoire rustique, et le grand sofa dans une alcôve, tendu comme les fauteuils de rayures jaunes et bleues. Le sol était recouvert de moquette bleue. Il y avait aux portes-fenêtres de grands rideaux de taffetas bleu.

« Tu rêves, O, lui dit soudain Anne-Marie, qu'est-ce que tu attends pour te déshabiller ? On va venir prendre tes affaires et t'apporter ce qu'il te faut. Et quand tu seras nue viens ici. » Sac, gants, veste, chandail, jupe, sa guêpière, ses bas, O posa tout sur une même chaise près de la porte, et ses chaussures sous la chaise. Puis elle s'approcha d'Anne-Marie qui, après avoir appuyé à deux reprises sur une sonnette près de la cheminée, s'était assise sur le sofa. « Mais on te voit les petites lèvres, maintenant que tu es épilée, s'écria Anne-Marie en les lui tirant doucement. Je ne me rendais pas compte que tu étais si bombée, ni fendue si haut. — Mais, dit O, tout le monde... — Non, mon petit cœur, dit Anne-Marie, pas tout le monde. » Et se tournant, sans lâcher O, vers une grande fille brune qui venait d'entrer, sans doute en réponse au coup de sonnette : « Regarde, Monique, ajouta-t-elle, c'est la fille que j'ai chiffrée cet été pour Sir Stephen, est-ce que ce n'est pas réussi ? » O sentit la main de Monique, légère et fraîche, toucher sur sa fesse les sillons creusés par les initiales. Puis la main glissa entre ses cuisses, et saisit le disque qui lui pendait du ventre. « Elle est donc percée aussi ? » dit Monique. « Ah ! il m'a fait la lui ferrer, naturellement », répondit Anne-Marie, et O se demanda soudain si naturellement voulait dire qu'Anne-Marie trouvait naturel de le faire, ou signifiait que c'était une habitude de Sir Stephen; dans ce cas, l'avait-il donc fait faire à d'autres avant elle ? Elle s'entendit, stupéfaite elle-même de son audace, poser la dernière question à Anne-Marie, et fut plus stupéfaite encore d'entendre Anne-Marie lui répondre : « Ça ne te regarde pas, O, mais puisque tu es si amoureuse et si jalouse, je peux quand même te dire que non. Je lui ai souvent élargi et fouetté des filles, mais tu es la première que je lui marque. Je crois bien qu'il t'aime, pour une fois. » Puis elle fit entrer O dans la salle de bain, en lui disant de se laver pendant que Monique allait lui chercher un collier et des bracelets. O fit couler l'eau, se démaquilla, se brossa les cheveux, et entrée dans la baignoire, se savonna lentement. Elle ne prenait pas garde à ce qu'elle faisait, et pensait, partagée entre la curiosité et la joie, à ces filles qui avant elle avaient plu à Sir Stephen. La curiosité : elle aurait voulu les connaître. Elle n'était pas surprise qu'il les eût fait toutes élargir et fouetter, mais jalouse de ne l'avoir pas été, elle aussi, pour la première fois pour lui. Debout dans la baignoire, courbée, le dos tourné vers la glace qui revêtait le mur, elle se savonnait des doigts l'intérieur du ventre et des reins, et se rinçant pour enlever la mousse, s'écarta les fesses pour se regarder dans le miroir : voilà ce qu'elle aurait voulu voir à une de ces filles. Combien de temps les avait-il gardées ? Elle ne s'était donc pas trompée lorsqu'elle avait eu le sentiment que d'autres avant elle avaient suivi, nues et soumises et la redoutant comme elle, la vieille Norah. Mais qu'elle eût été seule à porter ses fers et sa marque la comblait de bonheur. Elle sortait de l'eau et s'essuyait : Anne-Marie l'appela.

Sur le lit d'Anne-Marie, recouvert d'une courtepointe piquée de percale blanche et mauve, comme les doubles rideaux de la fenêtre, il y avait un monceau de grandes robes, des corsets, des mules à haut talon, et le coffret aux bracelets. Anne-Marie, assise sur le pied du lit, fit mettre O à genoux devant elle, sortit de la poche de son pantalon la clé plate qui ouvrait les serrures des colliers et des bracelets, et qui était fixée à sa ceinture par une longue chaîne, et essaya à O plusieurs colliers jusqu'à ce qu'elle en trouvât un qui, sans la serrer, lui entourât exactement le cou dans son milieu, suffisamment pour qu'il fût difficile de le faire tourner, et plus difficile encore d'y glisser un doigt entre la peau et le métal. De même, à ses poignets, juste au-dessus de l'articulation qui était laissée libre, les bracelets. Le collier et les bracelets qu'O avait portés et vu porter l'année d'avant étaient de cuir, et beaucoup plus étroits : ceux-ci étaient de fer inoxydable, articulés et à demi rigides comme on fait en or certains bracelets-montres. Ils étaient hauts de près de deux doigts et portaient chacun un anneau de même métal. Jamais les harnais de cuir de l'année précédente n'avaient fait aussi froid à O, ni ne lui avaient aussi vivement donné le sentiment d'être définitivement à la chaîne. Le fer était de la même couleur et du même éclat mat que les fers de son ventre. Anne-Marie lui dit, au moment où retentit le dernier déclic qui fermait le collier, qu'elle ne les retirerait ni jour ni nuit, ni même pour se baigner, tant qu'elle serait à Roissy. O se releva, et Monique la prit par la main et l'amenant devant le grand miroir à trois faces lui farda la bouche avec un rouge clair, un peu liquide, qu'elle appliquait au pinceau, et qui fonçait en séchant. Elle lui peignit du même rouge l'aréole et la pointe des seins, et les petites lèvres entre ses cuisses, en soulignant la fente du giron. O ne sut jamais quel produit fixait la couleur, mais c'était plus une teinture qu'un fard : elle ne s'effaçait pas quand on l'essuyait, et le démaquillant, et même l'alcool, ne l'enlevaient que difficilement. On la laissa se poudrer le visage, une fois qu'elle fut peinte, et choisir les mules à sa taille ; mais lorsqu'elle voulut prendre un des vaporisateurs sur la coiffeuse, Anne-Marie s'exclama : « O, est-ce que tu es folle ? Pourquoi t'imagines-tu que Monique t'a fardée ? Tu sais bien que tu n'as pas le droit de te toucher, maintenant que tu as tous tes fers. » Elle prit elle-même le vaporisateur, et O, dans la glace, vit ses seins et ses aisselles briller sous les fines gouttelettes agglomérées comme s'ils étaient couverts de sueur. Puis Anne-Marie la ramena sur la banquette de sa coiffeuse en lui disant de relever et d'ouvrir ses cuisses, que Monique, la prenant aux jarrets, maintint écartées. Et la buée de parfum, qui se répandait au creux de son ventre et entre ses fesses, la brûla si fort qu'elle gémit et se débattit. « Tiens-la jusqu'à ce que ce soit sec, dit Anne-Marie, puis tu lui trouveras un corset. » O fut étonnée du plaisir avec lequel elle se retrouva serrée dans le corset noir. Elle avait obéi et aspiré profondément pour se creuser la taille et le ventre quand Anne-Marie le lui avait ordonné, pendant que Monique serrait les lacets. Le corset montait jusque sous les seins, qu'une légère armature maintenait écartés, et qu'un étroit rebord soutenait si bien qu'ils étaient projetés en avant et paraissaient d'autant plus libres et fragiles. « Tes seins sont vraiment faits pour la cravache, O, dit Anne-Marie, tu t'en rends compte, oui ? — Je sais, dit O, mais je vous en supplie... » Anne-Marie se mit à rire : « Ah ! ce n'est pas moi qui déciderai, dit-elle, mais si les clients en ont envie, tu pourras toujours supplier. » Sans qu'elle en eût vraiment conscience, le mot client, plus que la terreur brusque du fouet, la bouleversa. Pourquoi clients ? Mais elle n'eut pas le temps de se le demander, tant elle fut saisie par ce que, sans y prendre garde, lui révéla Anne-Marie une minute plus tard. Elle fut donc debout devant le miroir, ayant ses mules aux pieds, et la taille étranglée dans son corset. Monique s'avança vers elle, portant sur le bras une jupe et un casaquin de faille jaune brochée de ramages gris. « Non, non, s'écria Anne-Marie, son uniforme d'abord. — Mais quel uniforme ? » demanda O. « Celui que porte Monique, tu vois bien », dit Anne-Marie. Monique portait une robe dont la coupe était sensiblement la même que celle des grandes robes que connaissait O, mais dont l'aspect plus sévère tenait sans doute à l'étoffe, qui était un lainage d'un bleu-gris très foncé, et un fichu qui couvrait à la fois les épaules, la poitrine et la tête. Quand O en eut revêtu une semblable, et qu'elle se vit dans la glace à côté de Monique, elle comprit ce qui l'avait surprise quand elle avait vu Monique : c'était un costume qui faisait penser aux condamnées des prisons de femmes, ou aux servantes des couvents. Mais non pas si on y regardait de près. La large jupe bouffante, doublée de taffetas de même couleur, était montée à gros plis creux non repassés sur une bande droit fil, qui se boutonnait sur le corset, exactement comme les robes de cérémonies. Mais alors qu'elle paraissait fermée, elle était ouverte dans le milieu du dos de la taille aux pieds. A moins qu'on ne tirât délibérément sur un côté ou l'autre de la jupe, on ne le remarquait pas, O s'en aperçut seulement quand on la lui mit, et ne l'avait pas vu sur Monique. Le casaquin, qui se boutonnait dans le dos et se portait sur la jupe, avait de courtes basques découpées qui couvraient d'une largeur de main le départ des plis. Il était ajusté par des pinces et par deux panneaux élastiques. Les manches étaient taillées non montées, avec sur le dessus une couture qui prolongeait la couture d'épaule, et se terminaient au coude par un très large biais évasé. Un biais analogue terminait le décolleté, qui suivait exactement l'échancrure du corset. Mais un grand carré de dentelle noire, dont une pointe, couvrant la tête, retombait sur le milieu du front comme une pointe de fanchon, et dont l'autre pointe descendait entre les omoplates, était fixé par quatre pressions, deux sur la couture d'épaule, et deux au biais du décolleté, à la hauteur de la naissance des seins, et se croisait entre eux, où une longue épingle d'acier le maintenait tendu sur le corselet. La dentelle, tenue sur les cheveux par un peigne, encadrait le visage et cachait entièrement les seins, mais était assez souple et assez transparente pour qu'on en devinât l'aréole, et pour qu'on comprît qu'ils étaient libres sous le fichu. Au reste, il suffisait d'enlever l'épingle pour qu'ils fussent tout à fait nus, comme il suffisait par-derrière d'écarter les deux côtés de la jupe pour que la croupe fût nue. Monique, avant de lui enlever le costume, montra à O qu'avec deux attaches qui soulevaient les deux pans et se nouaient sur le devant de la taille, il était facile de les maintenir ouverts. Ce fut à ce moment qu'Anne-Marie répondit au fond de la question posée par O. « C'est l'uniforme de la communauté, dit-elle. Tu n'as jamais eu à le connaître parce que tu avais été amenée par ton amant pour son propre compte. Tu ne faisais pas partie de la communauté. — Mais, dit O, je ne comprends pas. J'étais comme les autres filles, tout le monde pouvait... — Tout le monde pouvait coucher avec toi? Bien entendu. Mais c'était pour le plaisir de ton amant et ça ne regardait que lui. Maintenant c'est différent. Sir Stephen t'a remise à la communauté; tout le monde pourra coucher avec toi, oui, mais ça regarde la maison. Tu seras payée. — Payée! interrompit O. Mais Sir Stephen... » Anne-Marie ne la laissa pas achever. « Ecoute, O, ça suffit. Si Sir Stephen veut que tu couches pour de l'argent, il est bien libre, je pense. Ça ne te regarde pas. Couche et tais-toi. Pour le reste de ce que tu auras à faire, tu feras équipe avec Noelle, qui te l'expliquera. »

Le déjeuner, dans le boudoir d'Anne-Marie, fut étrange. Un valet l'avait apporté sur une table chauffante. Monique, dans sa robe d'uniforme, l'avait servi, après avoir mis les quatre couverts : celui d'Anne-Marie, celui d'O, celui de Noelle, et le sien. O avait essayé, auparavant, encore plusieurs robes. Anne-Marie avait fait mettre de côté pour elle la robe jaune et grise, qu'elle porterait le jour même, une autre bleue, une autre d'un bleu plus éteint mêlé de vert, et enfin une robe très collante de jersey plissé, qui s'ouvrait par-devant à partir de la taille. Elle était violet sombre, et le ventre pâle d'O, alourdi d'anneaux, et si nu, se voyait, même quand elle ne bougeait pas, autant que ses reins découverts. Le valet avait emporté dans la chambre qu'allait occuper O, communiquant avec celle de Noelle, toutes les robes mises de côté, sauf la jaune. Monique reporterait les autres au magasin. O regardait rire en face d'elle Noelle, qui riait parce que le siège de crin noir de sa chaise la chatouillait, elle regardait Anne-Marie prête à se fâcher, Monique attentive au service ; à deux reprises, quand Monique se leva, O vit Anne-Marie, à la droite de qui elle passa, glisser sa main dans la fente de sa robe. Monique s'immobilisait et O devinait, au léger fléchissement de son corps, qu'elle se prêtait à la main qui la fouillait. « Pourquoi ne m'a-t-il rien dit, se répétait O, pourquoi ? » Et tantôt elle se croyait tout simplement abandonnée, et que Sir Stephen l'avait envoyée à Roissy, remise à Roissy, comme disait Anne-Marie, pour se débarrasser d'elle, tantôt le contraire, et qu'il voulait d'elle davantage ; alors Anne-Marie avait raison, ce qu'il voulait ne la regardait pas, ni les raisons pourquoi il le voulait ; il suffisait que ce fût sa volonté. Et à ce point tout recommençait : « Pourquoi ne le dit-il pas, pourquoi ? » Et comment faire pour empêcher les larmes de recommencer à couler, comment faire au moins pour qu'on ne les voie pas ? Noelle les voyait. Elle fit à O un petit sourire très doux et non du bout du doigt. O sourit en réponse et essuya ses yeux, de ses deux poings, comme les enfants grondés : elle n'avait pas de serviette, et elle était nue. Par bonheur, Anne-Marie, qui avait fait enlever à Monique l'épingle de son fichu et effleurait les pointes brunes de ses seins, ne regardait pas O : elle guettait sur le visage de Monique la naissance de son plaisir, et tout en la caressant, la questionnait : combien d'hommes lui étaient entrés dans le corps depuis la veille, qui étaient-ils, est-ce qu'elle s'était aussi bien ouverte à eux qu'elle s'ouvrait maintenant ? A ce dernier mot, Anne-Marie appela Noelle et O, et sans lâcher Monique leur fit relever et attacher les pans de sa robe. Monique avait de larges reins dorés et de fines cuisses intactes. D'une voix sans timbre, elle avait répondu à chaque question : cinq hommes l'avaient possédée, trois qu'elle ne connaissait pas ; elle dit les noms des deux autres. Oui, elle s'était ouverte de son mieux. Anne-Marie, la courbant, fit voir aux deux autres filles comme elle enfonçait facilement, tour à tour dans le ventre et dans les reins de Monique, les deux plus longs doigts de sa main. A chaque fois, Monique se refermait sur eux en gémissant : on voyait ses fesses se contracter. Enfin elle cria tout à fait, les mains crispées sur ses seins, la tête renversée sur l'épaule, sous son voile de dentelle, les yeux fermés. Anne-Marie la laissa aller.

Ce fut seulement à minuit passé qu'O le soir de ce premier jour fut amenée et mise à la chaîne dans sa chambre. L'après-midi, elle était demeurée dans la bibliothèque, vêtue de sa belle robe jaune et grise doublée de taffetas du même jaune, qu'elle prenait à pleins bras pour la relever quand on lui disait de se trousser; Noelle, vêtue d'une semblable robe rouge, était avec elle, et deux autres filles blondes, dont Noelle ne lui dit le nom que lorsqu'elles se trouvèrent seules le soir : la règle du silence était toujours, en présence d'un homme quel qu'il fût, maître ou valet, absolue. Il était trois heures exactement quand les quatre filles entrèrent dans la pièce vide, dont les fenêtres étaient grandes ouvertes. Il faisait doux, le soleil frappait le mur en équerre du bâtiment principal, son reflet éclairait d'un jour faux une des parois couvertes de lierre. Et O se trompait, la pièce n'était pas vide : il y avait un valet en faction contre une porte. O savait qu'elle ne devait pas le regarder : mais elle ne pouvait pas s'en empêcher, et prenant garde de ne pas lever les yeux plus haut que sa ceinture, elle était reprise de la panique et de la fascination où elle avait été plongée un an plus tôt : non, elle n'avait rien oublié, et pourtant c'était pire que dans son souvenir, ce sexe si libre dans une bourse, et si visible entre les cuisses de la culotte noire collante, comme on voit aux archives dans les tableaux du XVIe siècle — et les lanières du fouet qui était passé à la ceinture. Au pied des fauteuils, il y avait des tabourets, O s'était assise sur l'un d'eux, à l'exemple des trois autres filles, sa robe étalée autour d'elle. Et c'est d'en dessous qu'elle regardait, juste en face d'elle, l'homme immobile. Le silence était si lourd qu'O n'osait même pas déplacer sa robe : la soie craquait trop haut. Elle poussa un cri au brusque bruit : un garçon brun et trapu, en costume de cheval, une cravache à la main, de petits éperons dorés à ses bottes, était entré en enjambant l'appui de la fenêtre. « Joli tableau, dit-il, vous êtes bien sages, vous n'avez donc pas d'amateur ? Il y a un quart d'heure que je vous regarde par la fenêtre. Mais, la belle en jaune, ajouta-t-il, en promenant le bout de sa cravache sur les seins d'O, qui frémit, tu n'es pas si sage que ça. » O se leva. A ce moment-là Monique entra, sa robe de satin mauve retroussée sur le ventre où un triangle de toison noire marquait le départ des longues cuisses qu'O n'avait vues qu'à revers. Elle était suivie de deux hommes. O reconnut le premier : c'est lui qui l'an dernier lui avait énoncé les règles de Roissy. Il la reconnut aussi et lui sourit. « Vous la connaissez ? » dit le garçon. « Oui, répondit l'homme, elle s'appelle O. Elle est marquée à Sir Stephen, qui l'avait reprise à René R. Elle est restée quelques semaines ici l'année dernière, vous n'étiez pas là. Si vous la voulez, Franck... — Ma foi, je ne sais pas, dit Franck. Mais vous ne savez pas ce qu'elle faisait, votre O ? Depuis un quart d'heure que je la regarde et qu'elle ne me voit pas, elle n'a pas cessé de regarder José, mais pas plus haut que la ceinture. » Les trois hommes rirent. Franck prit O par la pointe des seins et la tira vers lui. « Réponds, petite putain, qu'est-ce qui te faisait envie ? Le fouet de José, ou sa verge ? » O pourpre et brûlante de honte, perdant toute notion de ce qui était permis ou défendu, bondit en arrière et s'arracha des mains du garçon, en criant : « Laissez-moi, laissez-moi. » Il la rattrapa, qui trébuchait contre un fauteuil, et la ramena. « Tu as tort de te sauver, dit-il, le fouet, José va te le donner tout de suite. » Ah! ne pas gémir, ne pas supplier, ne pas demander grâce et pardon! Mais elle gémit et pleura, et demanda grâce, se tordait pour échapper aux coups, tentait de baiser les mains de Franck qui la tenait pendant que le valet la fouettait. Une des filles blondes et Noelle la relevèrent et rabattirent sa jupe. « Maintenant je l'emmène, dit Franck, je vous dirai mon avis tout à l'heure. » Mais quand elle l'eut suivi dans sa chambre, et qu'elle fut nue dans son lit, il la regarda longtemps, et avant de s'étendre près d'elle il lui dit : « Pardonne-moi, O, mais ton amant aussi te fait fouetter, n'est-ce pas? — Oui », dit O, puis elle hésita. « Oui, parle », dit-il. « Il ne m'insulte pas », dit O. « Tu es bien sûre? répondit le garçon. Il ne t'a jamais traitée de putain? » O secoua la tête pour dire non, et au même instant sut qu'elle mentait : c'est bien putain que Sir Stephen l'avait appelée en parlant d'elle dans le salon particulier de Lapérouse, quand il l'avait donnée aux deux Anglais, et lui avait fait mettre nus, pendant le repas, ses seins balafrés. Elle releva les yeux, et rencontra les yeux de Franck fixés sur elle, bleu sombre, doux, presque compatissants; il avait compris qu'elle mentait. Elle murmura, répondant à ce qu'il ne disait pas : « S'il le fait, il a raison. » Il l'embrassa sur la bouche. « Tu l'aimes tellement? » dit-il. « Oui », dit O. Alors le garçon ne dit plus rien. Il la caressa si longtemps de ses lèvres au creux du ventre qu'elle haleta et perdit le souffle. Lorsque après s'être enfoncé en elle il quitta son ventre pour ses reins, il l'appela tout bas : « O. » O se sentit se serrer autour du pal de chair qui l'emplissait et la brûlait. Il se perdit en elle, et s'endormit brusquement la tenant contre lui, les mains sur ses seins, ses genoux à lui ajustés au creux de ses genoux à elle. Il faisait frais. O remonta le drap et la couverture et s'endormit aussi. Le jour baissait quand ils se réveillèrent. Depuis combien de mois était-ce la première fois qu'O avait dormi si longtemps dans les bras d'un homme ? Tous, et d'abord Sir Stephen, couchaient avec elle, puis la laissaient, ou la renvoyaient. Et celui-ci qui tout à l'heure la traitait si brutalement, maintenant assis à ses genoux, lui demandait en plaisantant, comme Hamlet à Ophélie (Ophélie, à cause d'O, disait-il), s'il pouvait se coucher dans son giron. La tête appuyée contre le ventre d'O, il tournait et retournait ses fers, qui lui retombaient sur l'épaule. Il alluma la lampe de chevet pour mieux les voir, lut tout haut le nom de Sir Stephen inscrit sur le disque, et, remarquant la cravache et le fouet entrecroisés gravés au-dessus du nom, demanda à O ce que Sir Stephen préférait employer, de l'un ou de l'autre. O ne répondait pas. « Réponds, mon petit », dit-il tendrement. « Je ne sais pas, dit O, les deux. Mais Norah, c'était toujours le fouet. — Qui est Norah ? » Il parlait à voix si abandonnée, si confiante, il donnait tellement l'impression que lui répondre allait de soi, que c'était comme de se répondre à soi-même, comme de se parler seule, tout haut, qu'O répondit sans même y penser. « Sa servante », dit-elle. « Alors j'ai bien fait de te faire fouetter par José. — Oui », dit encore O. « Et de toi, reprit le garçon, qu'est-ce qu'il préfère ? » Il attendit, O ne répondait plus. « Je sais, dit-il. Caresse-moi aussi avec ta bouche, O, je t'en prie. » Et il se souleva jusqu'au-dessus d'elle, qui le caressa. Puis il la prit par la taille entre ses deux mains pour l'aider à se lever, en lui disant : « Fine, fine, fine », lui embrassa les seins, et lui laça son corset. O se laissait faire sans même le remercier, saisie par la douceur, apprivoisée : il lui parlait de Sir Stephen. Quand il lui dit enfin, avant de sonner un valet pour la reconduire, une fois qu'elle eut remis sa robe : « Je te ferai ramener demain, O, mais je te battrai moi-même », elle sourit parce qu'il ajouta : « Je te battrai comme lui. »

O devait apprendre par Noelle, le soir, que si les valets ne pouvaient pas toucher aux filles dans les pièces communes, à l'exception du réfectoire, où ils faisaient la loi, celles-ci étaient à leur discrétion partout où les appelait (mais aussi seulement là) leur service : dans leur chambre quand elles y étaient seules, dans les vestiaires, au besoin dans les corridors et les vestibules. Le hasard voulut que celui qui vint au coup de sonnette de Franck fût José. Il était jeune, grand, et bien découplé ; l'air naturellement arrogant des Espagnols seyait à son visage de Maure. Une honte abominable reprit O, tandis qu'elle le suivait, mules claquantes, le long du grand corridor ; ce n'était pas parce qu'il l'avait fouettée, mais parce qu'elle était sûre qu'il avait cru ce que disait Franck, et qu'il ne doutait pas qu'elle eût envie de lui. Et elle ne pouvait chasser ce que lui avait dit un jour un officier colonial des soldats maures espagnols : ils étaient toute la journée, quand ils le pouvaient, à chevaucher des femmes. José n'eut pas fait dix pas qu'il se retourna en effet, et à la première banquette venue, qu'il tira contre le mur pour que ce fût plus commode, saisit O et la renversa. Il la posséda à loisir, et O, folle de rage contre elle-même, mais labourée comme par une barre de fer, ne put arrêter de gémir. « Tu es contente, lui dit-il, elle te plaît ? » Ses dents blanches éclataient dans un visage sombre. O ferma les yeux pour ne pas voir son sourire. Mais il se pencha vers elle et lui prit la langue. Pourquoi O tremblait-elle à l'idée que la porte de Franck allait s'ouvrir?

Au vestiaire du rez-de-chaussée, où José la mena ensuite, O retrouva Noelle, qui tenait sa jupe retroussée pendant qu'une fille en uniforme, et fichu décroisé, la douchait. O s'accroupit comme elle sur le siège à la turque voisin du sien. Quand l'eau eut fini de s'échapper d'elle, la même fille la savonna un instant, puis la rinça avec le jet qui, par un ressort obéissant à la pression du doigt, jaillissait d'un tuyau de métal annelé; une mince canule d'ébonite le terminait. Le jet était doux, mais l'eau très froide, plus froide encore, lui sembla-t-il, quand elle la sentit se répandre dans le fond de ses reins, puis de son ventre. Fallait-il donc lui doucher si longuement encore, ensuite, les reins et l'intérieur des cuisses, et la fente du ventre? A son premier séjour, à Roissy, elle avait ignoré jusqu'à l'existence des vestiaires. Il est vrai aussi qu'elle n'avait jamais été dans des chambres autres que la sienne. « Ah! O, chaque fois qu'on monte, lui dit Noelle, quand elle put l'interroger, on est douchée en redescendant, — Mais pourquoi si longtemps, dit O, et si froid? — Moi j'aime bien, dit Noelle. On est toute fraîche après, et bien resserrée. » La fille de garde leur remit ensuite, à toutes deux, du parfum et du rouge. Elles se remaquillèrent et se rebrossèrent les cheveux. Le parfum réchauffa O un peu. Noelle la prit par la main. Elle avait la beauté des Irlandaises, ou des Rochelaises, des cheveux très noirs, la peau blanche, les yeux bleus. Elle n'était pas plus grande qu'O, mais ses épaules étaient étroites et sa tête toute petite, ses seins petits et pointus, ses hanches larges et rondes.

Son nez court et ses lèvres roulées, toujours entrouvertes, lui donnaient un air riant. Mais c'était vrai qu'elle était gaie : quand elle entrait quelque part, on aurait toujours dit qu'elle arrivait à une fête. Il y avait dans son allégresse quelque chose de désarmant. Elle se prêtait avec un sourire si enchanté, elle relevait avec tant d'empressement ses jupes sur ses belles fesses blanches, qu'il était bien rare qu'elle fût sérieusement battue : « Juste ce qu'il faut, disait-elle à O, mais moi ça ne me va pas d'être marquée. » Quand elles rentrèrent dans le salon, où les lampes étaient allumées, O put admirer et la grâce de Noelle, et le succès qu'obtenait cette grâce. Les trois hommes qui étaient assis dans les grands fauteuils de cuir, deux avec deux filles blondes à leurs pieds, et le troisième avec Monique, qu'ils ne regardèrent pas — l'une des filles blanches était la Madeleine de l'an passé —, tournèrent la tête et reconnurent Noelle. L'un d'eux l'appela aussitôt, en lui disant : « Viens donner tes jolis seins. » Elle se pencha sur le fauteuil, les mains sur les appuis, les seins juste à la hauteur de la bouche de l'homme, sans la moindre hésitation, évidemment heureuse de lui plaire. C'était un homme d'une quarantaine d'années, chauve, sanguin, O voyait sa nuque rouge qui formait deux bourrelets au-dessus du col de son veston, et pensait au faux Allemand à qui Sir Stephen l'avait donnée la veille encore; il lui ressemblait. Celui qui était avec Monique passa derrière Noelle et lui glissa la main sur les reins. « Vous permettez, Pierre ? » dit-il au premier. « C'est à Noelle qu'il faudrait demander la permission », répondit-il, et ajouta : « Mais ce n'est pas la peine, hein, Noelle ? — Non », dit Noelle. O la regarda : qu'elle était ravissante, renversant la tête et le col pour mieux tendre ses seins, creusant la taille pour mieux offrir ses fesses. Etait-ce pour ce plaisir qu'elle prenait à se faire voir et caresser qu'elle éveillait si bien le désir? Le compagnon de Monique lui avait fait signe de le déboutonner, et O le regarda se dresser entre les cuisses de Noelle. Finalement les trois hommes la possédèrent l'un après l'autre, rose et noire au creux des cuisses, épanouie et blanche comme lait dans sa robe rouge tournoyante. Et ce fut elle, immédiatement, et O — « la petite, puisqu'elle est avec elle », dit celui qui s'appelait Pierre — qu'ils désignèrent d'un commun accord lorsqu'un valet vint demander si l'on pouvait disposer de deux filles pour envoyer au bar. « Il ne faut pas la laisser chômer », dit Pierre.

Il y avait à Roissy trois grilles. La partie du bâtiment, dans laquelle on ne pouvait pénétrer qu'en franchissant l'une de ces trois grilles, constituait ce qu'on appelait non sans enfantillage la grande clôture. Seuls y avaient accès les affiliés ou plus simplement les membres du club. Elle comprenait au rez-de-chaussée, à droite d'un grand vestibule (sur lequel ouvrait l'une des grilles, la plus grande), la bibliothèque, un salon, un fumoir, un vestiaire, et à gauche, le réfectoire des filles et une pièce attenante réservée aux valets. Quelques chambres, au rez-de-chaussée, étaient occupées par les filles que les membres du club amenaient, comme O l'avait été par René. Les autres chambres, aux étages, par ceux d'entre eux qui faisaient un séjour à Roissy. A l'intérieur de la clôture, les filles ne pouvaient circuler qu'accompagnées; elles étaient absolument astreintes au silence, même entre elles, et aux yeux baissés; elles avaient toujours les seins nus et le plus souvent la jupe relevée par-devant ou par-derrière.

On en disposait comme on voulait. Quelque usage qu'on en fît, quoi qu'on en exigeât, il n'en coûtait pas plus cher. On pouvait venir trois fois par an ou trois fois par semaine, rester une heure ou quinze jours, faire seulement mettre nue une fille ou la fouetter jusqu'au sang, la cotisation annuelle était la même. Le prix du séjour était compté comme dans un hôtel. La deuxième grille séparait de cette partie centrale du bâtiment une aile que l'on appelait la petite clôture. C'était dans son prolongement que se situaient les communs où habitait Anne-Marie. A la petite clôture logeaient les filles de la communauté proprement dite, dans des chambres doubles, en ce sens qu'elles étaient partagées en deux par une demi-paroi, à laquelle était de part et d'autre adossée la tête de chaque lit, lit ordinaire et non pas divan de fourrure comme dans la chambre où O avait séjourné la première fois. Elles avaient une salle de bain, et une penderie commune. Les portes des chambres ne fermaient pas à clé, et les membres du club pouvaient y entrer n'importe quand dans la nuit, que les filles passaient enchaînées. Mais à part cette mise à la chaîne, il n'y avait aucune règle astreignante. Enfin, de l'autre côté de la troisième grille, qui était située, quand on faisait face à la grille principale, sur la gauche, la seconde étant sur la droite, se trouvait la partie libre et quasi publique de Roissy : un restaurant, un bar, de petits salons au rez-de-chaussée, et aux étages, des chambres. Les membres du club pouvaient recevoir au restaurant et au bar leurs invités, sans que ceux-ci aient à payer le droit d'entrée. Mais n'importe qui, ou à peu près, pouvait souscrire une « carte provisoire », valable deux fois, et fort chère. Elle donnait simplement le droit, comme on l'accordait aux invités, de consommer au bar, de déjeuner ou de dîner, de prendre une chambre, et d'y faire monter une fille, chaque chose étant payable à part. Le restaurant et le bar avaient maître d'hôtel et barman, quelques garçons — les cuisines étaient au sous-sol — mais c'étaient les filles qui faisaient le service autour des tables. Au restaurant, elles étaient en uniforme. Au bar, vêtues des grandes robes de soie, une mantille de dentelle semblable à la mantille d'uniforme leur couvrait les cheveux, les épaules, les seins, elles étaient là pour attendre qu'on les choisît. Le restaurant et le bar couvraient leurs frais normalement, l'hôtel aussi. L'argent que rapportaient les filles était réparti suivant des quote-parts déterminées : tant pour Roissy, tant pour la fille. Toutes ne coûtaient pas le même prix : O apprit qu'elle serait payée double parce qu'elle appartenait officiellement à un membre du club et qu'elle portait des fers et une marque. Deux autres filles étaient comme elle, dont la petite rousse ronde et blanche qu'elle avait vue chez Anne-Marie. Fouetter une fille se payait à part, la faire fouetter par un valet, également. Les notes étaient payées au bureau de l'hôtel, les pourboires remis directement. Le proche voisinage de Paris, l'allure princière, et cependant discrète, des bâtiments, le confort de l'installation et l'excellence du restaurant, ce qu'avait de théâtral le costume des filles et la présence des valets, la sécurité et la liberté des rapports, enfin et surtout ce qu'on savait de ce qui se passait derrière les grilles des clôtures donnait à Roissy une clientèle nombreuse, presque toute composée d'hommes d'affaires, et d'autant d'étrangers que de Français. Le Roissy public n'avait pas plus d'existence officielle que le Roissy clandestin : Country-Club était une appellation qui ne trompait personne, mais il arrivait souvent que l'homme aux cheveux gris qui passait pour le Maître de Roissy, et n'en était que l'administrateur, interrogeât une fille ou une autre sur un client de passage — sans compter qu'il fallait présenter passeports ou pièces d'identité (on jurait qu'il n'en était pas pris note) pour souscrire une carte provisoire — bref, Roissy était officiellement ignoré, officieusement toléré. Une des raisons en était sans doute, outre celles que la surveillance en question fait deviner, qu'il n'y avait jamais eu de plaintes pour contagions vénériennes, ni de scandales de grossesse et d'avortement. O s'était toujours demandé comment les filles qui couchaient avec quelquefois dix hommes par jour — qui ne toléraient aucune gêne — se préservaient des grossesses. Toutes ne pouvaient pas être servies comme elle par le hasard : une déviation qui rendait le risque pratiquement inexistant. « On peut remplacer le hasard, O », lui dit Anne-Marie à qui elle posait la question. D'où elle conclut qu'Anne-Marie, qui était médecin, avait opéré secrètement les filles de Roissy. On ne voyait jamais à aucune ce visage angoissé que donne aux femmes un retard dans leurs règles. « Ah ! ce n'est rien du tout, et on est tranquille, tu comprends, lui dit Noelle un jour, mais je ne peux pas t'expliquer, on m'a endormie. » O supposa surtout qu'on interdisait d'en parler.

De la contagion, il était plus malaisé de se défendre : les pastilles qu'on laisse fondre, les prophylactiques, les douches. La pire contagion était à la bouche : le rouge qui empêchait les lèvres de se fendiller, aidait à en réduire le danger. Enfin Anne-Marie examinait les filles chaque jour. On soignait, au besoin on isolait — il y avait des chambres au-dessus de son appartement — jusqu'à la guérison.

Echappaient à ces soins et à ces contraintes les filles que leur amant amenait : c'était à leurs risques et périls, et en outre, elles ne franchissaient pas la grande clôture. Quant aux autres, ce qui décidait dans quelle mesure chacune était utilisée à l'intérieur des grilles, et dans quelle mesure en dehors, O ne parvint jamais à le comprendre tout à fait. Il y avait, pour une part, un roulement établi pour ce qui se faisait en uniforme ; tant de jours de service au restaurant pour le déjeuner ; tant de jours de service pour le dîner ; de même, en grandes robes, tant d'après-midi, ou tant de soirées de présence au bar. Cependant, le bar et le restaurant étant communs aux visiteurs et aux membres du club, rien n'empêchait ceux-ci d'y prendre une fille et de la ramener dans les grilles. Pour l'autre part, le seul caprice y semblait présider : par exemple, lorsqu'un valet était venu demander deux filles pour le bar, le fait que Noelle et O eussent été désignées, plutôt que Monique ou Madeleine.

Quand O pénétra pour la première fois dans le bar, derrière Noelle, toutes deux en mantilles, elle fut frappée par la ressemblance de la pièce avec la bibliothèque qu'elles venaient de quitter : mêmes dimensions, mêmes boiseries, mêmes fauteuils. La belle petite rousse qui était ferrée et épilée comme O, et qu'O avait une fois fouettée avec un plaisir si surpris chez Anne-Marie, était perchée sur un haut tabouret, vêtue de satin gris, et riait avec deux hommes. Elle bondit pour embrasser O dès qu'elle l'aperçut, et revint en la tenant par la taille. « C'est O, dit-elle, vous l'invitez ? Vous n'en trouverez pas de mieux. » Et à travers la résille noire, elle embrassa O sur le bout d'un sein. « Ils ne disent pas leur nom, dit-elle à O, mais ils ont l'air gentils, tu ne trouves pas ? » Gentils, non, c'était absurde. Ils avaient l'air à la fois embarrassés et vulgaires, et leur troisième apéritif n'avait pas suffi à leur donner de l'assurance. Pour prendre son verre sur le bar, O effleura de son bras le genou de celui qui était à sa droite : il posa sa main sur le poignet cerclé, et demanda pourquoi elles avaient toutes des bracelets de fer. « Comme s'ils ne savaient pas ! s'exclama Yvonne. Ça ne fait rien, on leur expliquera pendant le dîner. Allez, venez. » Puis regardant celui qui avait parlé et qui descendait de son tabouret, tout en prenant soin de frôler l'autre, elle dit à O : « Passe ta main, vite, il ne peut pas dire que tu ne lui plais pas. » Au restaurant, ils prirent une seule table pour eux quatre. Les trois hommes qui avaient couché avec Noelle dînaient ensemble à une table voisine. Noelle, cinq minutes après qu'O l'eut quittée, avait disparu par la porte qui menait aux chambres, suivie d'une sorte de Syrien bedonnant. Franck entra au moment où Yvonne et O, qui n'avaient pas pris de liqueurs, attendaient que les hommes eussent fini leur cognac. Il fit un petit signe de la main à O, et s'installa seul près d'une fenêtre. Mais O, qui le voyait un peu de biais, s'aperçut qu'aussitôt que la fille qui devait le servir s'était approchée de sa table, il avait glissé la main dans la fente de sa jupe. Dans le restaurant ou le bar, et à condition qu'elle fût prise discrètement, c'était la seule liberté permise. Enfin, le moment arriva où Yvonne dit : « On monte ? » Un garçon d'hôtel ouvrit deux chambres contiguës, mais non communicantes, montra le téléphone, la sonnette, et referma les portes. O, sans même en être priée, enleva sa mantille, et s'approcha de son client pour lui offrir ses seins. Il était assis sur une chaise ; la glace à trois faces, qui dans toutes les chambres était fixée à une paroi, le reflétait, et O debout et entre ses genoux, toute habillée, et penchée pour lui être plus commode, s'étonnait de trouver naturel de tendre sa poitrine à cet inconnu. Depuis le matin quatre hommes lui étaient, comme disait Anne-Marie, entrés dans le corps : Sir Stephen, le chauffeur de la traction, Franck, le valet José. Celui-ci serait le cinquième : le même compte que Monique. Mais celui-ci la paierait. Il lui dit de se déshabiller, et lorsqu'il la vit en corset, l'arrêta. Ses fers (dont Yvonne n'avait pas parlé, alors qu'elle avait expliqué quand on ne lui demandait plus rien : « Nos bracelets, c'est pour nous attacher quand on nous fouette »), ses fers le bouleversèrent, et cette double facilité qui lui fut offerte lorsqu'il tint O par-dessous les jarrets, à la renverse sur le rebord du lit. A peine sorti d'elle, il lui dit : « Si tu veux être gentille, je te donnerai un bon pourboire. » Elle s'agenouilla. Il partit avant qu'elle fût rhabillée, laissant une poignée de billets sur la cheminée : le tiers de ce que gagnait O en un mois au studio de la rue Royale. Elle se lava, remit sa robe, et descendit, les billets pliés glissés entre sa peau et son corset, à l'entrebâillement des seins. D'ailleurs elle se trompait, pour ce qui était d'avoir le même compte que Monique : elle fut choisie, sitôt arrivée au bar, par un autre client, reconduite dans une chambre, et possédée une sixième fois.

Dans le noir, enchaînée au crochet au-dessus de son lit — comme elle l'avait été dans la chambre de l'an passé, que maintenant occupait elle ne savait qui, dans le noir et ne dormant pas, O se demandait pour la centième fois pourquoi, qu'elle y prît ou non plaisir, n'importe qui, du fait qu'il la pénétrait, ou seulement l'ouvrait de sa main, la battait ou moins encore la mettait nue, avait le pouvoir de se la soumettre. De l'autre côté de la paroi, aussi mince qu'un paravent, et qui n'était pas plus longue que la largeur du lit et des tables de chevet, elle entendait remuer Noelle, qui ne dormait pas non plus. Elle l'appela. Est-ce que Noelle se sentait soumise comme elle, vaincue et servile comme elle dès qu'on la touchait ? Noelle fut indignée. Soumise, servile ? Elle faisait ce qu'il fallait, c'était tout. Et vaincue ? Pourquoi vaincue ? O était bien compliquée. Noelle trouvait flatteur de voir les hommes se raidir devant elle, souvent agréable et toujours amusant de leur ouvrir les jambes ou la bouche. « Même au Syrien de ce soir ? » dit O. « Quel Syrien ? » dit Noelle. « Ce noiraud, frisotté, avec un énorme ventre, avec qui tu es montée quand nous sommes arrivées au bar. » Ainsi donc, se dit O, on peut ne pas se souvenir… Mais si, Noelle répondait : « Oh ! si tu l'avais vu tout nu : un gros porc — Tu vois bien, dit O. — Mais non, reprit Noelle, qu'est-ce que ça fait ? Il m'a léchée pendant bien une demi-heure, mais c'était m'entrer dans les fesses qu'il voulait, moi à quatre pattes bien sûr. Il paye bien, tu sais. » O aussi avait été bien payée, l'argent était là dans le tiroir d'une des tables de chevet. « Noelle, dit O, mais quand on te fouette, tu trouves encore que c'est amusant ? — Un petit peu, oui, et moi on ne me fouette jamais qu'un petit peu. » O faillit dire : « Tu as de la chance », puis s'aperçut qu'elle ne croyait pas du tout que ce fût de la chance. Elle allait demander à Noelle pourquoi on ne la fouettait jamais qu'un petit peu, et ce qu'elle pensait des chaînes, et si les valets… Mais Noelle se tournait dans son lit en geignant : « Ah !

que j'ai sommeil ! Ne fais pas tant d'histoires, O, dors. » Elle se tut.

Le matin, à dix heures, un valet venait défaire les chaînes. Le bain pris, la toilette faite, l'examen d'Anne-Marie passé, à moins d'être de service dans les chambres de la grande clôture, et en ce cas elles devaient mettre immédiatement leur uniforme, les filles étaient libres de s'habiller ou non, jusqu'à l'heure d'aller au restaurant ou au bar pour celles dont c'était le tour, au réfectoire pour les autres. Mais celles qui allaient au réfectoire ne s'habillaient pas : à quoi bon puisqu'il fallait y être nue ? A un office de l'étage, on pouvait prendre un petit déjeuner. Les portes des chambres restaient ouvertes sur le couloir, et il était permis d'aller de l'une chez l'autre. O seulement, Yvonne, et la troisième fille qui était ferrée comme elle, Julienne, étaient appelées dans la matinée pour recevoir le fouet. Il leur était donné à tour de rôle sur le palier de l'étage, courbées sur la balustrade de l'escalier, et liées, jamais assez fort pour les marquer, toujours assez longtemps pour leur arracher des cris, des supplications et parfois des larmes. Le premier matin qu'O, déliée, s'abattit en gémissant sur son lit tant ses reins la brûlaient encore, Noelle la prit dans ses bras pour la consoler. Sa gentillesse n'allait pas sans un peu de mépris. Pourquoi avoir accepté d'être ferrée ? O avoua sans peine qu'elle en était heureuse et que son amant la fouettait tous les jours. « Alors, tu as l'habitude, dit Noelle. Ne te plains pas, ça te manquerait. — Peut-être, dit O. Et je ne me plains pas, mais l'habitude, ah non, je ne peux pas m'habituer... — Eh bien, dit Noelle, tu auras de quoi faire, parce que ce serait bien rare que tu ne le sois qu'une fois par jour ici. Les filles comme toi, les hommes voient tout de suite que c'est fait pour ça. Tes anneaux au ventre, ta marque... sans compter que ça sera sur ta fiche. — Sur ma fiche, dit O, quelle fiche, qu'est-ce que tu veux dire ? — Tu n'as pas encore ta fiche, mais sois tranquille, ça sera dessus quand tu l'auras. »

Interrogée sur la question de la fiche trois jours plus tard, alors qu'elle avait fait déjeuner O chez elle, Anne-Marie s'expliqua volontiers. « J'attends d'avoir tes photos ; on transcrira au dos la fiche que m'aura envoyée Sir Stephen, non pas les renseignements sur toi, je veux dire non pas tes mesures, ton signalement, ton âge, non, mais tes particularités et ton emploi... Oh ! ça tient toujours en deux lignes et je sais ce qu'il dira. » Les photos d'O avaient été prises un matin, dans un studio tout pareil à celui où elle avait travaillé, installé sous les combles de l'aile droite. O avait été fardée comme elle fardait les mannequins, dans un temps qui lui semblait plus lointain que sa petite enfance. Elle avait été photographiée vêtue de son uniforme, de sa grande robe jaune, elle avait été photographiée sa robe retroussée, elle avait été photographiée nue, de face, de dos, de profil : debout, couchée, à demi renversée sur une table et les jambes ouvertes, courbée et la croupe tendue, à genoux et les mains liées. Allait-on garder d'elle toutes ces images ? « Oui, dit Anne-Marie. On les met à ton dossier. Les plus réussies, on en fait des tirages pour les clients. » Quand Anne-Marie les lui montra, le surlendemain, elle fut atterrée ; elles étaient jolies pourtant ; pas une qui n'eût pu prendre place dans les albums qu'on vend à demi clandestinement dans les kiosques. Mais la seule où O eut l'impression de se reconnaître fut une photo où elle était nue, debout, de face, accotée au rebord d'une table, les mains sous les reins, les genoux desserrés, ses fers bien visibles entre les cuisses, et la fente de son ventre aussi bien marquée que sa bouche entrouverte. Elle regardait droit, le visage noyé et perdu. Il faut croire qu'elle ne se trompait pas en se reconnaissant : « On donnera surtout celle-là, dit Anne-Marie. Tu peux regarder au dos, ou plutôt non, je vais te montrer la fiche de Sir Stephen. » Elle se leva, ouvrit le tiroir d'un secrétaire et tendit à O un carton mince qui portait à l'encre rouge, de l'écriture de Sir Stephen, son nom : O, et la mention : « Ferrée. Marquée. Bouche très bien dressée. » Au-dessous et souligné : « A fouetter ». « Retourne la photo maintenant », dit Anne-Marie. Le tout était transcrit au revers de la photo. Ce qu'elle répétait, Sir Stephen l'avait dit devant O, en termes plus crus, toutes les fois où il l'avait remise à quelqu'un, et même, il ne le lui avait pas caché, simplement en parlant d'elle à ses amis. O apprit que les photos, deux ou trois pour chaque fille, étaient dans des albums à feuillets mobiles que tout le monde, au bar et au restaurant, pouvait consulter. « C'est aussi celle-là que préfère Sir Stephen, dit Anne-Marie, et celle-ci » (où O était à genoux, la robe retroussée). « Mais, s'écria O, il les a vues ? — Oui, il est venu hier, c'est hier qu'il a fait la fiche, ici. — Mais quand, hier, dit O toute pâle, et sentant se nouer sa gorge et monter ses larmes, quand, pourquoi ne m'a-t-il pas vue ? — Oh, il t'a vue, dit Anne-Marie. Hier je suis entrée avec lui dans la bibliothèque, tu y étais. Tu étais avec le commandant. Il n'y avait que toi et lui dans la pièce, mais on n'allait pas le déranger. » Hier, hier après-midi dans la bibliothèque, O, à genoux, sa robe verte et bleue relevée sur les reins... Elle n'avait pas bougé quand la porte s'était ouverte : elle avait la verge du commandant dans la bouche. « Pourquoi pleures-tu? reprit Anne-Marie. Il t'a trouvée très jolie. Ne pleure pas, petite sotte. » Mais O ne pouvait arrêter ses larmes. « Pourquoi ne m'a-t-il pas appelée? Est-ce qu'il est parti tout de suite, qu'est-ce qu'il a fait, pourquoi ne m'a-t-il rien dit? » gémit-elle. « Ah! il faudrait qu'il te rende des comptes! Je croyais qu'il t'avait mieux dressée; je ne lui ferai pas mes compliments. Tu mériterais... » Anne-Marie s'interrompit : on frappait à sa porte. C'était celui qu'on appelait le Maître de Roissy. Il n'avait guère jusqu'ici prêté attention à O, et ne l'avait pas touchée. Mais sans doute était-elle particulièrement émouvante, ou provocante, ainsi défaite; pâle et nue, la bouche mouillée et tremblante. Comme Anne-Marie la renvoyait en lui ordonnant d'aller s'habiller — il était près de trois heures — il rectifia : « Non, qu'elle m'attende dans le couloir. »

Au plus fort de son chagrin, O fut un peu apaisée par une circonstance où il ne semblait que rien en principe pût lui être doux : ce fut par la venue du faux Allemand à qui elle avait déjà, en présence de Sir Stephen, appartenu plusieurs fois. Certes, il n'avait rien de plaisant : brutal, l'air avide et méprisant, des mains et un langage de charretier. Mais il dit à O, qu'il avait fait demander et attendait au bar qu'il venait de la part de Sir Stephen, et la priait à dîner. En même temps il lui tendait une enveloppe. O se souvint, le cœur soudain bondissant, de l'enveloppe qu'elle avait trouvée sur la table du salon de Sir Stephen, le lendemain de sa première nuit chez lui. Elle ouvrit : c'était bien un mot de Sir Stephen qui lui disait de faire en sorte que Carl ait envie de revenir, comme au moment du voyage il lui avait recommandé de l'attirer dans sa cabine. Et la remerciait. Carl évidemment ne connaissait pas le contenu de la lettre. Sir Stephen avait dû lui laisser entendre autre chose. Quand O remit le papier dans son enveloppe, et leva les yeux sur lui, qui était assis sur un tabouret du bar (elle debout devant lui), il lui dit de sa voix rauque et lente, que sa difficulté à s'exprimer en français, et l'accent germanique ralentissaient encore : « Alors, vous serez obéissante ? — Oui », dit O. Ah ! oui, elle serait obéissante ! Il croirait que ce serait à lui. Elle se moquait bien de Carl, mais que Sir Stephen, de quelque manière que ce fût, voulût bien l'utiliser à ses fins, et quelles que fussent ces fins ! Elle regarda Carl avec douceur : si elle réussissait à ce qu'il ait envie de revenir, — pourquoi Sir Stephen voulait-il le retenir à Paris, du moins c'est ce qu'elle comprenait, peu lui importait, — si elle réussissait, peut-être Sir Stephen la récompenserait-il, peut-être viendrait-il. Elle rassembla la faille bruissante de sa robe, sourit à l'Allemand, et passa devant lui pour entrer au restaurant. Etait-ce sa douceur, qui, lorsqu'elle le voulait, était délicieuse, était-ce son sourire, elle eut la surprise de voir fondre brusquement la glace qui figeait le visage de Carl. Il s'efforça, pendant le dîner, de lui parler courtoisement. En une demi-heure, O en apprit, sur lui, plus que Sir Stephen ne lui en avait jamais dit : qu'il était flamand, et possédait des intérêts au Congo belge, qu'il allait en Afrique trois et quatre fois par an en avion, que les mines rapportaient beaucoup d'argent. « Quelles mines ? » dit O. Mais il ne répondit pas. Il but beaucoup, les yeux constamment fixés tantôt sur les lèvres d'O, tantôt sur ses seins qui bougeaient sous la dentelle, et dont on voyait parfois à travers une maille, tant les mailles étaient larges, la pointe fardée. Au bureau, où O le conduisit ensuite pour qu'il prît une chambre, il dit : « Vous me ferez monter du whisky, et une chicote. » Après qu'il l'eut possédée, comme l'avait été Noelle par le Syrien, comme après tout O elle-même l'avait déjà été par lui devant Sir Stephen, après qu'il se fut fait caresser, et que levant pour la troisième fois sa cravache il saisit les mains d'O qui suppliante essayait malgré elle d'arrêter son bras, O lut dans ses yeux une si violente joie qu'elle sut qu'elle n'en obtiendrait pas la moindre pitié (elle ne l'avait jamais espéré) mais aussi, mais surtout, qu'il reviendrait.

Il est possible aussi qu'on ait de temps à autre ramené O dans une de ces chambres de rez-de-chaussée qui donnent sur le parc, et qu'elle avait jadis occupée. Elle crut une fois qu'elle y vivrait longtemps, dans une sorte de bonheur, et se le redit à voix basse, comme parlent les ombres de la nuit :

« Les rêves qui reviennent sans fin, comment savoir qu'ils sont des rêves ? Ma vie est-elle autre chose qu'un rêve éveillé ? Je suis revenue dans cette maison qui n'est pas ma maison, ni la maison de celui que j'aime. Il veut pourtant, désormais, m'y faire vivre. Ma chambre est tranquille et sombre, avec une grande porte-fenêtre qui ouvre sur le parc. Le grand lit est si bas qu'on dirait à peine un lit, il se confond avec le sol, avec le mur auquel il s'appuie. Tout ce qui n'est pas ce lit tient dans une petite pièce voisine, dont la porte se perd dans la tapisserie, tout : baignoire, armoire, coiffeuse. Dans la chambre un grand miroir fait face au lit. Il est en partie fixé sur une porte. S'il bouge, c'est qu'on entre.

Ce n'était pas lui. Ai-je dit que j'étais nue ? C'était un valet qui portait un plateau. Le thé pour trois personnes, avec des sandwiches au cresson, des scones et ce gâteau de fruits très sucré, presque noir, comme à Londres. Il a posé le plateau sur l'angle du lit, il est parti. Le grand chien des Pyrénées qui le suivait s'est assis à côté du plateau, aussi silencieux et embarrassé que moi. Je nous regardais lui et moi dans la glace, clairs sur le fond rouge sombre du mur et des rideaux, et c'est dans la glace que j'ai vu à ma gauche la porte-fenêtre s'ouvrir. Lui est entré, m'a souri, m'a prise dans ses bras quand je me suis levée. Je me suis agenouillée sur le tapis près du lit pour verser le thé et lui ai tendu une tasse, j'ai fendu et beurré les scones, coupé une tranche de gâteau. Pour qui était la troisième tasse ? Il a deviné que j'allais poser la question. « Tu auras une visite, tout à l'heure. — Qui ? — Qu'est-ce que cela peut faire ? Quelqu'un que j'aime bien. — Vous ne resterez pas ? — Pas tout à fait. » Pas tout à fait, je n'ai d'abord pas compris. Plus tard, j'ai vu que le grand miroir n'était miroir que de mon côté, et que la porte était transparente, qui ouvrait dans une seconde pièce d'où l'on surveillait, si l'on voulait, tout ce qui se passait dans ma chambre. Naturellement, il y avait plusieurs chambres dont la disposition était semblable. Et pourquoi dire ma chambre ? Mais un prisonnier dit bien ma cellule, sans l'avoir choisie, alors que j'avais choisi d'être prisonnière. « Si tu acceptes d'être à moi, je disposerai de toi. » Comme un disque, ces paroles qu'une fois dites il n'avait plus jamais répétées tournaient sans fin dans ma tête. Le grand garçon maigre amené par un valet et que maintenant Sir Stephen accueillait allait tenir de lui ses pouvoirs. Sir Stephen reposa sa tasse. J'en versai une à l'inconnu qui dit : « *Isn't she sweet! — She's yours* », dit Sir Stephen, et nous laissa. Ranger le plateau du thé fut inutile. Il y avait sur l'immense lit toute la place. Qui effacera les rêves ? »

Il était rare que des membres du club ou des visiteurs vinssent au restaurant, ou au bar, accompagnés d'une femme, mais enfin cela arrivait. A condition effectivement qu'elles fussent accompagnées, l'entrée n'était pas interdite aux femmes, ni même l'accès des chambres. L'homme qui les amenait n'avait rien à payer en plus, que leurs consommations ou leur repas, et n'avait pas à fournir leur nom. La seule différence qui existât à ce moment-là entre Roissy et un hôtel de passe ordinaire, c'est qu'il fallait, en même temps que la chambre, prendre une fille. Dans la grande salle surchauffée où d'énormes philodendrons et des fougères le long d'un des murs répandaient une odeur de serre, elles enlevaient leur manteau de fourrure, parfois même la veste de leur tailleur. Leur assurance, qui cachait peut-être leur malaise, leur curiosité qu'elles tentaient de déguiser sous l'insolence, leurs sourires qu'elles essayaient de rendre méprisants, et qui correspondaient sûrement quelquefois à un mépris très réel, soulevaient la rancune des filles, et amusaient beaucoup ceux des hommes présents qui étaient des habitués de Roissy, affiliés ou clients.

Durant les huit jours où O fut de service au restaurant à midi, il en vint trois, à des jours différents. La troisième que vit O, grande et blonde, accompagnait un homme jeune qu'O avait déjà aperçu au bar. Ils s'assirent à l'une des tables affectées à son service, dans une encoignure près de la fenêtre. Presque aussitôt, un des membres du club, nommé Michel, les rejoignit, et fit signe à O de s'approcher. Michel avait couché une fois avec O. Lorsque l'homme le présenta à la jeune femme, O l'entendit ajouter : « Ma femme. » Elle portait une alliance, cloutée de petits diamants, et un saphir presque noir. Michel s'inclina, s'assit, et quand le maître d'hôtel eut pris la commande, dit à O, qui attendait : « Apporte l'album à Madame. » La jeune femme tournait d'un air détaché les feuillets de l'album, et allait sans doute passer sur la photo d'O en affectant de ne pas la reconnaître, quand son mari lui dit : « Tiens, voilà, c'est celle-ci, elle est ressemblante. » Elle leva les yeux vers O, sans un sourire. « Vraiment ? » dit-elle. « Tournez la page suivante », dit Michel. « Tu as lu la notice ? » dit son mari. La jeune femme referma l'album, sans répondre. Mais quand O, qui était allée chercher le premier service, revint vers la table, elle la vit qui parlait avec animation, et Michel qui riait. Ensuite, ils se turent chaque fois qu'elle approchait, pas assez vite pourtant, comme elle apportait le café, pour qu'elle n'entendît pas le mari insister : « Alors, décide-toi. » Michel ajouta quelque chose qu'O ne saisit pas, la jeune femme haussa les épaules. Dans la chambre, elle ne se déshabilla pas, de ses mains sèches, effleura O qui crut sentir sur elle les serres d'un grand oiseau, puis la regarda caresser son mari, et se livrer à lui. Lorsqu'ils partirent, la laissant nue, ils ne l'avaient ni battue, ni maltraitée, ni insultée. Ils lui avaient parlé courtoisement. Jamais elle ne s'était sentie plus humiliée.

« Ces garces-là, dit Noelle, quand O, qu'elle avait vu partir avec le couple, et qu'elle interrogeait, finit par lui dire ce qui s'était passé, et l'impression qu'elle en avait eue, ces garces-là, elles sont aussi putains que nous, tu penses, sans ça elles ne viendraient pas ici, mais qu'est-ce qu'elles se croient ! Moi, si je pouvais, je les giflerais. » Ce sentiment à l'égard des femmes, venues en visiteuses, était constant et unanime. Tandis que Noelle, et d'ailleurs toutes les autres filles, et O, s'il leur arrivait d'envier les filles qui étaient amenées à Roissy par leur amant, c'était uniquement pour l'intérêt que leur amant leur portait, et sans le moindre sentiment de rancune ou de véritable jalousie. O n'avait pas soupçonné, à son premier séjour, quels désirs elle avait dû éveiller autour d'elle, désir de lui parler, de l'aider, de savoir qui elle était, de l'embrasser, chez les filles qui l'avaient, à son arrivée, déshabillée, lavée, coiffée, fardée, revêtue de son corset et de sa robe, qui chaque jour ensuite avaient pris soin d'elle et avaient si vainement tenté de lui parler quand elles croyaient n'être pas vues ; d'autant plus vainement qu'elle n'avait jamais essayé de répondre. Quand son tour vint de faire ce qu'on appelait le service des chambres, c'est-à-dire de se rendre, accompagnée de Noelle, dans les chambres de la grande clôture, pour faire la toilette des filles qui y étaient logées, O fut tellement troublée par cette sorte de décalque multiplié, d'incarnation à plusieurs exemplaires de ce qui avait été elle-même, et qu'on lui remettait entre les mains, qu'elle ne franchissait jamais sans trembler la porte des chambres rouges. Car toutes étaient rouges. Ce qui la désola le plus fut qu'elle ne parvint jamais à retrouver avec certitude celle qui avait été la sienne La troisième ? Le grand peuplier bruissait devant la fenêtre. Les asters pâles, qui dureraient tout l'automne, fleurissaient tout juste. On était à l'équinoxe de septembre. Mais la cinquième chambre avait aussi son peuplier et ses asters. Elle était occupée par une fille gracile, blanche contre la tenture écarlate, frissonnante, les cuisses portant pour la première fois les sillons violets de la cravache. Elle s'appelait Claude. Son amant était un garçon maigre d'une trentaine d'années qui la tenant aux épaules, renversée, comme René avait tenu O, la regardait avec passion, ouvrir son doux ventre brûlant à un homme qu'elle n'avait jamais vu et sous lequel elle gémissait. Noelle la lavait. O la fardait, lui laçait son corset, lui passait sa robe. Elle avait, des seins tendres aux pointes roses, des genoux ronds. Elle était muette et perdue. Elle, et les filles comme elle, qui appartenaient aux affiliés, et qu'ils étaient seuls à se partager, qui se livraient dans le silence, et qui, dès qu'on les trouverait suffisamment prêtes et dressées, quitteraient Roissy, l'anneau de fer au doigt, pour être hors de Roissy prostituées par leur amant, pour son seul plaisir, étaient, pour les filles qui étaient prostituées à Roissy même en dehors des grilles, pour de l'argent, pour le bénéfice et le plaisir des membres du club, et non plus d'un homme qui les aimait, un objet de curiosité et de conjectures interminables. Reviendraient-elles à Roissy ? Seraient-elles, si elles revenaient, enfermées dans la grande clôture, ou bien, fût-ce pour quelques jours, délivrées du silence et mises dans la communauté ? Il y eut une fille que son amant laissa six mois dans la clôture, emmena, et ne ramena jamais. Mais O retrouva Jeanne, qui était restée un an dans la communauté, puis était partie, puis était revenue, Jeanne que René avait caressée devant elle, et qui avait regardé O avec tant d'admiration et d'envie. Battues et enchaînées comme les autres, les filles de la communauté étaient pourtant libres. Non pas libres de n'être pas battues si elles étaient là, mais libres de s'en aller si elles le voulaient. C'était celles qu'on traitait le plus cruellement qui s'en allaient le moins, Noelle restait deux mois, partait trois mois, revenait quand elle n'avait plus d'argent. Mais Yvonne et Julienne, fouettées tous les jours, comme O, et comme O, selon ce qu'avait prédit Noelle, souvent plusieurs fois par jour, Yvonne, Julienne et O, étaient aussi volontairement prisonnières que les filles de la grande clôture.

Au bout de six semaines, pendant lesquelles elle n'avait cessé d'espérer malgré la déception de chaque jour la venue de Sir Stephen, O s'aperçut que, si les affiliés, qui demeuraient ou venaient plusieurs jours de suite à Roissy, n'étaient pas rares, il se passait quelque chose d'analogue pour les clients. Si bien qu'il s'établissait des préférences, ou des habitudes (comme il s'en établissait pour les valets, au point que souvent au réfectoire, c'était la même fille que le valet possédait : ainsi O, que José faisait asseoir à califourchon sur lui, de ses mains la tenant à la taille et aux reins, et elle ressemblait, se renversant à peine, à la femme pâmée des statuettes hindoues que tient le dieu Siva) et O remarqua le fréquent retour de Carl, moins parce qu'il venait parfois quatre jours de suite, la faisant toujours demander pour le soir et vers neuf heures, que parce qu'elle essayait chaque fois de le faire parler de Sir Stephen. Il y consentait rarement, et c'était toujours plutôt pour expliquer ce que lui, Carl, avait dit à Sir Stephen (à propos d'O), que ce que Sir Stephen avait répondu. Pas une fois il ne laissa d'argent à O. Non qu'il ignorât l'usage. Un soir il avait fait monter avec O une autre fille, qui se trouva être Jeanne. Il la renvoya très vite, gardant O, mais la renvoya des billets plein les mains. Pour O, rien. Aussi ne comprit-elle pas ce qui arrivait lorsqu'un soir d'octobre, au lieu de s'en aller comme il avait coutume, il lui dit de se rhabiller, attendit qu'elle fût prête et lui tendit une longue boîte de cuir bleu. O l'ouvrit : elle contenait une bague, un collier et deux bracelets de diamants. « Tu les mettras à la place de ceux que tu as là, dit-il, quand je t'emmènerai. — M'emmener ? dit O. Où ? Mais vous ne pouvez pas m'emmener. — Je t'emmènerai en Afrique d'abord, dit-il, puis en Amérique. — Mais vous ne pouvez pas », répéta O. Carl fit un geste comme pour la faire taire : « Je vais m'arranger avec Sir Stephen, et je t'emmènerai. — Mais je ne veux pas, cria O, soudain prise de panique, je ne veux pas, je ne veux pas. — Si, tu voudras », dit Carl. Et O pensa : « Je me sauverai, ah ! pas lui, non, je me sauverai. » L'écrin était ouvert sur le lit défait, les bijoux, qu'O ne pouvait pas mettre, scintillaient dans le désordre des draps, une fortune. « Je me sauverai avec les diamants », se dit-elle, et lui sourit.

Il ne revint pas. Dix jours après, comme elle attendait, au début de l'après-midi, vêtue de sa robe jaune et grise du premier jour, qu'un valet lui ouvrît la petite grille pour aller à la bibliothèque, elle entendit courir derrière elle, et se retourna : c'était Anne-Marie, qui avait un journal à la main, et le lui tendit, pâle comme O ne l'avait jamais vue. « Regarde », lui dit-elle. Le cœur d'O bondit dans sa poitrine : en première page, un visage perdu, la bouche entrouverte, des yeux qui regardaient bien en face : son visage. Un gros titre : « Qui est la femme nue du crime de Franchard ? Des alpinistes, disait l'article, qui s'entraînaient en forêt de Fontainebleau, dans les gorges de Franchard, alertés par les aboiements d'un chien, ont découvert dans des fourrés le cadavre d'un homme tué d'une balle dans la nuque. L'inconnu, qui paraît étranger, avait été dépouillé de tous ses papiers. On n'a trouvé sur lui, glissée dans la doublure du veston par une poche décousue, qu'une photo de femme entièrement nue, d'après certains indices vraisemblablement une prostituée, que la police recherche. » La description qui suivait ne laissa aucun doute à O ; c'était Carl. « Tu vois qui ça peut être ? » dit Anne-Marie. « Oh oui, dit O. Sir Stephen... Il ne faut rien dire. — Si, dit Anne-Marie, mais tu n'as pas besoin de dire que Sir Stephen te l'avait envoyé. Mais il y a des chances qu'on l'apprenne. » Quand la police arriva à Roissy, Carl avait déjà été identifié, grâce à des marques de vêtements et de blanchissage, par son tailleur, et par les garçons de son hôtel. O ne fut interrogée que pour complément d'enquête, et plus précisément sur Sir Stephen. On savait qu'il était en relation avec Carl. Quelles relations ? O l'ignorait. Au bout de trois heures d'interrogatoire, O n'avait toujours rien dit, sinon affirmé que depuis deux mois elle n'avait pas vu Sir Stephen. « Mais demandez-lui ! s'écria-t-elle enfin, et puis qu'est-ce que ça vous fait ! — Alors tu ne comprends pas qu'il a probablement liquidé le Belge, ton bel ami, et que c'est pour ça qu'il a disparu. Mais d'ici qu'on le prouve... » On ne le prouva pas. On supposa que Carl, qui était connu pour s'être occupé de mines de métaux rares en Afrique Centrale, après avoir négocié sans en avoir le droit et pour des sommes considérables (dont on retrouva la trace dans ses comptes en banque, mais il les avait retirées) les concessions ou leur produit avec des agents étrangers — peut-être anglais, peut-être Sir Stephen —, s'apprêtait à quitter l'Europe, et que ces agents, se voyant floués sans défense légale, s'étaient vengés. Quant à remettre la main sur Sir Stephen... quant à savoir s'il reviendrait...

« Tu es libre, maintenant, O, dit Anne-Marie. On peut t'enlever tes fers, le collier, les bracelets, effacer la marque. Tu as des diamants, tu peux retourner chez toi. » O ne pleurait pas, elle ne se plaignait pas. Elle ne répondît pas à Anne-Marie. « Mais si tu veux, dit encore Anne-Marie, tu peux rester. »

ROISSY-EN-FRANCE

Un texte inédit
d'André Pieyre de Mandiargues

Il est permis que l'on soit un peu fier d'avoir été, parfois, un bon lecteur. Dans cette fierté-là, qui n'est pas vanité, rien, je crois, ne me pousse autant que la conscience de n'avoir pas manqué « O » quand la belle « Histoire » fut rendue publique, il y a quinze ans, et de lui avoir donné tout de suite un entier consentement et une admiration entière alors que la plupart de nos amis du monde intellectuel demeuraient plutôt réticents ou déconcertés au premier abord d'un récit en lequel on peut voir la grande merveille produite par la littérature française dans cette époque de transition. J'avais entendu parler du livre avant qu'il ne fût publié, depuis assez longtemps, oui, mais nous étions assez nombreux dans ce cas, et je m'étonne encore que nous eussions été si rares à reconnaître le tragique éclat du livre de Pauline Réage, à nous sentir bouleversés par son accent brûlant et pur. Pareille méconnaissance, qu'il est amusant de souligner aujourd'hui, prouve l'originalité de l'œuvre. Rien n'était moins à la mode que l'« Histoire d'O » en 1954, et le livre, paru non pas sous le manteau mais au grand jour, mis en vente sans aucune restriction ni précaution, exposé dans les vitrines de tous les libraires (point très nombreux) qui pensaient pouvoir le vendre, fut regardé comme un simple objet de curiosité. C'est un prix littéraire, comme on sait, appuyé d'une petite parade en masque, qui le fit passer du rang de « curiosa » à celui des grands succès de librairie et qui lui procura diverses persécutions de la part de la police et des commissions de censure. Son éditeur, qui n'espérait pas tant, fut le premier surpris, selon mon souvenir, et plusieurs de ceux qui s'étaient montrés les plus difficiles déplorèrent le coup de projecteur qui, en lui portant un vaste public, risquait de vulgariser un livre trop précieux pour être livré à plus de quelques amateurs... Vieille aventure, qui revient soudain dans l'actualité du fait de la publication d'une suite à l' « Histoire d'O ».

Jusqu'à quel point « Retour à Roissy » est-il une suite à « O » ? Et si le mot « suite » est exact, voilà la première question qui se pose, laquelle n'est pas facile à résoudre. Nous avions, j'avais entendu dire aussi, au moment de la sortie de presse de l'édition originale (frappée, celle qui est dans ma bibliothèque, d'un joli cuivre de Hans Bellmer), que la composition de l'ouvrage avait été modifiée avant qu'il eût été remis à l'éditeur, et que des chapitres en avaient été retirés. Il n'est donc pas interdit de voir en le « Retour » un chapitre ultime que l'auteur aurait supprimé. La chronologie, en tout cas, est respectée entre le dernier épisode de l'édition originale et celui qui vient de nous être offert, autant qu'entre les quatre chapitres du roman ou davantage. Sans doute n'y a-t-il aucun rapport entre le « Retour » et le bref paragraphe (Il existe une seconde fin à l'« Histoire d'O ». C'est que, se voyant sur le point d'être quittée par Sir Stephen, elle préféra mourir. Il y consentit.), *qui tombait comme un couperet après le quatrième chapitre, avant la table des matières. Dans ce paragraphe, il m'a toujours semblé voir un admirable artifice de la romancière et la fin véritable de l'« Histoire », la conclusion qui donne au roman sa signification profonde et qui le scelle à la manière d'un tombeau, alors que les dernières pages du quatrième chapitre le laissent ouvert et ne sauraient constituer authentiquement une fin. De surcroît, l'« Histoire d'O » est amorcée, comme on sait, par un double début.*

Or, Pauline Réage ne semble pas mépriser la symétrie. Nous ne verrions rien de déraisonnable à ce qu'elle eût pensé proposer deux dénouements à son écrit, le premier étant celui du paragraphe joint, la mort volontaire de l'héroïne, le second étant ce « Retour à Roissy » que nous avons actuellement sous les yeux. Gardons, cependant, quelque méfiance. Réage, à première lecture sinon à première vue, paraît être d'une simplicité tellement exemplaire que la louange que l'on est tenté de lui faire est d'être « simple comme l'amour ». Simple comme Héloïse, dont Jean Paulhan, dans sa préface à la première « O », citait cette phrase superbe : « Je serai ta fille de joie », en évoquant la possibilité qu'il y eût là plus qu'une jolie phrase... L'amour, en réalité, quand il passe certaines limites, n'est pas si simple que le croient les gens bons ou mauvais. Héloïse n'est simple qu'en apparence; Pauline Borghèse et Pauline Roland, ces deux « célèbres dévergondées » auxquelles Réage aujourd'hui nous confie qu'elle a emprunté son prénom, ne le sont pas davantage; Pauline Réage l'est probablement moins que toutes, contrairement à la fugitive impression que son livre nous laisse, et ni le grand silence d'O ni ce que Jean Paulhan nomme son « inconcevable décence » ne relèvent de la simplicité.

Il faut être particulièrement attentif à la petite note liminaire au nouveau récit. « Les pages que voici, écrit Réage, sont une suite à l'"Histoire d'O". Elles en proposent délibérément la dégradation, et ne pourront jamais y être intégrées. » *En effet, « Retour à Roissy » est bien moins une aile ajoutée au quasiment mystique château d'« O » pour l'achever qu'une sape poussée dans ses fondations à l'intention de le miner et puis de le détruire. Au début, quand il se fait usage de l'enfantine Natalie, gentil petit personnage dont l'apparente inutilité dans la première « O » m'avait frappé, le ton est le même et nous pensons que nous allons nous retrouver dans l'étrange couvent des sévérités libertines. Pas pour longtemps, si le nouveau récit nous montre, au lieu du cloître voué à la transfiguration de l'amour, un banal bordel de luxe, sorte de « country-club » comme on en rencontre, selon les initiés, aux environs de la plupart des métropoles de la société capitaliste, et si les pensionnaires de la maison, O comprise, cette fois, ne sont plus que d'ordinaires putains dressées à servir de riches idiots aussi communs que leurs partenaires. Sir Stephen, le fascinant prince aux yeux gris (Réage dixit), le réformateur de l'art d'aimer, l'on découvre qu'il n'est qu'un truand, assez vulgaire pour tuer, ou faire tuer, un associé malhonnête en affaires. Et c'est au bénéfice de ses affaires qu'il livre O à des brutaux, comme les filles que les industriels livrent en guise de pousse-café à leurs gros clients pour aider la conclusion d'un contrat ! Le mot « affaires », ordure définitive, empoisonne, de ses miasmes le « Retour », alors que dans la première « O » son absence allégeait encore le pur climat. Allons-nous crier notre indignation ?*

Nous pourrions le faire. Songeons cependant que le sujet véritable de l'« Histoire d'O » est une fanatique ascèse de l'amour, menée très loin sur la personne d'une femme par une méthode de dégradation progressive, volontairement acceptée par le sujet et qui devrait, en bonne logique, aboutir à une dégradation totale de la chair. Songeons aussi que dans la mystique de la soumission, le plaisir fier d'abaisser son corps est une espèce de faiblesse, guère plus excusable que le plaisir des sens. Réage, à bien considérer le propos du « Retour », n'est-elle pas fidèle à son premier dessein, qu'elle ne fait que pousser à toute extrémité par la dégradation de l'ascèse de son héroïne, par la vulgarisation de celle-là qui du point sublime où la première histoire, après la scène de la chouette, l'avait laissée, retombe à la bassesse d'une pute que l'on paye en diamants ? Le « Retour » est une suite à l'« Histoire d'O » qui détruirait l'« Histoire » s'il se trouvait placé après elle. Quant au problème de savoir s'il s'agit vraiment d'un chapitre original omis, ou si ce serait le seul, la narratrice nous le dira, si elle veut.

Ce qui me plaît par-dessus tout dans le « Retour » est l'introduction, où, sous le beau titre d'« Une fille amoureuse », Pauline Réage se dévoile un peu, juste assez pour se montrer sous le plus charmant jour quand elle nous conte comment, dans quels lieux, de quelle façon, elle écrivit son premier livre. Admirable Réage ! Il y a peu d'hommes et peu de choses en France que j'aime autant que cette femme et que son œuvre. Nullement à la mode, comme j'ai dit, il y a quinze ans, l'« Histoire d'O » a créé une mode qui sévit assez détestablement aujourd'hui et qui nous vaut de voir paraître tous les mois quatre ou cinq romans prétendus « érotiques », aussi pauvres de style que d'imagination. L'érotisme en littérature ne se justifie que s'il est exceptionnel, tel qu'il fut par le fait de Réage, tel que nous venons de le retrouver dans le très priapique, très ésotérique, très luxueux et très flamboyant « Château de Cène », qui est l'ouvrage de l'un des plus purs parmi les jeunes poètes de ce temps : Bernard Noël.

André PIEYRE DE MANDIARGUES.

Table

LE BONHEUR DANS L'ESCLAVAGE

Une révolte à la Barbade 9
I. Décisif comme une lettre 10
II. Une décence impitoyable 13
III. Curieuse lettre d'amour 16
La Vérité sur la révolte 19

HISTOIRE D'O

I. Les Amants de Roissy 25
II. Sir Stephen 71
III. Anne-Marie et les anneaux 135
IV. La chouette 177

Il existe une seconde fin 203

Une fille amoureuse 205

Retour à Roissy 219

Roissy-en-France,
par A. Pieyre de Mandiargues 277

Le Livre de Poche s'engage pour l'environnement en réduisant l'empreinte carbone de ses livres. Celle de cet exemplaire est de :
500 g éq. CO_2
Rendez-vous sur www.livredepoche-durable.fr

Composition réalisée par ASIATYPE

Imprimé en France par CPI
en avril 2018
N° d'impression : 2035365
Dépôt légal 1re publication : août 1999
Édition 18 - avril 2018
LIBRAIRIE GÉNÉRALE FRANÇAISE
21, rue du Montparnasse - 75298 Paris Cedex 06

31/4766/7